2018

2019

2020

※タイトルの脇に「*」印が付いている項は、東京新聞連載、その他は琉球新報連載です。
※〔参照〕欄は、前著『見張塔からずっと』記載の項も含めて、関連項目を示しています。

装幀　田畑書店デザイン室

愚かな風

忖度時代の政権とメディア

はじめに

本書の前著にあたる『見張塔からずっと』は、二〇一六年夏までの出来事を記したものだ。それから四年、日本そして世界に吹き荒れたのは、フェイクニュースであり、社会の対立や分断だった。二〇二〇年に入ってから、私たちは新型コロナウイルス感染症に翻弄される毎日だが、そこにもこれらが生んだ格差や疑心は大きな影を落としている。

また、日本社会において二〇一〇年代後半の大きな特徴は忖度だ。政治にも、日常の生活のなかにも、そしてさまざまな表現活動においても、萎縮や制約が相次ぎ、その幾つかは大きな社会問題にもなったことを改めて思い起こすだろう。そうしたなかで二〇年夏、憲政史上最長となった政権に突然終止符が打たれた。第一次から第四次まで延べ八年半に及ぶこの期間は、ジャーナリズムあるいは言論の自由にとって、大きな転換の時期であった。

本書では、この間に何が起きたかを「年表」というかたちで示すことにした。その中心は、自民党が歴史的大勝利と言われた選挙があった二〇〇五年から二〇年までの十五年間の、言論の自由に関わる出来事である。ただし、本文記述の中にそれ以前の話も登場することから、〇五年までについても新規立法を中心にごく簡単にではあるものの記載することとした。いずれにせよ、中心となる十五年間においても、出来事を完全に網羅しきれないことはあらかじめお断りせざるを得ない。

これに続く本文は、年表を参照しつつお読みいただけると幸いである。前著に続き、琉球新報への月一回の連載（特別寄稿を一本を含め五十本）を発表順に並べている。時制をわかりやすくするために、一部の記述を具体的な年号表記に置き換えるなどするほかは、一切、手を加えず当時の記述のままとしている。さらに今回は、同時に連載を続けている東京新聞からも転載をお許しいただいた（特別寄稿一本を含め四十本。タイトル脇に「＊」マークを付した）。ご覧いただくとわかる通り、東京新聞の方は、関連出来事の年表付きであるため、一部本書巻末の年表と内容が重複する部分もあるが、本文記述の関係もあることからそのままとしている。

一言で言えば「表現の自由の縮減」とも呼べる、この間の変化をもたらしたのはもちろん、政権の打ち出した施策の結果であるが、同時にそれらを一貫して高支持率で支えた国民の意思でもあった。ただし政権と国民の間で、メディア、とりわけ新聞やテレビが果たした役割は小さくない。こうした政権とメディアの関係性を、「見張塔からずっと」（ボブ・ディラン）というタイトルに込め出版したのが前著の経緯だ。ちょうど刊行直後に、ノーベル文学賞受賞の知らせもあった。その後の状況は残念ながら改善の兆しがないどころか、むしろ大きく悪化したといえるだろう。それは、本書に収めた約百篇からも如実に理解していただけるはずだ。

そうしたことから、本書のタイトルは同じくディランの唄から「愚かな風」(Idiot Wind)とした。まさに現在のネットを中心にデマや誹謗中傷が飛び交い、為政者自身が「もう一つの真実」をごり押しする時代を予感したかの一曲だ。前タイトルに引き続き、本書の編集を手掛けていただいた田畑書店・大槻慎二さんの選である。前著に引き続き同書店の編集者・今須慎治さんにも多くを支えていただいた。あわせて心からお礼申し上げたい。

沖縄ではいま、一九年に焼失した首里城の再建が進む。二〇年度の政府予算は約八億円で、民間等からの寄付金四十億円が正殿の復活を支えるとされる。かたやキャンプ・シュワブ米軍基地の前では、身体的距離をとりつつ辺野古新基地建設の抗議活動が続く。テントでの座り込みは六千日を超えた。こちらは毎年二千億円前後の予算が組まれており、防衛省の見通しで総額約一兆円規模の事業だ。二一年度の概算要求で、防衛費は過去最高額のニュースが流れている。

だからこそこのタイミングで、きちんと過去を振り返り、これからの私たちの社会の来し方を考えることは大切だろう。沖縄を知ること考えることは日本を知ることだと思う。勤務校で続く現地フィールドワークを含む「沖縄ジャーナリズム論」は、昨年で十年を数えた。この講義を受講してジャーナリズムの世界に進んでくれた卒業生も全国に広がっている。また、〈ジャーナリズム〉名を関する日本唯一の学科である「ジャーナリズム学科」も一九年にスタートした。

沖縄ジャーナリズムをはじめとして、とりわけ地方における頑張りが民主主義社会の維持・発展の力になると信じる。民主主義社会は、言論の自由の制度的保障と、その自由を最大限活用する一方で、制度の運用を監視する健全なジャーナリズム活動によって成り立っている。これからも、彼ら彼女らを含むそれぞれの現場でのジャーナリストの活躍を、教育と研究の両面で支えていきたい。本書の基となった沖縄と東京からの定点観測が、そのための礎になることを願う。

山田健太

二〇二〇年十月　沖縄・首里の地から

2016

記者の倫理　*9.10/16*

昔なら「事件記者」、少し前なら「クライマーズ・ハイ」などのテレビドラマや映画を見て、記者って格好《かっこ》いいなと思い職業選択をする人がいた。最近なら、米映画「ニュースの真相」「スポットライト」は、いずれもジャーナリストあるいはジャーナリズムを正面から問う作品だ。しかもそこではジャーナリストの「高潔性」が問われており、生半可な気持ちでは務まらない職業であることが分かる。

そして、昨今の事件被害者の匿名性をめぐる議論や貧困報道をめぐる騒動も、まさに「よかれ」と思って自信を持って行った報道に対し、一般市民から疑義が呈されている。このこと自体、メディアの信頼性が損なわれていることと裏表の関係にあると思われ、言論報道機関は改めて自らの姿勢を問い直す必要がある。

【正確性と公正性】

現在、多くの国で一般的に語られているジャーナリズム倫理としては、正確性（真実性）、公正性（独立性）、多様性、人道性（人権配慮）が挙げられることが多い。

第一の「正確性」は、「真実性」とも呼ばれる、最も重要なジャーナリズム活動の基本原則である。文章作法の基本と言われる「5W1H」（いつ・誰が・どこで・何を・どうした）も、この正確性を担保するための具体的な所作と言えるだろう。

ただし、記事を発表するに当たり、関連するすべての証拠を集めきることは、一般には不可能であるし、それすらも時間の経過の中で結論が変わることも少なくない。だからこそ、ここで大切なのは、「真実追求」の努力であり、「悪意」がなく、「公憤」に基づく報道であることだ。

ジャーナリスト個人として、あるいは媒体として、社会正義の実現のために事実を見つける最善の取材を尽くし、隠すことなく可能な限りありのままを伝えようとしたか、ということになる。もちろん、報道にある種の「ストーリー」は必要であるが、それがこじつけであれば「誤報」になる危険がある。一方で日本の報道では、客観中立報道の名の下でストレートニュースにこだわるあまり、事実の提示はあるものの何が問題で何を言いたいのかが分からない、という問題指摘もなされている。

第二の「公正性」は元来、ある主張を報道した場合、それに反論する機会を違った主張の者に与えることだったり、社会における少数派の考えを拾い上げるという意味合いで用いられてきた考え方である。そしてまたこの公正さを担保するには当然、「独立性」が必要であって、編集権が外部から脅かされないとともに、一定の内部的自由が確保されていて、記者が職場において自由な思考と発言のもとに記者活動に当たれることが大切だ。

【多様性や人道性】

そしてこれは第三の「多様性」の確保とも関係する。これらはいずれも、抽象的な概念としては理解しやすいとも言えるものの、実際の編集現場で実行するには難しい課題だ。なぜなら、個人として多様な価値観を滋養することは、記者の資質として求められることであるが、それと発行物において多様性が確保されることとは別であろう。あるいは、新聞社においても、特定の思想や主張が明白である場合、それに反する出版物を刊行する義務を負うとは考えられない。

そうなると、一つの紙面で社会の選択可能性として、さまざまな事実・意見の提示は必要であるとしても、言論の多様性はむしろ報道界全体で維持すべきものであるともいえる。そうだとすれば、新聞社の数の多元性も一定程度保障されることが重要だ。

第四の「人道性」は、例えば隣国との関係をことさら悪化させるような出版活動を戒めるものと言えるだろう。日本でも昨今、中国や韓国のことをことさら悪いイメージで伝える出版物が新聞社系出版社も含め数多く刊行され、それらは嫌韓嫌中の「ブーム」を作った要因とも指摘されている。こうしたいわばキャンペーン的な出版活動は、倫理的に「人道性」の観点から問題があるのではないか、ということである。あるいは、テロはもちろんであるが、戦争をことさらに煽《あお》るような報道活動も、同様の理由から倫理上問題になる可能性があると言えるだろう。そこでは当然、「国益」とは一線を画したジャーナリズム活動が求められることになる。

【誠実さの体現】

　そしてこれら報道倫理を包括して、記者の「高潔性《インテグリティ》」と謳《うた》われることがある。特に最近、多くの分野で言われる職業倫理を示す言葉である。例えばスポーツ界においても、ドーピングや八百長、ハラスメント・差別や競技団体のガバナンス欠如に対し、高潔性が厳しく問われた。

　同様に今日のジャーナリストにおいて、剽窃《ひょうせつ》といった不誠実の極みである言語道断の行為のみならず、透明性の確保としての情報源の明示や引用の仕方も含め、いかに正直に、誠実さを体現するかが求められているからだ。さらにそれは、組織的な「見える化」の制度作りとして、いかに読者の苦情に応え、誤りを迅速かつ丁寧に紙面化するかなど、説明責任の具体化につながっていく。

　こうした「条件」をクリアした先にあるのが、職業としてのジャーナリストであるはずだ。デジタル時代を迎え、インターネットという発表の場を得た市民にとって、誰もが表現者になれる時代がやってきた。それは同時にプロ不要の時代とも言える。あるいは、全く逆の側面で言えば、誰もが情報キュレーターであり編集者・記者であるとも言えるだろう。

　そうした中で、プロとしての使命感に基づくジャーナリズム活動を支える倫理規範を、改めて確認することが強く要請されているのではないか。

［参照：10年7月・12月／12年12月／13年4月／14年2月・11月／15年1月・2月／16年1月・4月・12月／17年5月／20年7月］

いずこも同じということか。一六年九月、ドイツを代表する新聞社を訪問したが、新聞界最大の課題は新聞離れ。ただし大衆紙ビルトを擁するアクセル・シュプリンガー社は、リング（輪）と呼ぶ中央のデスク席の四方に、紙、デジタル、モバイル端末向け、SNSサービス向けの編集部を配し、二十四時間切れ目なくニュース発信を行う体制を構築していた。四部門トータルの毎日のアクセス数が人口の過半に達し、これがどのSNSサイトよりも閲覧数が多いというのが自慢だ。

【「嘘つきプレス」】

そしてもう一つの課題はメディア不信。ドイツ国内で「嘘つきプレス」という言葉が市民権を得ており、それが最近の難民報道などでも、建前しか語らない大手メディアに対する批判として幅を利かしている。これも、既存政党に伍《ご》す議席を獲得するに至っている右翼政党の伸長を手助けしている要因の一つという。メディア監視サイトのビルトブログ（www.bildblog.de）編集者も、単に批判をすると「記事は嘘」と理解されて、新聞不要論につながってしまうので、最近は「情報は間違っているが」と但し書きを付けてメディアを守っていると苦笑していた。

ドイツは戦後六十年にわたって、人権侵害等の苦情対応機関としての新聞評議会が存在する国だ。どこに行っても「牙のない虎」と強制力がないさまを揶揄される存在ではあったが、報道倫理綱領を制定し、メディアが自主的な取り組みによって毅然とした姿勢を示し続ける姿勢は清々《すがすが》しく映った。

そこでも議論を呼んだ事例として語られたのが、一五年に起きた副操縦士が故意に墜落させたとされるドイツ航空機・ジャーマンウイング墜落事故の氏名扱いだった。ドイツでは人権配慮から容疑者は原則匿名報道であるが、重大事件であることから実名・顔写真報道をする社があり、報道評議会の譴責《けんせき》を受けるなどした。

【被害者の意向尊重】

日本では加害者・被害者ともに実名報道が基本だ。その背景には法的な裏付けが存在する。名誉毀損罪の特例を定めた刑法二三〇条の二の解釈として、警察が公式発表した容疑者は公共性を有し、報道等によって形式的には社会的評価の低下があっても罪には問わないとしている。この結果、新聞やテレビは（そしてそれを受けて個人のブログ等も）、いわば安心して氏名や顔写真を含む個人情報を晒し、場合によっては犯人視につながりかねない情報も含め、報道することができるわけだ。こうして、いったん明らかになった事件・事故は、公権力のお墨付きをもらって「公共の関心事」となるがために、その被害者もプライバシーが制約されると考えてきた節がある。

ただし被害者に関しては、犯罪被害者等基本法が二〇〇四年に制定され、それに基づく基本計画によって氏名の公表を含め被害者の意向を尊重することが決まった。当時の報道界の申し入れの結果、警察発表は従来通り実名発表することが確認されたものの、犯罪被害者支援室のもと警察OB等が中心になったケア組織が当事者を守る形をとることもあって、当初よりメディアの取材攻勢を防御する姿勢が強かった。さらに一六年七月発生の相模原障害者施設殺傷事件のように、被害者家族にそれぞれ担当弁護士がつき、当事者への直接取材を全面的にシャットアウトするような事態も生まれてきている。

こうした状況の中で報道機関は実名報道の根拠として主に、実態を掘り下げるための事実報道の必要性、氏名や写真を出すことによる社会全体での悲惨さの共有、記録性を挙げてきた。一方で、少年法や刑法に基づく責任能力の有無、性犯罪や精神疾患、さらには死傷場所や理由といった当事者への人権配慮、場合によっては家族や関係者保護といった理由から、特定を避けるなど、悩みながら報道をしてきたということになる。社会の受け止め方も、大きな流れとしてはプライバシー意識の高まりなどから、匿名志向が進んでいる印象があるが、東日本大震災などの自然災害においてはむしろ、被害者の実名報道が推奨されている状況も存在する。

【社会の変化に追いつく】

そうなると、むしろ大きな影響はメディアの社会的役割の変化ともいえるだろう。すなわち、氏名の有無より、大手メディアが被害者宅に押し掛け、当然のように実名報道をすることに対する違和感ということだ。厳しく言えば、そうした役割を認められていない、ということになる。加えて、メディアの多様化に伴い記者会見のオープン化が進む中、会見における発表と報道は別、との言い分が通りづらくなっている環境もある。そうなるとますます、報道機関の自律的な判断に任せるのは心配だから、氏名等を公表するかどうかは警察の判断に委ねようということになる。これは昨今の放送番組批判でも見られた、メディア不信と、その裏で急速に進む公権力への強い期待感（判断権限の移譲傾向）に重なるものだ。

したがって、警察に対しては従来の取り決めに基づき実名発表することを強く求め続けることは必要だが、その根底にある当事者を含め市民のメディア信頼性の低下を克服しなくては、問題は解決しないだろう。そのためには、容疑者も含めた事件報道のあり方を、業界を挙げて根本的に見直す契機にあるのではないか。家族への配慮を優先しての「名は実名・姓はイニシャル」との表記、報道評議会という業界挙げての苦情対応組織の運営など、ドイツの実践例は日本における新たな選択肢を考えるきっかけになりえよう。

呼び捨てから容疑者呼称への報道変更を行った一九八九年から三十年弱、集団的過熱取材《メディアスクラム》対応を始めてからも十五年。報道界は、社会の変化にせめて追いつく必要がある。

［参照：09年2月／10年1月／11年10月／12年10月／13年2月／18年2月／19年6月・9月］

言論の自由と権力　*11.12/16*

アイドルグループ欅《けやき》坂46の衣装が一部で話題になった。十月二十二日のハロウィーンイベントで着用したものが、ナチス親衛隊の制服と似ていたのが発端だ。

【ナチズム礼賛】

もっとも同グループは、昨今のアニメ・ミリタリーブームなどから、同路線をとっているとされており、今回の衣装もその一環と想像される。とはいうものの、とりわけ帽子の紋章デザインは親衛隊のそれと酷似しており、ナチズムを礼賛するものとみなされても否定しがたく、社会のロールモデルとなるべき人気グループが身に着けることは許されまい。こうした状況を許した運営会社が社会的制裁を受けるのは当然と思われるが、ここでより問題としたいのは社会の反応が微妙に違うことだ。

すなわち、ネット上の即席アンケートでも、「表現の一つとして許容される」や「問題ない」

との回答が過半を占め、当該グループの対応も深刻さを感じさせるものとは言い難い。伝えられているところでは、謝罪要求があって初めて対応したとされているほか、その謝罪文もサイト上でポップアップされるなどの「工夫」がなされているが、その分、印刷をしようと思ってもできないなど、すぐ消える仕組みになっている。

そして何より、新聞・テレビの報道も、英紙ほか海外メディアで話題になっていることをニュース化し、米国のユダヤ系団体が抗議をし、欅坂46側がこれを受けて謝罪したことを報じているにすぎないからである。

そこには、何がなぜ問題であるかが抜けており、それによって社会において問題の共有はなされず、また将来への教訓にもなっていない。実際、所属レーベルのソニー・ミュージックエンタテインメントは、系列会社で近い過去にほぼ同様の問題を起こしているにもかかわらず、その経験は生かされていないことになる。その結果、こうした差別表現によって誰が傷ついているか、あるいはこうした思想が社会に蔓延することによってどのような事態が引き起こされるかの想像力が、社会の中に働かないという事態が生じている。

【「土人」発言】

そしてこれと同じことは、同時期に沖縄でも生じた。十月十八日に米軍北部訓練場のヘリパッド建設反対の抗議行動の現場でなされた、大阪の機動隊員による「土人」「シナ人」との差別発言だ。

これらの言葉は歴史的に差別語として認識され使用されてきたのであって、それゆえに当事者である沖縄県民が即座に反応し、強い怒りを表明しているわけだ。にもかかわらず、日本社会全体の反応は明らかに異なる。警察派遣元の松井一郎大阪府知事は、「どっちもどっち」「出張ご苦労様」と発言を事実上肯定する発言を繰り返しているほか、沖縄担当大臣である鶴保庸介議員は国会答弁で「差別とは断定できない」と、一貫して差別発言との認識を否定する態度をとっている。

さらに同議員は「言論の自由はどなたにもある」とも答弁しており、これは安倍首相が自身や自民党議員の発言を「言論の自由」ということと通底する。そこには、憲法が保障する言論・表現の自由はあくまでも市民的自由と呼ばれる、個々の市民に保障されたものであるとの理解が欠如している。そして政府や公務員は、保障される側ではなく保障する側として、自由を守る義務があるのであって、そもそも憲法が公権力の恣意的な権力行使を縛るもの、という基本的な性格すら意図的に無視しているとしか思えない。

そしてこうした状況を支えているのがメディアの報道ではないか。とりわけ大阪のテレビメディアは、もともと悪いのは沖縄住民・反対運動側というスタンスから、発言容認の姿勢を示すものが少なくないほか、ネット上では従来からのいわゆる「沖縄ヘイト」の延長線上で機動隊擁護論が渦巻いているのが現状だ。一方で多くの新聞は、問題発言があったという報道をしているものの、松井知事や鶴保大臣の発言をそれなりのスペースで「そのまま」伝える結果、「そうか、問題ないのか」という認識を、読者間で増やす効果を生んでいる可能性が高い。

【市民的自由】

抗議行動においても、誹謗《ひぼう》中傷や末端の個人をさらし者にする行為、抗議を目的化した行動は控えるべきだろう。しかし原則は大切だ。それは、抗議活動が市民的自由の発露として最大限認められるべきものであって、そのために公共のスペースが一時的に占有されたり、場合によっては私的財産が部分的に侵害されることがあっても、それは公共の場での言論公共空間の確保という大目的の中で許容されなければならないということだ。

そしてこうした市民的自由は、とりわけ民意を直接的に伝えるという意味で、表現の自由の行使として捉えられるものであるし、場合によっては政治的権利としての請願権の側面も持つだろう。いずれにせよ市民的自由である以上、現場で警備に当たる警察に同様の自由はないし、ましてやそれを管轄する行政権者は持ちえない。

そうであるならば、公権力と市民の関係の中で、両者の発言が「どっちもどっち」はあり得ないのであって、市民に最大限の表現の自由が憲法上保障されているのに対し、公権力側には自由な表現が許される余地はなく、むしろ多少の罵詈《ばり》雑言《ぞうごん》も含めて真摯に受け止める関係にあるということになる。

あってはならない差別発言を、大阪の県民性とか沖縄の過剰な被害者意識のせいと曲解してごまかし、曖昧にやり過ごすことは、結果的に社会の差別構造を固定・助長し、差別意識の蔓延につながる。同じ過ちを繰り返さないためには、きちんと問題性を明らかにし、将来への教訓として残していくことが必要だ。そのために報道機関は、こうした基本的な公権力と市民の関係性の理解とともに、足を踏まれた痛みを想像する力を、広く読者・視聴者が共有できる状況を醸成していく責務がある。

［参照：13年10月／14年9月／15年3月／16年2月・6月／17年6月／18年9月／19年8月・11月］

キュレーションサイトの闇　*12.16/16*

ディー・エヌ・エー（DeNA）が運営する医療情報サイトが発端となり、同社をはじめリクルートなどの「キュレーションサイト」が軒並み、非公開や一次利用停止に追い込まれている。ここには、ネットメディアが持つ本質的な問題が含まれている。

【まとめサイト】

キュレーションは、単に情報を集約するという機能を指すのではなく、本来的には、その中身を確認し、価値を判断して、適切な方法・手段によって提供するという総合的な機能を指す。リアル社会で最も典型的かつ伝統的なキュレーションを業とする職業は、博物館の学芸員（キュレーター）だ。日本でも国家資格として認められた専門職だが、例えば美術館で、きちんと調べもせずに自分の主観や面白そうだからと収集した美術作品が贋作《がんさく》だったら問題だし、それをさも本物のように展示したら、キュレーターとして完全に失格だ。

しかしネット空間では、キュレーション作業にこうした緊張感がほとんど存在しない。むしろ、内容の正確性や信頼性を担保しないと、わざわざ断り書きを入れているほどだ。いわば素人が情報をネット上で適当に集め、その真偽を検証することもなく掲載し、時にアクセス数が増えるように内容を改竄までしていることが明らかになっている。

現在の情報爆発の状況の中で、「まとめサイト」や「検索サイト」なしでは、なかなか自分が欲しい情報に行きつけないのが実態だ。情報の海から、一定のアルゴリズムに基づきユーザーが欲しているであろうサイトを見つけ出し、順位付けまでして示しているのが検索サイトで、これは最もシンプルな形のまとめ作業に違いない。そして私たちは、こうしたキュレーションの結果表示される情報が「正しい」と信じ、それに頼って情報アクセスをしているのである。

ビジネスではそれを逆手にとって、特定の情報のアクセス数を増やす工夫を行い、広告収入に結び付けているということになる。したがってサイト制作者（運営者）は、ユーザー誘引の能力という意味ではプロに違いないが、情報の中身《コンテンツ》の正しさを担保するという意味での専門知識や能力は、これまで必要とされてこなかったということになる。現在のネット上では、うわさ話がキュレーションといった裃《かみしも》を着ることで、さも信頼性のある情報であるかのように一人歩きすることを認める状況が作られている。

【溶け込まし広告】

二つ目の問題はユーザーを欺く広告の在り方だ。放送では法律によって広告と番組を区別することが決められている。新聞や出版も、間接的ではあるが法律の縛りの中で記事と広告を分けることが求められている。もちろん、これらの分野においても最近は、記事体広告《アドバトリアル》と呼ばれる、記事の体裁をとってはいるもののスポンサーが付いている紙面が少なからず存在する。番組の中でも、プロダクト・プレスメントと呼ばれるスポンサーの意向に沿って商品を意識的に画面に登場させることが一般化する状況にある。しかしこうした場合においてすら、ユーザーに分からないようにこっそり「溶け込ませる」広告はよくない、という原則が存在する。

一方でネットの世界ではむしろ逆だ。法による制約がないせいもあるが、むしろユーザーにとってネット利用時にストレスフリーな広告であることが求められる傾向にあるといえるだろう。もちろん、意図的にユーザーを騙すようなステルスマーケティング（こっそり広告）が批判されたこともある。食べログ・サイトであった、いわばサクラによる投稿での評判操作がそれにあたる。しかし今回の事例もそうであるが、キュレーションサイトにおいては、特定の広告主に有意な情報の並べ方やリンクによる誘引は、むしろ「当たり前」のものとして活用されていることになる。

また、アクセス履歴の収集が企業に広範に認められている結果、個人あつらえ広告といえばポジティブな印象で、恣意的に選別された情報の提供が、ネット社会ではむしろ標準的だ。これらの広告手法によって、検索やまとめサイトは成立しているといっても過言ではあるまい。

【プラットフォーム】

これまでは新聞を代表するマスメディアが、社会の中のベスト・キュレーションメディアであった。なぜなら、プロの記者あるいは編集者が、専門知識と経験に基づきその情報の真偽を確認し、社会的責任の中で価値判断をして報道を行ってきたからだ。しかし最近は、こうした既存マスメディアを「嘘つきメディア」として全否定し、編集を介さないネット情報こそを「真実」として受け入れる傾向が続いている。

しかしこの風潮こそが、今回の事件を結果的に引き起こしているのではないか。従来は情報の媒介者（あるいは伝達者）は内容に関与しないことが原則とされてきた。それは、出版における印刷会社や書店が、本の内容に基づき流通をストップすることはよくないし、逆に内容に責任を求められては商売ができないということがあったからだ。

それと同様に、ネットにおけるコンテンツプロバイダもまた、情報の「場」の提供者として内容に責任を負わないことを旨としてきた。まさに、DeNAもリクルートも、ヤフーもグーグルも、みなプラットフォーム事業者であって、むしろ内容に関与しないことが表現の自由を守るし、それが役割であると社会的に認知されてきたからである。

しかし時代は移り、情報流通に大きな影響を与え、それがネット世論の形成ひいてはリアル社会のユーザー行動を左右するまでになっているプラットフォーマーが、単なる情報の運び屋という時代は終わっている。ネット企業も、その業務内容によってはメディアとしての社会的責任を自覚することが必要であるということになる。受け手である個々人の情報リテラシーの滋養はもちろん大切だが、一方で責任ある「メディア」を鍛え育てることが必要だ。

［参照：11年3月／12年2月／14年7月］

2017

共謀罪、四度目の上程　*01.14/17*

四度目の正直、ということか。政府が二〇一七年通常国会に共謀罪の新設のための法案提出を固めたと報じられている。

法案は〇二年の法制審議会での検討を経て翌〇三年の通常国会に提出され廃案、引き続き翌〇四年の通常国会に再度提出されたものの〇五年夏の衆院解散に伴い廃案、そして選挙後すぐの特別国会に提出され継続審議になっていたが、〇九年夏の衆院解散で廃案になったという経緯をたどっている。

内容に問題があるからこそ、これまでは成立に至らなかったわけであるが、今般の国会情勢からすると、「国会上程＝法案成立」との見方が強い。この間、微修正が何度か施されているものの、法の本質に変更はなく、さらに〇六年段階において、民進党の前身である民主党が国会提出した修正案を受けて与党修正案が作られた経緯もあって、法案成立の条件はほぼ整っている状況だ。

【目的のすり替え】

政府が提出を予定している法条文の中身についておさらいしておこう。まず必要性について政府はテロ対策強化を挙げる。折しも二〇年の東京五輪に向け、さらなる治安対策の強化を図るということだ。それもあって、名称を「テロ等組織犯罪準備罪」に変更、対象を組織的犯罪集団に限定するなどしたものの、条約で懲役・禁錮四年以上の犯罪を対象とするとされていることから、共謀罪の対象犯罪は現時点で六百七十六に及ぶとされている。

法案のきっかけは、二〇〇〇年に日本も中心国の一つとして作った国際的な組織犯罪に対処するための国連条約だ。政府は条約が共謀罪の国内法整備を要求していると主張するが、条約批准の絶対条件にはなっていない。なおこの条約は、子どもポルノや麻薬などの国境を越えた犯罪を取り締まるために設けられたもので、折しも発生した米国同時テロ9・11を契機にテロ対策に利用する動きが急速に生まれたものの、国際組織犯罪とテロ対策が直接関係ないことは言うまでもない。

ちなみにこの法案の露払い役として、既に二つの法律が制定されている。特定秘密保護法と改正盗聴法だ。前者には既に三種類の共謀罪が規定されており、後者は共謀者を探知する手段として欠くことができない捜査手法だからだ（盗聴対象が「数人の共謀によって実行される組織的な……重大犯罪」である）。ちなみに、共謀罪は、公務員法や自衛隊法の争議行為禁止規定などにおいても定めがある。これらに今回、五輪対策という錦の御旗が掲げられ、外堀は既に埋められた感がある。しかしこの法案は、民主主義社会の根幹である思想の自由、表現の自由、集会・結社の自由に甚大な影響を与えることが明らかだ。

【事実上の検閲行為】

まず〈内心〉を罰するという点において、憲法が保障する思想の自由に抵触する。日本では「既遂」（犯罪が実行されて結果が出た段階）を処罰することを基本原則としている。その例外は、殺人・強盗などの重大犯罪で、凶器を準備するなどの準備の段階で処罰する場合と、さらに社会の基盤を揺るがすような内乱の陰謀罪等に限定されている。それを一気に万引やキセルといった相対的に軽微な罪にまで広げることで、原則と例外の逆転を生んでしまうことになる。

これは、例外の一般化であって、取り締まる側の恣意的な判断で、およそ誰でも捜査対象とされる可能性が生じることになる。これは、戦前戦中の危険思想の取り締まりとして共謀罪が活用された時代そのものであって、他国よりも人身の自由を手厚く保障し、個々人の市民的自由を守ってきた現行の憲法体系において許されない。

しかもこうした人の気持ちを推し量って共謀の意図を断定する行為を、もっぱら捜査機関の判断に委ねることは、〈恣意〉的な検挙を無制約に許すことにつながるであろう。既に今日においても、辺野古・高江の市民運動リーダーを、いわば身柄の拘束を目的として長期拘留する事態が生じている。今後は、より広範かつ日常的に盗聴や潜入捜査によって市民のプライバシーに立ち入った監視を行い、取り締まり側の都合による逮捕・拘留が可能になるということを意味する。まさにこれこそが表現の自由に対する大きな脅威だ。

なぜなら、その後に不起訴や裁判で無罪になっても、「その時、その場所」で発言することを止められることは、事実上の検閲行為そのものであるからだ。それができるのは、基準が曖昧であるなど、捜査当局の恣意性が許される場合が多い。そして予定される法案も、二人以上が話し合って合意することが罪になるという〈曖昧〉な基準だ。しかも、実行行為前という第三者から見てわかりづらい段階のために、もし問題があると思っても反駁がしづらいという状況が生じることになる。

【修正は歯止めにならず】

政府は表現の自由など基本的人権に配慮するとの条項の新設と、単なる共謀だけではなく「準備行為」を条件に加えた。しかしこの準備行為は、同時期に銀行から預金を引き出したといった、日常的な行為を準備行為と認定できるなど、恣意性を払拭するには至っていない。あるいは配慮条項は司法判断において多少の情状酌量の可能性を示唆するだけであって、ここに挙げたような捜査段階の恣意性を排除するものではない。

そもそも、もし条約の批准が必要だとしても、既に日本には先にも触れたとおり、陰謀罪や共謀罪、さらには予備罪や準備罪が少なからず存在しており、新たに共謀罪の対象を広げる必要性はない。あるいは、どうしても条約の条件にそぐわなければ留保や解釈宣言という手法もある。

表現の自由を侵害する可能性がある法制度が近年続いているが、さらに思想の制限にまで踏み込んだ治安立法が生まれる社会は恐ろしい。これまでの国会内での懸念の声を数の力で封じ込めて、こうした社会の仲間入りしないことを切に願わざるを得ない。

［参照：12年3月／13年6月／19年1月］

「沖縄ヘイト」番組 02.11/17

東京ローカルの放送局・東京メトロポリタンテレビジョン（MXテレビ）が一月に放映した番組「ニュース女子」が問題視されている。まさに「沖縄ヘイト（憎悪）」が問われているわけだが、放送の在り方の観点から問題を整理しておきたい。

【事実を伝える】

ジャーナリズムの基本は、事実《ファクト》をきちんと伝えることだ。放送法でも事実報道が規定されているが、それを超えて番組の作り手にとって最高位の倫理といえる。

実際は、時間の制約や物理的限界から、その時点で取材者が最も真実に近いと思うことを伝えることになるわけで、判例上もそうした事情を勘案して「真実相当性」といった特別ルールを作って、結果として事実でなくてもその姿勢を認めて、法律上は罪に問わないといった仕組みを用意している。

しかし倫理上、その際には真摯に真実追求の努力をしたか、真実ではない可能性を常に考慮して誠実に報道内容を伝えたか、といったことが厳しく問われることになる。この点からすると、当該番組の作り方は杜撰との批判を免れまい。

放送された映像では、十分な取材を「しない」言い訳として、取材現場が危険なため「できない」としている。しかしそれは、取材放棄ともいえる行為である上、それ自体が視聴者に「反対派は怖い」というイメージを醸成させる役割を果たしている。始めから結論ありきで、基地反対運動を誹謗中傷することが目的とすら思える番組構成だからである。

結論に当てはめて都合のよい「目の前の事象」のみを取り上げ、それを基に持論を展開する形式をとっている。「真実」と言っているものの、その内実は「フェイクニュース（嘘）」そのものとの指摘が当事者からなされている。

【意見との峻別】

さらに、番組の作り方は「事実と意見の峻別《しゅんべつ》」という報道ルールにも反するのではないか。実際に取材をして得た証拠《エビデンス》に基づく事実と、それに基づいて述べる自分の主張・論評は明確に分けて番組を作る必要がある。しかし当該番組の場合は、リポーターがその両方の役割を兼ね、都合のよい事実に基づき結論を誘導する解説を付した上で、さらにスタジオコメントを行うという構成になっているからだ。

もちろん、主張は一方的でもよい。言論の多様性という観点からは、テレビメディアでは取り上げられることが少ない見解（この番組が言う「マスメディアが取り上げない『本当の真実』」）が紹介されることも賛成だ。しかし、嘘あるいは嘘かもしれない事柄を基にした意見は、いわば「悪意を持ったデマ」の類いであって、それは嘘の報道同様、報道倫理上許されない。出演者の意識は知る由もないが、そう思われかねない作り方ということになる。

【メディアの加担】

三つ目には、メディアが分断を煽っていることの問題性だ。

最初に「きちんと事実を伝える」ことが報道倫理の基本だとしたが、当然、その時々の事情によって「配慮」が求められることがある。その典型例が匿名報道で、人権等に配慮して人物が特定できないよう名前を秘したりしている。当該番組でもモザイクをかけた場面が出てくるが、これはまさに、制作者が人権配慮をしている証拠だ。

同様に、社会的責任を有するメディアとして、「人道配慮」からみて好ましくない報道姿勢がある。例えば、戦争をけしかけるような報道はその一つといえるし、社会の分断を煽るような報道も控えるべきものだ。しかし番組は、「反対派＝悪」のレッテル貼りによって、意図的に二項対立の構図を作り、分断を煽っている。主張が一方に偏ることはあっても、別の見方を全否定し、しかも人格的にも認めないような扱いをすることは、メディアの在り方として好ましくなかろう。社会に存在する〈違い〉を認め合うことで、私たちは強くなっていくのであって、メディアもまた、その立場から番組を作ることが求められている。

しかしこうした状況は今回の番組だけに当てはまるものではない。一六年十月、大阪府警の機動隊員による「土人」「シナ人」発言があった時は、関西圏で発言を擁護するかのような報道があり、もともと悪いのは県民側という論調になった。こうした差別構造の助長こそが、今日のメディアの最大の問題ともいえる。

さらにはこうした「積極的な加担」の一方で、多くのメディアの「消極的な加担」ともいえる状況も進んでいる。政府の沖縄メディアに対する抗議や政党・政治家による偏向報道批判を、多くの新聞やテレビが「そのまま」伝えることで、結果として沖縄に対する偏見が広がってはいないか。山城博治沖縄平和運動センター議長の逮捕をストレートニュースで伝えることで、「反対運動をしているのは、危ない人たち」とのイメージが定着しつつありはしないか、という問題だ。

これらは、政権の政治的意図と結果として一致を示すものでもあって、権力監視というジャーナリズムの立ち位置からしても注意が必要だ。こうした意識・無意識の加担状況を変えるためには、今、問題となっている「嘘ニュースが事実を書き換える」事例を放置することなく、各メディア自身が誤りを正す報道をし続けるしかあるまい。それこそがまさに、ジャーナリズムの存在意義だからだ。

［参照：09年12月／12年1月／13年10月／15年5月／16年6月・8月／17年6月／18年1月・10月／19年7月］

3・11から学ぶ情報共有　*03.11/17*

公的情報は国民のものである——。この当たり前の大原則が壊れかけている。日本でも二十一世紀の幕開けとともに情報公開法が施行され、拠《よ》らしむべし知らしむべからず、の上から目線の特権意識を捨て、政治家を含む公務員は国民に対し説明責任を負うことが法で明示された。

さらにその十年後には遅まきながら公文書管理法も制定され、公的情報たる行政文書は公的資産であり、民主主義の礎であることも決まった。にもかかわらず昨今の相次ぐ事例は、行政の情報は公務員の独占物であって、特別な場合に限り「サービス」で住民に見せてあげるという意識から抜け出せていない、としか思えない。

【公開の根底崩す「廃棄」】

情報公開制度の根底は、きちんと文書を保管・保存、整理し、いつ何時でも市民から開示請求があれば、それを閲覧の供に付すという流れが完備していることにある。その最初の一歩である、文書の保存が揺らいでいる。なぜなら、行政の都合の悪い文書は破棄する、というあまりに見え透いた悪弊が堂々とまかり通っているからである。あるいは、最初から記録をしないことを決めたり、さらには政治家圧力で事実を記載しないように誘導することまで公的に行われている事態がある。これらは、情報公開制度の趣旨を全く理解していない、最悪の行政運用だ。

具体的には、南スーダンPKO派遣日報の事例において、文書規定に則り現地での状況報告書である日報がすべて廃棄されていた問題だ。今回は、自民党内で問題視されたことで電子データの存在が明らかになり、問題の本質が明らかになりつつあるものの、防衛省はその検証は「しない」ことを機関決定するなど、問題意識が感じられない。

公文書管理法では文書の保存期間を一年未満、一年、三年、五年、十年、三十年としており、一年以上保存の行政文書はきちんと文書ファイル管理簿にも記載し、たとえ廃棄をしても記録に残ることになっている。そもそも、廃棄する場合は内閣総理大臣の同意（実際は所轄部門がするとしても）が必要となっている。しかし、一年未満文書は、担当者が勝手に捨ててよいばかりか、存在した証しが全く記録に残らない。だから廃棄しても、「もともとなかったこと」になりかねない。今回の日報はそうした存在であったのだ。

組織としては、増え続ける行政文書への対応策として、一年未満というカテゴリーを作り、「大事でないと思われる文書」はどんどん捨てられるように決めているわけだ。したがってこれへの対応策としては、一年未満文書として廃棄できるものを限定列挙して、捨てさせない制度を作ることが必要ということになる。

【「黒塗り」「自粛」問題】

もちろん今回の事例はこうした廃棄だけではなく、情報公開の根幹を揺るがすさまざまな問題を数多く包含している。その一つは、必要以上の「黒塗り」である。もともと防衛省はその傾向が強いが、これは昨今の豊洲移転問題でも明らかになったように、ある種の公務員の性癖ともいえるものだ。これについても精神論ではなく、条文上の規定でより厳密な縛りをかける、審査会や司法の場で開示請求を認める、などの制度対応をしていくことで、現場に「隠しても無駄」と思わせることが必要だろう。

政治家圧力による記録の「自粛」も由々しき事態だ。政府見解との関係で、戦闘があってはならない地域で戦闘行為があったと記録されていることが国会で問題となった。その場では、大臣が誤魔化し押し切った形となっているが、今後、現場では同種の用語は決して使われることはないだろうし、もし現場自衛官が記載したとしても、すぐさま新しく書き換えられ差し替えられることになろう（実際、使用しないよう「指導」もなされている）。それが上意下達の組織というものだからである。ただしこれによって、事実が記録されず、その時の政権にとって都合のよい歴史が後世に残されるという事態を生むことになる。

このような「文書を捨てる・残さない」ことをよしとする組織風土は、3・11でも大きく問題になった。当時政府は、パニックを回避するという理由で情報を隠した。混乱期であったからという事情で議事録を残さなかった。あるいは原発対処のための日米合同会議のようにその会議が存在したこと自体もベールに隠されていた。そしてこれらについてはその後、多くの検証がなされてその必要がないばかりか、むしろこうした政策はよくなかったとされ、徐々に改善が図られてきた、はずだった。

【時計の針が逆に】

しかし今、事態はむしろ悪化しているのが実態だ。政府の情報秘匿体質はより強固となるばかりか、むしろ意図的に強めているといってもよい状況だ。一〇年当時、具体化しつつあった情報公開制度の改善の動きは、震災を機にピタッとなくなり、その後、時計の針は完全に逆に回り始めたということになる。原発事故による放射線影響についても、政府が保有する正確な事実を可能な限りそのまま伝えることで、住民は初めて安心・安全を自分で判断可能になる。にもかかわらずたとえば環境省は議事録を改竄してまで事実を覆い隠し、住民に伝えない方策をとり続けている。これらは政府に対する不信感を強め、避難地域の指定解除や、新たな住宅補償政策についても疑心暗鬼を生むことになる。

震災・原発関連の貴重な経験が、行政文書として六年間蓄積されてきている。国・地方自治体はこれらの文書を形式的な保有期限に則り破棄することなく、かつサービスではなく義務として住民に開示することを誠実に実行してほしい。政府の透明性確保の必要性を学んだはずの3・11から七年目を迎える今日、改めて情報共有によって正しい選択が可能な社会を作っていく必要があることを確認したい。

［参照：10年4月／11年4月・5月／17年4月・11月／19年12月］

著作権法改正の問題点　*04.08/17*

森友学園問題からスピンアウトして、戦後すぐの国会で破棄を定めた教育勅語を教育現場で使用することを政府として正式に認めたり、道徳教科書の記述では、いわば「忖度の強要」が明らかになったりで、倫理観ゼロが露呈した文科省の天下り問題は完全に消え去ってしまった。あるいは、首相夫人付き職員の公務中に作成した文書を私文書であると認定したり、官僚が受発信したメールを情報セキュリティーの観点といった理由で、官庁が自動消去していることが明らかになったりと、公文書管理・情報公開制度の根幹を揺るがす事態が続出している。

それにもかかわらず、国会審議は粛々と進むという不思議な状況で、いよいよ来週にも、共謀罪は実質審議入りし、連休前に衆議院通過、五月には成立という政治日程がまことしやかに伝わってきた。こうした政府の決めたことなら何でもありの状況の中で、さらにもう一つ、「アベノミクス」政策の一環として、表現の自由に大きな影響を与える法案が準備されている。

【自由にビジネス利用】

三月末まで著作権法改正の前段として、「文化審議会著作権分科会法制・基本問題小委員会中間まとめに関する意見募集」が実施されていた。ここでいう〈まとめ〉とは、「新たな時代のニーズに的確に対応した権利制限のあり方等に関する報告書」と呼ばれているもので、今回のパブリックコメントを経て今国会への法案提出が予定されている。そこでは従来の著作権法原則を百八十度変更する内容が含まれており、その是非とともに、実際の運用においても著作権者の権利が大幅に制限される可能性がある。これは、継続して創造的な作品を生み出す環境を壊すことに繋がりかねず、ひいては表現の自由にも影響を与えるものだ。

報告書では、（1）新たな時代のニーズに的確に対応した権利制限規定の在り方等（2）教育の情報化の推進等（3）障害者の情報アクセス機会の充実（4）著作物等のアーカイブの利活用促進等、について検討を行ってきたとする。そこに通底するのは、「文化の発展」のためには「著作物の利用円滑化」が求められており、「柔軟性のある権利制限規定」の整備を行う必要があるということだ。

そして実際には、著作権者の許諾なしに書籍を全文電子データ化することを認めることとしている。いわば、だれでも勝手に書籍を無断スキャンして、さらにそれをテキスト化するなど適宜自由に加工して、保有してよいということだ。さらには、こうして保有したデータをビジネス利用するのも自由で、著作権者の了解なく、一定のルールを守れば公開使用することも認めることとした。

予定しているのはスニペット表示と呼ばれるような、検索によってヒットした書籍の一部を見せるサービスと説明されている。しかし先日の村上春樹新作を、ユーザーが分割してネットにアップするといった事実上の違法行為を、今度は合法化するともいえるものだ。あるいは、わずか五年ほど前のグーグル書籍検索訴訟を通じて、書籍の無許諾全量スキャニングは出版流通の多様性を維持するうえで問題がある、とした出版界の大枠の合意を、いとも簡単に乗り越えるもので、しかも報告書を読んだ限り、この種の議論をした形跡はみられない。

【日本版フェアユース】

最大のテーマは、「日本版フェアユース」の導入の可否である。日本の著作権法は元来、フランスやドイツ型と言え、著作権の中核に著作者人格権を据え、それとは別に著作財産権を設定して、複製利用を認めてきた。その際は権利者の許諾が絶対で、その例外として私的利用や教育目的など、具体的に事項を列挙して著作権者の権利を制限していることになる。

これに対してアメリカは、まったく異なる著作権法体系だ。そもそも最近まで、著作者人格権という考え方そのものが存在しなかった。最初から著作権＝複製権はビジネスの一つとして利用するためのもので、そのルールが「フェアユース」と呼ばれる公共利用（公正利用）だ。すなわち、みんなのために作品を利用する場合は、作者の意向とは関係なく勝手に利用してもよい、と決められている。当然その結果、著作権者の財産を侵害する場合があるわけで、その線引きは作家や出版社などが裁判所に訴え、司法の場で決めることになっている。

今回の改正は、このアメリカ型の導入にほかならず、それは限定列挙から包括的な制限規定の変更という許諾方式の大改訂であるとともに、基本的な著作権法の「思想」を全く違うものに変える。そしてこれは、著作権を人格権として守ってきたものから、財産権としてビジネスユースの道具に変質させるものであって、出版界ひいては表現行為のこれまで積み上げてきた慣習や産業実態を変えることに繋がるだろう。

報告書では、著作権を三層に分ける。前者のスニペット表示の解禁が第二層で、ここが焦点と言われているが、ほかにも問題はある。第三層で、東京オリンピックを前に翻訳サービスの拡充のためには法改正が必要と謳っている。しかしこの分野は、現在でも例外的な場合として、限定列挙により作品の無許諾利用を認めてきた範疇で、同じように目的や利用範囲を限定して制限する枠を広げればよいだけのことで、枠組みを変える必然性はなかろう。ここにも、経済界の意向ありきが見え隠れする。

冒頭に掲げたように、最近の文科省行政には目を被わざるをえないものが多いが、それに加え、三月で国からの支援が終了したことで多くの論文がネット上で閲覧できない状況になっている。これも含めて一事が万事、政府都合の経済振興や経済界の意向で、困るのは、まさに出版・教育等の現場である。アベノミクス政策の一環として著作権法改正を行うと大見得を切る時代が来たことこそ、文化庁が大切にする「文化の発展」に反することではなかろうか。

［参照：09年4月・7月／10年8月／11年2月／14年7月／18年1月・6月］

情報公開* 04.11/17

【民主主義の砦　政府の義務】

二十一世紀の幕開けとともに日本でも情報公開制度が始まった。遅れること十年、東日本大震災の直後に、その前提ともいえる公文書管理法も施行された。そこでは「公文書等が、健全な民主主義の根幹を支える国民共有の知的資源として、主権者である国民が主体的に利用し得るものであることにかんがみ、国民主権の理念にのっとり」法を定めると、その崇高な理念が明文化されている。

しかし、情報公開法は事実上、制定から一度も改正されないままで、いまや国際基準からみて「時代遅れ」の法制度になりつつある。しかもそれ以上に、法の冒頭で規定されている政府の説明責任義務はどんどん薄められ、より巧妙な情報隠しが進行し、制度の空洞化が深刻な状況だ。管理法はそれに歯止めをかける期待があったが、震災を機に時計の針は逆回転を始め、むしろ国益や緊急性を理由として、公的情報の共有化は急速に後退し始めている。

その一例が特定秘密保護法で、国益を理由として政府がフリーハンドで秘密指定をすることで、情報を国民の目から遠ざけることが可能になった。そして運用上でも、閣議や国家安全保障会議など、より重要な意思決定機関であるほど、その詳細な議事録は作らないことが決められてきた。

そして今回の一連の事件だ。南スーダンPKO日報、森友学園、豊洲移転。これらに関連し議会や責任者の発言からみえてくるのは、記録がなく記憶に頼る結果、第三者の検証を不可能にしている点である。

人の記憶は曖昧で、組織は自己防衛をするもので、官僚は上司をおもんぱかり都合の悪いことは隠すものだ。それを前提とした仕組みが社会には求められているのであって、だからこそ、意思決定過程をきちんと透明化し、記録を残すことで検証ができるようにすることを、近年、多くの国でルール化してきた。いまや民主主義社会の基本ルールとして、政府が「やらねばならない」義務であるということだ。

日本の場合、政治家や官僚の責任転嫁や言い逃れがしやすいように、自身の足跡を残さなくてもよい仕掛けをそこここにつくり、その結果、政府の恣意的な判断を可能にしている。こうした情報隠しの最初の犠牲者は真実だ。情報公開制度が根付き、政府の見える化によって市民が真の情報主権者となり、民主主義が機能するか、昔のような、拠らしむべし知らしむべからずの時代に戻るのかの瀬戸際に、いま立たされている。

●情報公開をめぐる最近のトピック●

17・2・6　南スーダンPKO派遣日報は、報告先の陸上自衛隊中央即応集団が文書を破棄しており不存在として、16年12月に不開示決定していたが、統合幕僚監部が電子データで保管していると防衛省が発表

2・24 森友学園国有地売却に関する交渉記録を、近畿財務局が破棄していたことが判明

3・1 横浜地裁は、裁判記録の写しの交付を求めた訴訟で、閲覧しか認めないのは違法として訴えを認容

3・7 那覇地裁で、沖縄県の行った情報公開決定について、国が取り消しを求めた裁判の判決があり、国の主張を全面的に認容。日米合同委員会の議事録は日米同盟の維持に必要だから非公開

3・15 ＰＫＯ派遣日報で、陸自自身も1月頃まで保管していたにもかかわらず、その事実を公表してこなかったことが判明

［参照：08年11月／10年4月／13年11月・12月／17年4月・11月／19年12月］

「報道の自由」二つの調査　*05.13/17*

五月三日は憲法記念日で、三十年前に朝日新聞阪神支局襲撃事件があった日であるが、国際的には「世界報道の自由の日（World Press Freedom Day）」だ。国連がメッセージを発表するほか、世界中の人権・表現団体が言論の自由の大切さを確認し、ジャーナリズム活動への敬意を表明する一日である。今年の特徴は、「フェイクニュース vs. 自由な言論」をテーマにしたメッセージが多かったことだ。これに合わせるように、二つの団体が報道の自由に関する指標を発表するのも習わしである。

【過去最低維持】

一つが米国に本部を置くフリーダムハウス（Freedom House）の「報道の自由」、もう一つが仏国に本部を置く国境なき記者団（Reporters Sans Frontieres〔RSF〕）の「報道の自由度ランキング（Worldwide press freedom index）」だ。日本では、後者のランキングがここ五年で急降下し、昨年、過去最低の七十二位に順位付けられたことが大きなニュースとなった。ちなみに今年も同順位を維持する結果となっている。これに対しメディア研究者やジャーナリストの中にも順位が低すぎると懐疑的な見方がある。確かに、肌感覚として厳しすぎるとか、質的評価（評価者の主観）が強く出過ぎているきらいはあるが、日本には記者への暴力もなければ、メディアを直接規制する法律もなく、評価は的外れとの批判には与《くみ》しない。

むしろ、「日本への警告」として真摯に受け止める姿勢が求められているからだ。質的評価が客観データ以上に世の中の空気感を一足早く反映している面もある。絶対値に一喜一憂するというより、経年変化で一〇年以降一気に順位を落としている点、「問題あり」と五段階中三段階に位置づけられた日本と同レベルがどのような国であるのか、といったことをきちんと理解しておく必要がある。順位表で同レベルはポーランドやハンガリーといった、日常的に日本のメディアが言論弾圧の国として厳しく批判する対象国なのである。

また、フリーダムハウス版でもここ十五年で一〇ポイントも低下しており、まだ「自由な国」にランクインしているものの、相当に危惧される状況である。実際、今年のレポートの目玉は米国のランクダウンで、そこでの指摘は十年間で一〇ポイント下げている点だ。日本の方がやや期間が長いが、逆に言えば長期にわたって低下し続けている点、もともと米国よりポイントが低いことからすると、むしろ日本の深刻さの度合いが理解できるだろう。

ほかにも、国際社会の中で日本の状況が危機的な局面に足を踏み入れている、と評価されていることの一つとして、一六年四月に国連から表現の自由特別調査官が日本に来たことも挙げられる。あるいは一六年末に、米国で『Press Freedom in Contemporary Japan（現代日本の報道の自由）』（Routledge）が出版され、その序文で、いま世界のなかで日本の表現の自由がきわめて大きな危機に瀕していると断言されるに至っている。そういう状況なのを私たちは自覚して対応しなければいけない。

【排除】

政府が異論を認めないという点でも、日米両国は似た者同士だ。米国では、特定の記者を排除するために記者会見を懇談にするということが行われた。記者会見は、政府の説明責任義務を果たす場所であって、市民の知る権利を代行するジャーナリストを好き嫌いで排除するわけにいかない、と考えられているからだ。ところが日本では、少なくとも建前上では報道機関（記者クラブ）と当局が共同で主催している地方自治体首長会見の場から、特定の記者を追い出すことが、すでにそここで行なわれている。そういう場合に米国では、排除に抗議して他の報道機関の記者が会見出席を拒否するなどの連帯が起きているが、日本ではそうはならないのが現状だ。

さらには、トランプ大統領はメディアの報道を「フェイクニュース」と言っているが、同じことが日本ではすでに以前から起こっている。一四年には国会で首相が朝日新聞の記事を取り上げて「捏造です」と断言した。自民党会合では、沖縄紙が「潰れたほうがいい」と平然と語られている。そしてこれら公権力の態度に、どう抗うかがメディアの力量だ。

たとえば経済誌『フォーブス』一七年二月の特集が、「真実を知ることができる10のジャーナリズム・ブランド」だった。一位が「ニューヨーク・タイムス」、二位が「ウォールストリート・ジャーナル」、三位が「ワシントン・ポスト」、そのあと、BBCなどが続く。そこでは、「いまの政権が『フェイクニュース』とか『オルタナティブファクト』と言うのは間違っている」ということを自分たち自身で検証している。

一方の日本ではそういうことは行われない。メディア自身が対抗的に、信頼できる情報というのはどこなのか、朝日は本当に捏造新聞なのか、沖縄紙は本当に偏向新聞で読むに足りない新聞なのか、真実を客観的に判断していくことをしなければいけないと思う。いま日本で選挙期間中に、いちばんフォロワー数の多いフェイスブックは安倍晋三首相で、昭恵夫人も十位以内だ。彼らの発信情報が一番読まれている「ニュース」という状況がある。そういうなかで、ジャーナリズムのポジションが揺らぎ、民主主義社会の中でその必要性が期待されていないのが現状だろう。

表現の自由は安泰で、昔の方が露骨な権力介入は多かったし、自主規制はいまも昔もあるものだ、と安穏としている状況ではなかろう。このようにメディア自身にほとんど危機感がないがために、共謀罪でも少なからずのジャーナリストが賛成する事態となっているのではないか。いかに自らの状況を客観視し、そのなかから信頼されるジャーナリズムを再構築しうるかの正念場だ。

〔参照：08年5月／12年3月／13年1月／14年2月／15年5月／16年9月／18年2月／19年8月・12月〕

博物館の自由は文化の礎* 05.09/17

【守れ　表現発露の場】

山本幸三地方創生大臣の「一番のがんは文化学芸員と言われる人たちだ。一掃しなければ駄目だ」（四月十六日）との発言は、単に学芸員の仕事について知らなかっただけではなく、そもそも博物館の機能について社会全体の理解がないことの表れだ。

博物館というメディアは、多様な表現の発露の場であり、そこにおける資料の収集・保管・展示・研究は、その自由が担保されている必要がある。しかし実際には近年、作品展示に対して撤去などを求める事態が続いている。圧力をかける側は、これらが「許される」と思っている節があるということだ。そこには二つの誤解が存在しているように思える。

一つは、運営主体が公共団体である場合、博物館や美術館の職員は館長も含め公務員もしくはそれに準ずる職である場合が多く、それゆえにいわば上司である国や自治体の意向のもとにあるべきだとの思い込みだ。しかし、学芸員はその職務を自主独立に行ってこそ、初めて専門職としての機能を発揮することができるはずである。その際に、収集や研究、展示の段階で、その自由が奪われたのでは、自らの職は全うできない。

次に、作品の発表の自由は作家に保障されているのであって、展示はあくまでもその頒布（流通）段階にすぎず、一定の制限は許されるとの考え方が一般化していることである。確かに、憲法で保障される表現の自由の中心が発表段階であり、その収集段階（例えば取材の自由）は一段下に置かれる傾向がある。さらに、頒布は、子どもの保護などを名目に長く一定の制限を認めてきた歴史がある。しかし、あくまでもそれは例外的措置でなくてはならず、しかも出版物と違って作品が美術館で展示されないということは、一般市民にとって鑑賞の機会を奪われることになり、重大な表現侵害行為だ。

しかも問題を複雑化しているのは、学芸員が作品撤去を求めるなど、規制の側に回ることが少なからずあることだ。運営者側とともに、学芸員の側の問題も見過ごせないということになる。それは同時に、問題が発生しても「おかしい」との声が上がりづらい状況にもつながっている。学芸員が政府あるいは自治体の意を汲んで活動していないと指摘され、それに対し現場の努力が理解されておらず残念だとして事態を収拾することは、新聞記者が政府への協力が足りないと言われたのに対し、こんなに忖度をしているのにと答えるに等しいものということになる。

日本は類似施設も含め六千館近い博物館「大国」にもかかわらず、過去の富山県立近代美術館の判例（二〇〇〇年十月二十七日最高裁判決）も、市中の議論でも、博物館の自由については未成熟だ。同じような公営の立場にある公共図書館も、選書や配架に関してさまざまな軋轢《あつれき》の歴史を持つ。そうした中で「図書館の自由に関する宣言」を有し、表現の自由を守ってきている。多様で豊かな展示・研究が実践され、「文化の発展に寄与する」（博物館法）ためにも、問題が生じた場合に博物館自身や個々の学芸員が拠って立つことができるような、「博物館の自由」の明文化が急がれる。

●博物館の自由をめぐるトピック●

14・2・16　東京都美術館「現代日本彫刻作家展」で、中垣克久の作品「時代の肖像」中の首相の靖国参拝を批判する文言が「政治的な宣伝になりかねない」として作品撤去要請を受け、表現の一部を削除

8・12　愛知県美術館「これからの写真」展で、鷹野隆大の男性ヌードを扱った作品がわいせつ物陳列にあたるとして警察による作品十二点の撤去指導。鑑賞制限などの事前措置に加え、検挙を回避するため下腹部に布をかけるなどの対応

15・7・25　東京都現代美術館「おとなもこどもも考える　ここはだれの場所?」で、会田誠の作品「檄」が市民からのクレーム1件を受け「子どもにふさわしくない」作品であるとして事実上の撤去要請を受けるものの、話し合いののち撤回

16・3・5　東京都現代美術館「MOTアニュアル2016　キセイノセイキ」で、橋本聡の作品(前年の会田誠の作品撤去問題を取り上げたもの)に対し、抗議・自粛要請があり展示中止

17・4・22　群馬県立近代美術館「群馬の美術2017」で、白川昌生の群馬朝鮮人強制連行追悼碑をモチーフとした作品が、県が係争中の碑であるとして館の指導で開館前に解体撤去

[参照：14年9月・12月／17年5月／19年5月・6月・9月・10月・11月]

言論弾圧とは何か　*06.10/17*

国連人権理事会のプライバシーの権利に関する特別報告者ジョセフ・ケナタッチ氏から五月十八日、安倍首相宛ての公開書簡が公表され、共謀罪法案に対して懸念が示された。また同月三十日には、言論および表現の自由の保護に関する特別報告者デービッド・ケイ氏がまとめた国連人権理事会宛ての対日調査報告書案を、国連人権高等弁務官事務所が公表した。

【異論認めぬ政府】

同報告者は六月初めに来日し、共謀罪法案に関して一般論と断りつつも、犯罪行為ではなくその前段階を取り締まる行為は、プライバシーの侵害が起きやすいこと、それが表現の自由にとって大きな脅威になることを警告した。さらに言えば、現時点の最大の懸念は、政府が憲法二十一条の改正を企図していることと踏み込んだ。そして六月五日には国際ペンのジェニファー・クレメント会長が、共謀罪が表現の自由とプライバシーの権利に対する脅威となると訴えた。

このように、国際社会が日本の状況を心配し、さまざまなメッセージを発しているのに対して、日本政府の反応は始めから対話を拒否するものであった。たとえば表現の自由報告書案に対してはその反論書の中で、「指摘されている事実の多くは、伝聞や推測に基づくもの」とし、プライバシー報告者書簡に対しては官房長官会見で、「個人の資格」のものに過ぎず「内容は明らかに不適切で外務省が強く抗議した」としている。

ここでも、自分の考えに合う都合の良いことだけをつまみ食いし（たとえば同じ特別報告でも、拉致問題を取り扱う国連北朝鮮人権状況特別報告に関しては賛同）、一方で異論は一切認めないという姿勢が見て取れる。あらためて、政府がこうした世界の声を真摯に受け止め、理性をもって誠実に対応することを強く求めたい。何よりも結論ありきで、議論を認めない姿勢は民主主義社会の基本ルールを根本から崩壊させるものであって、それは批判の自由という、表現の自由の中核の市民的自由を否定するもので看過できない。

【「二重基準」の誤用】

しかもこうした政府の姿勢が、表現の自由の基本的な考え方をゆがめつつあることを危惧する。それが一橋大学での百田尚樹講演会中止問題に関するメディアや市民の反応である。たとえば産経新聞は六月七日付コラムで、同講演会が外部圧力で中止に追い込まれたのは言論弾圧事例で、むしろこうした保守系文化人の被害を黙殺しリベラル派文化人の言論活動が妨害されると大騒ぎするのは「奇妙な二重基準」だとする。無料電子版やヤフーニュース配信を含めると、少なからぬ影響を有する日本の全国紙が、立法による表現規制の可能性は黙認する一方で、大学の学園祭での講演会中止を表現の自由の危機と認識していることに関し、あらためて言論弾圧とは何かを確認しておきたい。

表現規制を類型化する場合に重要なのはその「主体」である。立法・司法・行政が市民の表現行為を制約する場合に、憲法で保障された表現の自由とのコンフリクトが問題となる。さらにそれが、内容に基づく事前の規制である時、「検閲」として許されないのが大原則だ。ただし現実には、その解釈を裁判所の判例で狭めることで、教科書検定や裁判所の出版事前差し止めを限定的に許してきている。

こうした公権力以外に、次の類型として社会的勢力が考えられる。その中には、限りなく為政者と同等の政権党（政党）から、宗教団体、経済団体や大企業、労働組合や市民団体など、さまざまなレベル・形態のものが存在する。為政者の威を借りたり、暴力などの威迫を伴ったりする行為は、時に言論弾圧として社会的に糾弾の対象とされるし、場合によっては裁判所に違法行為として認定される場合もなくはない。しかし法的には一般に、広く自由な言動が認められており、むしろこの行き過ぎを戒める役割は市民社会そのものだ。まさにいま、一部グループによるヘイトスピーチへの対応などで、その市民力が試されているとも言えよう。

【議論で育てる】

そして、最後の類型が自主規制である。これが行き過ぎると言葉狩りと呼ばれるような過剰な自主規制となるし、いま話題の忖度《そんたく》や萎縮も、一般には悪しき側面といえるだろう。そしてあえて言うならば、その忖度に公権力の影があるからこそ、第一のカテゴリーに属する話として問題となっているのである。しかしそれと表裏ではあるものの、表現の自由は法律上、最大限の保障を与えられているがために、その自由にはおのずと「内在的制約」が求められており、一定の自律的な抑制力が働かなくては、逆に真の自由は守れない。

それからすると、公権力・社会的勢力・自主規制の表現規制を行う主体別に分けた場合、「百田尚樹講演会中止問題」は三つ目の自主規制の問題として議論の対象にすべきだ。それが過度なものであったのか、適切なものであったのかということで、これが仮に過度のものであったとしても、言論弾圧とは呼ばない。大学という場であることを考えると、より自由にさまざまな意見が戦わされることがよいともいえるし、新入生歓迎という目的での大学公認行事であったならば、しかるべき抑制力が働くことが好ましいとも言えるだろう。その判断は、当事者が迷い、そしてまたその判断の是非を社会全体で議論することで、より表現の自由は強まっていくのだと信じたい。

［参照：08年5月／13年1月／14年2月・9月・12月／15年4月／16年2月／18年9月／19年1月・6月］

ヘイトスピーチ根絶に向けて* *06.13/17*

【実効的な救済制度を】

反ヘイトスピーチ法が施行され一年が経過した。法制定をきっかけに良い方向に向かっていることもある一方、残された課題も多い。

法の規制対象が限定されていることもあり、社会全体の「ヘイト」状況は残念ながら改善されたとは言い難い。例えば、いわゆる沖縄差別は琉球処分以来、日本社会が抱える大きな問題であるが、ここ二年ほど「沖縄ヘイト」というべき、反基地運動や沖縄メディアに対する誹謗中傷が顕在化している。

一時の嫌韓・反中ブームと似ており、大手出版社による嫌沖本が続々刊行され、売り上げを伸ばしているとされる。とりわけこうした大手メディアの煽動的差別報道が、法制定後に継続しているどころかむしろ悪化している事実は、法の趣旨が社会全体に浸透していないことを表している。

ヘイト表現に対し、刑事罰による直接規制や集会等の事前規制を求める声がとりわけ当事者から強いことを承知している。懲罰効果は強いものの、こうした行政による一律・直截・包括的な表現規制はもろ刃の剣であって、恣意的な表現規制の手段として悪用される懸念が拭えない。しかも日本の場合は、特定の表現行為（例えば人種差別表現や宗教的侮辱表現）を、社会の基本的構造を破壊する行為として、初めから表現の自由の土俵から除外することをしてこなかった。

これは、例外を設けるとそれを足がかりとして言論表現の自由がことごとく奪われた戦時中の反省からである。それだけに、まずは「その他」の手段を最大限活用して、平等社会の実現をめざすことが必要だ。

二〇一六年には国内の差別撤廃のために、他に二つの法が施行されていることにも関心を向ける必要がある。それは障害者差別解消法と部落差別解消法であって、いずれも日本社会に根強く残る一般市民間の差別意識の変革を、制度面から求めるものだ。せっかくこのような差別禁止法が整備されつつあるにもかかわらず、この運用をきちんと監視する制度保障がないのが日本の弱みだ。

このチェックシステムの欠如は、秘密保護法でも共謀罪でも問題とされてきているが、政府も国会も本気で取り組む気がないばかりか、むしろ政治家も官僚もそうした運用を忌避することに熱心だ。この点で、多くの国で採用されている、独立した地位で日常的な行政のありさまや時には立法政策の不備を含めて監視する、オンブズマン制度の導入は有力な選択肢になりえよう。

さらには、反ヘイト法の制定をきっかけに実態調査が実施されたことは、施策実行のための基盤整備と言えるだろう。だからこそ次の段階は、差別言動により被害を受けている当事者の実効的な救済制度の確立だ。それは決してとっぴなアイデアではなく、すでに国際基準になっている人権救済機関の設置である。安・簡・早と呼ばれる安上がりで手間をかけることなく迅速な解決手段を、司法救済とは別に社会制度として整備することが求められている。

そうした制度が、インターネット上のヘイトスピーチにも、契約を根拠にした効果的な対応を可能とするであろう。そして、何よりも、政治家等の公的立場の差別を助長するような表現や行動を、厳しく戒める働きを持つことになると期待される。

●ヘイトスピーチをめぐる最近のトピック●

16・5・30　神奈川、愛知両県知事がヘイト団体に施設を貸さないと発言。

6・2　横浜地裁川崎支部がヘイトデモ禁止仮処分申し立てに対し、接近禁止命令。

6・3　反ヘイトスピーチ法施行。

6・5　川崎市のヘイトデモに関し、警察が主催者に中止するよう説得。川崎市は当初の公園利用申請を認めず。

8・1　法務省人権擁護局がヘイトスピーチ行為に警告。

10・1　江戸川区が施設予約システム利用者規約を反ヘイト法規定の行為を行う場合は承認しないよう改正。

10・18　大阪府警の機動隊員が沖縄・高江で基地反対運動参加者に対し「土人」発言。これを受けて松井一郎大阪府知事が、どっちもどっちの趣旨の発言。

10・22　欅坂46の衣装がナチス親衛隊と酷似しているとして問題化。

17・1・6　東京MXテレビ「ニュース女子」で反基地運動を誹謗中傷する発言があり、問題化。

3・31　外国人住民調査報告書公表（6月に訂正版）。

4・28　川崎市が市民館や公園等の公的施設の利用に一定の歯止めをかけるガイドライン案の骨子を発表。

6・1　大阪市がヘイトスピーチ対処条例に基づきネット上のヘイト発信者のハンドルネームを公表。

［参照：12年10月／13年10月／16年6月／17年2月／19年7月］

ＮＨＫ受信料　*07.08/17*

ＮＨＫが自社ウェブサイトの片隅で意見募集を実施している。七月十一日までの二週間という短さだ。が、その中身は、単に受信料制度の変更を求めるにとどまらず、ＮＨＫがインターネットに本格進出することに伴うものであるのが肝だ。なぜなら、旧来型の電波を使うのではなく、ＮＨＫがネットの世界においても「放送」を実施するとはどういうことかを、事実上、方向付けるものになりそうだからだ。

【公共放送】

これを考えるうえでは、放送法によって定められている、ＮＨＫの業務と受信料の仕組みの二つについて、確認しておく必要がある。ＮＨＫの仕事は、必ずやらねばならない必須業務と、やっても構わない任意業務に分かれる。これまでインターネット上にコンテンツを流す行為は任意で、あくまでも「正業」は、地上波と衛星の二種類の放送であった。

一方、ＮＨＫの収入はほぼすべて、受信料と呼ばれる私たちがボランタリー（任意）に支払う視聴契約料によって成り立っている。これはその時代に応じた契約形態となっていて、かつてのラジオとテレビ、白黒とカラーによって契約料金が違った時代を経て、現行の契約種別になっている。そして今まさに、ネット時代に向けて、この契約種別の変更が議論されているということになる。

実際にＮＨＫの番組を見ているかどうかと関係なく、テレビ受像機を持っている人（ＮＨＫを受信することができる受信設備の設置者）は、世帯ごとに必ずＮＨＫとの間で受信契約を結び、受信料を払う義務があることが、放送法によって定められている。それゆえに、契約を結ばない人や、契約は結んでいても支払わない人に対して、ＮＨＫは民事訴訟を起こして支払いを求めるということになる。

一方で、支払っていない人も、実際はテレビさえ買えば、自由に番組を視聴できる。この点、契約を強制する一方で、その契約および徴収に国は一切関与しないことで、市民社会が支えるという意味で〝公共的〟な機関としての位置付けを形成している。

受信料は、「ＮＨＫの維持運営のための特殊な負担金」と呼ばれているが、その負担の主体は専ら日本に居住する一般市民であって、国でないことが重要である。だから、国営放送ではなく公共放送と呼ばれるわけだ。最近のＮＨＫの報道が政府の意向を気にし過ぎているなどと批判されているが、この構造からすれば忖度すべき相手は官邸ではなく、受信契約者である市民であることは明らかであろう。

ちなみに、生活保護世帯などの支払い免除を除いた有料受信契約対象件数約五千万件のうち、約八割が契約を締結しており、そのほとんどの七七・七％が実際に支払っているとされる。府県による凹凸が激しいが（沖縄は支払率が著しく低い）、不祥事が発覚するなど特別な時期を除き、近年はおおむね七割台を維持している。額で言えば、二〇一五年の場合、六千六百二十五億円となる。

【終わりの始まり】

今回の意見募集の主体は、ＮＨＫ受信料制度等検討委員会だ。一七年二月に発足し外部の研究者五人で構成されている。テーマは三つあり、（１）常時同時配信の負担（２）公平負担徹底（３）受信料体系――のあり方について検討を進めており、そのうち（１）についての意見を求めていることになる。

現行の放送と同時に、同じ内容をすべてネット上で配信するにあたり、テレビで放送番組は見ないが、ネットの動画配信を受信する者から、それなりの「受信料」的なものを徴収しようということになる。その根底には、ＮＨＫ作成のコンテンツをより広く、社会全体に到達させることが望ましいという考え方がある。

その際、英国の公共放送ＢＢＣが行っているような、プロテクトをかけることが想定されているように推測される。一方で二〇年の東京五輪では、公共性に鑑みてだれでも無料でネット配信の競技中継を見られるようにすることも検討されているようで、いったん無料化したものを、あらためて有料化することには大きな抵抗があるだろう。それを思うと、初めから「失敗」を想定しているとも取れるのであって、その行きつく先は、全世帯強制徴収という道筋ではないか。

これはまさに、現在の「公共」から、より「公営」色を強めることを意味し、その分、政府との関係性も強まる可能性が高まるし、現行の市民社会が支えるという基本理念は消え去ることになりかねない。その意味で、ネット有料化は受信料制度の「終わりの始まり」を意味するのではなかろうか。

受信料については五年前にも、ＮＨＫ内に検討組織を作りネット時代に対応する契約制度の在り方を議論した経緯がある（ＮＨＫ受信料制度等専門調査会）。総務省内には「放送をめぐる諸課題に関する検討会」が一五年に設置され、翌一六年秋には「新たな時代の公共放送」に関する中間報告を発表している。今回の検討結果とそれに基づく意見募集は、これまで検討の方向性とも符合しており、一貫してＮＨＫのネット進出を前提としたものとなっているのが気にかかる。

政府に対し、必要以上におもねる放送を公共放送と呼べるのかという疑問は棚上げしておこう。フルデジタル時代の公共放送とは何か、ネットの世界における「公共メディア」は必要なのかを議論することとなしに、全世帯徴収に向けた受信料義務化が強化されることは、社会の合意を得ることはできないであろう。ましてや「みなさまのＮＨＫ」のキャッチフレーズとは、ますます離れた存在になっていくことにならないだろうか。

［参照：08年7月／10年12月／14年3月／17年12月／19年1月］

広がる「例外の一般化」* 07.11/17

【憲法の原則に穴】

「国民の保護のための措置を実施する場合において……思想及び良心の自由並びに表現の自由を侵すものであってはならない」。これは武力攻撃事態対処法の一節だが、一見、何の問題もないどころか、むしろ表現の自由に配慮した良い法律にも見える。特定秘密保護法ほか、憲法改正国民投票法、個人情報保護法、盗聴法と、同様な配慮を謳《うた》った法律が、二〇〇〇年以降立て続けに制定されてきた。

こうした「断り書き」は、憲法で保障されている表現の自由が絶対ではなく、為政者の都合で制約される場合が起こり得ることを示している。有事対応や国家秘密を守るといった、国家安全保障のための法に置かれるのも特徴的だ。しかし現実には、憲法の原則に穴をあける「例外の一般化」が、じわじわと広がっていることにほかならない。

内外の歴史を振り返ると、時の為政者がより強力に国家意思の統一を図ろうとした時に、公権力批判を封じ込めるための「秘密保護法・緊急事態法・名誉毀損法」という取り締まり三法を定めることが多い。日本でも明治から戦時体制にかけて、軍機保護法・治安維持法・讒謗律《ざんぼう》が整備される。そしてこれらの法制度が、言論の自由を形骸化させるばかりか、その運用チェックのための取材・報道の自由の大きな制約となり、権力の監視というジャーナリズム機能を失わせることにつながった。

この過去と現在の事象をシンクロさせた時に見えてくることがある。すでに秘密保護法と緊急事態法は制定・強化され、しかもその法制の中に〈表現の自由への配慮条項〉を埋め込むことで、三つ目の名誉毀損法制と同等の効果が生じている点だ。国益に関わるような事態では、表現の自由を軽んじてもやむをえず、例外があるのは当然であるという社会的合意が、立法によって形成されてきた。さらにこれに追い打ちをかけているのが、司法の姿勢だ。名誉毀損訴訟の損害賠償が高額化しているが、社会的評価が高いとみなされる政治家は、より手厚く保護されるという構図ができあがっている。

最近では文部科学省が、業務上作成された「総理の意向」と記した文書を共有化したのは誤りとして、厳重注意処分するという事態も生じた。公文書管理や情報公開制度の根幹を揺るがす不当な行為であるとともに、行政の現場に政治家や政府にとって「都合の悪い文書」は残さないように、事実上の指示を出したことになる。これは、批判の根拠を失わせることで、ジャーナリズム活動を無力化し、ひいては市民の知る権利をないがしろにする状況を生む。

相次ぐ政治家への批判を認めないかのような言動に共通するのは、「法に基づいて適正に処理をしているから問題ない」という姿勢だ。しかし、法そのものに市民的自由を損ないかねない仕組みが隠されている場合、恣意的な運用はその危険性を顕在化させることになる。昨今の異論封じのための名誉毀損法制が、事実上復活しつつあるような事態は、民主主義社会の基盤を揺るがしかねない。今日は共謀罪の施行日。国益を理由として中身を精査しない法律の危険性は、ここにも当てはまる。

●政府批判をめぐる最近のトピック●

17・4・4　今村雅弘・復興相が記者会見で追及する記者に「出て行きなさい。もう二度と来ないでください」

4・26　二階俊博・自民党幹事長が「一行でも悪いところがあれば、これはけしからん、首を取れと。なんちゅうことか」

5・8　安倍晋三・首相が国会で憲法改正について問われ、「読売新聞に書いてある。じっくり熟読してほしい」

5・17　菅義偉・官房長官が記者会見で「（加計学園関連文書を）全く、怪文書みたいな文書じゃないか。出どころも明確になっていない」

6・5　安倍首相が国会で、野党批判を「印象操作」と繰り返し述べるとともに、「（加計学園理事長との写真を）ずっとテレビに映してね。そこに写っている他の方々に印象をかぶせることは、普通常識があったらしていない」

6・30　二階幹事長が「我々はお金を払って買っている。そのことを忘れてはだめだ。落とすなら落としてみろ。マスコミが選挙を左右すると思ったら大間違いだ」

7・1　安倍自民党総裁が「（ヤジに対し）こんな人たちに皆さん、私たちは負けるわけにはいかない」

7・1　麻生太郎・副総理兼財務相が「（報道）内容はかなりの部分が間違っている。こんなものにお金まで払って読むか」

［参照：08年5月／13年1月・6月／16年11月／17年6月・12月／18年11月／19年1月・6月］

未編集の取材情報　*08.12/17*

鹿児島市で二〇一三年に起きた、警察官に取り押さえられて死亡した男性の遺族が、県に損害賠償を求めた民事訴訟を巡って、取材・報道の自由が議論されることになった。

一つは、男性を取り押さえる様子を放送局が撮影していて、その映像が鹿児島県警によって差し押さえられ、鹿児島地検で保管されていた件だ。これを証拠採用するか否かで、地裁は映像提出を鹿児島地検に命じたが、福岡高裁宮崎支部が取り消し、遺族側が特別抗告したが、最高裁はこれを棄却した。

もう一つは、遺族が検察庁で映像を見せられた際、ひそかに録音した音声があり、地検は違法収集証拠だと主張したが、地裁は録音データと反訳書を証拠採用したというものだ。なお、刑事裁判ではいずれも証拠提出されていなかった。

【守るべき一線】

テレビフィルム（放送用映像テープ）の捜査・裁判での利用は、明らかな「報道目的外利用」であって、本来、許されるものではない。報道を前提として行っている取材行為が、取材対象者の許可なく報道以外（例えば裁判の証拠利用）で使用されることは、報道機関の取材内容が公権力に利用される可能性が常にあることを意味するからだ。これは社会的に是認されているジャーナリズム活動の信頼性を揺るがし、結果として取材の自由を狭め、知る権利を空洞化させる危険性がある。

ましてや放送済みではなく、それ以前の未編集の取材テープ（映像素材）は「自己取材情報（ワークプロダクツ）」である。これらの公権力による差し押さえ押収や証拠提出は、記者の取材メモの提出と同じ意味を持ち、取材源の開示にもつながる恐れがあることから、報道倫理上、最も高位の「守るべき一線」といえる。

しかし残念ながら近年、一貫して警察・検察・裁判所の各レベルにおいて、テレビフィルムの「利用」が認められ、かつ拡大してきている実態がある。それには二つの側面があり、法廷証拠だけではなく、警察・検察段階での捜査資料としての差し押さえ押収への拡大と、放送済みテープだけではなく未編集テープへの拡大、という流れである。放送局は一貫して反対をしてきているものの、その抵抗力は弱まり「やむなし」の空気が感じられる状況にある。

【デジタル時代】

一方で、テレビ番組のデジタル化・全録（ハードディスクへの全部録画）の普及という時代状況のなかで、「テレビフィルムの提出」という意味合いが大きく変化している。取材側でいえば、高価なフィルムの時代から、デジタル時代を迎え、取材映像も未放送・未編集も含めて物理的な大量保存が可能だ。さらに放送された映像は、公権力も含めだれもが安価で容易に、しかも半永久的に保存することが可能な状況にある。

放送局が社会で唯一その場を撮影した映像を保有している時代とは全く状況が異なり、スマホで誰もが動画を簡単に撮影・保存できる時代を迎えている。そうなると放送局も、少なくとも放送済みテープについては変化している状況を認識し、今後の対応を考える必要があるだろう。

それからすると、絶対譲れない一線をどうするか、それを市民社会にきちんと説明できるかを、放送界全体で考える必要がある。例えば、放送済みの番組録画映像について、裁判で証拠提出されることに対しては、許容するという判断もあり得よう。

一方で、より広範かつ大量に保存される可能性が増大しているワークプロダクツについては、法廷での証言拒否同様の毅然とした対応をとるべきであろう。具体的には、あくまでも提出を拒否し、そのための刑事罰を辞さないという態度である。現在は、すべてに反対をしているがために一線が見えづらくなり、結果として取材の自由が狭まる結果を招いていると思われるからだ。しかも、その一線は現実としても守られていない。

また、今回の事例のように、放送局本体ではなく業務委託先の制作会社が当事者になることも一般的であろう。その場合にも、放送局と委託先間での意思疎通をしっかりして、オール放送としての違わぬ対応をとることが求められるし、制作会社にも放送局同様の覚悟が求められるということになる。放送にかかわる者すべてが、同じレベルでワークプロダクツを守る意思を示してこそ、初めて取材の自由は守られる。

【公権力の謙抑性】

地裁は一六年十二月に、「高い証拠価値があり、報道の自由やテレビ局の利益を優越する」として取材映像の提出を認めた。これに対し高裁は一七年三月、「映像を提出した場合、報道の自由や当事者以外のプライバシーが侵害される恐れが高い」として地裁決定を取り消していた。最高裁が七月二十五日の決定で、映像提出を認めなかったのは、「報道機関の不利益が必要限度を超えないよう配慮されなければならない」とした一九六九年のフィルム提出開始段階に立ち返る意味を持つといえるだろう。その点では「公権力の謙抑性」を求めたものと好意的に理解したい。

一方で今回の場合のような、当事者から「見せてほしい」といった要望や相談があれば柔軟に対応するというのも、放送局側の一つの姿勢ではなかろうか。冒頭に挙げた録音テープについても、建前はあくまで目的外利用は認められないというものである。一方で、被害者救済などの理由で、裁判所での証言を行ってきたケースもあり、実際の運用でぎりぎりの選択をすることはあり得ると思われるからだ。地裁は六月二十八日に証拠採用を認めたわけであるが、事前に放送局の間でどのような「調整」があったのか窺い知れない。ただし、取材源やワークプロダクツの開示にならない範囲で、報道機関は弱い者の側に立つのもまた、大切な報道倫理に違いない。

［参照：09年1月／10年11月／11年12月／12年9月／16年8月／19年8月／20年3月・6月］

取材の自由* 08.9/17

【取材なければ報道なし】

共謀罪の議論でも特定秘密保護法ができる時にも、報道機関の取材が制約を受けるという言い方がされた。あるいは最近では、国の省庁や自治体が、記者が庁舎内を歩き回ることを嫌い、さまざまな制約を課してきている。その際にもメディア側が、取材が自由にできないと国民の「知る権利」が十分に果たし得ないなどと抗議するのが一般的だ。しかし公権力側は、どうも報道機関の取材行為について、それほど大事に思っていない節がある。あるいは読者・視聴者からも、取材だから何でも許されるとみられるようなメディアの態様には、不信感や抵抗感が表明されることが少なくない。ではいったい、報道機関側と公権力や一般市民の間の溝はどこから生まれるのか。

ここにいう取材の自由とか知る権利について、戦後の日本でみても、当初から当たり前に了解されていたものではなかった。一九五八年になってようやく、最高裁は「新聞が真実を報道することは、憲法二一条の認める表現の自由に属し、またそのための取材活動も認められなければならない」と判示するに至る。それから十一年を経て「報道機関の報道は、民主主義社会において、国民が国政に関与するにつき、重要な判断の資料を提供し、国民の『知る権利』に奉仕するものである」と宣言した。

しかしそれでもなお、「報道のための取材の自由も、憲法二一条の精神に照らし、十分尊重に値する」として、収集・発表・頒布という情報流通過程で、発表段階の報道に比べ、収集段階の取材については一段下に置いていた。さらに頒布段階においては、青少年の保護などを理由に映画の視聴や有害図書規制のように、むしろ制限するのが当然との認識が広まってきている。その結果が、昨今の美術館の作品撤去などにも現れている。

こうした司法の態度の反映として、政治家は記者会見がサービスであると言い切り、官公庁の行政文書は大臣の意向で恣意的に情報隠しを行うことすらもできると思い込んでいるようだ。また、警察等の記者発表に関しても、関係者の意向を尊重するという名目のもとで、取材の糸口になるような氏名・住所を秘匿する、場合によっては会見自体も開かないという事例が頻出する状況を生んでいる。

こうした状況からすると、まずは収集と発表は表裏一体であって、報道の自由と取材の自由の間には上下関係はなく、等しく表現の自由の保障のもとにあることが明示的に認められる必要がある。その上に立って、公的機関には説明義務が法的に存在し、それに基づき、記者会見を含む情報提供がなされること、取材行為が知る権利の実効的手段であって市民的自由の行使そのものであることについて、公権力・市民・報道機関の間で認識の一致がなされなくてはならない。記者の頑張りによって情報を取ることは取材の基本ではあるが、その前提には制度的保障が必要だからだ。

●取材の自由めぐる最近のトピック●

17・2・27 経済産業省がすべての執務室を施錠した。記者の入室は全面禁止で取材は執務室外の会議室を使用し、取材対応は課長・室長以上の管理職に限定、メモをとる職員を同席させ、内容は広報室に伝達、というルールを実施。その後、4度にわたる記者クラブ（報道機関23社で構成する経済産業記者会）の制限撤回要望に応えず

4 横浜市が情報漏えいの恐れがあるとして、新庁舎では職員用と記者用のトイレを別にする案を検討していることが判明し、批判を受けて撤回

5・1 外務省は報道機関に対し、「北朝鮮での取材に関する注意喚起について」と題する文書で北朝鮮への渡航自粛を要請

7・20 沖縄防衛局は県政記者クラブ加盟社宛てに、大浦湾の海中サンゴと米軍北部訓練場内でのオスプレイの写真を、沖縄県紙2紙が掲載したことに対し、立ち入り制限区域内での不法な撮影と思われるとして抗議文書を提出

7・25 最高裁が、放送用の映像を訴訟に提出するよう求めた遺族側の特別抗告を棄却。番組制作会社が警察を取材中に撮影。未放送分の映像に対し鹿児島地裁は「高い証拠価値がある」として、映像を保管していた鹿児島地検に提出を命令し、福岡高裁宮崎支部は取り消しの決定をしていた

[参照：09年1月／10年11月／11年12月／12年9月／16年8月／19年3月・8月／20年3月・6月]

番組送り手の在り方　09.09/17

九月中に、沖縄ヘイトとして問題視された東京メトロポリタンテレビジョン「ニュース女子」の、検証番組改め再取材番組が放映予定だ。同時並行で進むＢＰＯ審議や審理の結果も、秋には公表されるだろう。ここでは、こうした放送番組の送り手の在り方を、確認しておきたい。

【パートナーシップ】

放送の場合、何がよくて何が許されないのかは、放送局ごとによって定められている「番組基準」による。この基準は放送法の規定に基づいて策定・公表が義務付けられているもので、一般に公式ウエブサイトの「会社概要」ページなどに掲載されていることが多い。全国に約二百社ある放送局は原則、加盟する日本民間放送連盟が定める規程にのっとって作成されている。

もちろん、このこと自体は悪いことではなく、長年の経験と検討の結果の業界スタンダードに合わせることは、ある意味では当然のことだ。しかし一方では、自分たちで議論したものでないと、きちんと身についていない、ただの裃《かみしも》になってしまっている危険がある。

この点でいえば、最も詳細な社内ルールを作成・公表している局の一つが、大阪の準キー局である関西テレビだ。きっかけは、〇七年放映の「発掘！　あるある大事典Ⅱ」の捏造問題にはじまる一連の事件で、社を挙げての放送倫理向上のための取り組みの一つとして生まれた。二〇〇七年七月刊行『関西テレビ放送　番組制作ガイドライン』の第一版は、番組制作ガイドライン制定委員会の手によるもので、「倫理・行動憲章」の下での「放送基準」に従い、詳細な番組制作の注意事項が記されたものとなっている（一二年に改定版）。

とりわけ特徴的なのは、制作会社とのパートナーシップに触れている点である。放送局の場合、番組の多くは「自社制作」と言っても実際は、制作会社がその実務を負っている場合が多い。報道番組に比べ、情報系・バラエティー系の番組やドラマ等の制作は、社員プロデューサーが形式的にいるものの、丸ごと制作を別会社に委ねている場合も少なくないのが実情だ。

実際、放送される番組のエンドロールを見ていれば分かる通り、制作者は、局名とは違う名称の会社であるのが一般的だ。場合によっては、下請けと呼ばれるものだが、むしろ番組制作の専門会社が作った完成作品を購入しているという場合も多い。


【報道倫理】

だからこそ局と制作会社の「パートナーシップ」が重要になるわけで、もちろん、下請け＝業務委託であろうと、完全パッケージの納品であろうと、テレビで流れる以上、制作者は放送人

（ジャーナリスト）としての作法に従っている必要がある。それは放送法をはじめとする法令であり、業界基準としての放送倫理綱領であり、そして個々人の良心であるところの報道倫理であるはずだ。

さらに、特定の放送局で放映する以上、その局のルールに合わせ、局職員（社員）と一体となって「守るべき一線」をきちんとチェックすることは、番組の送り手としての責務といえる。あくまで番組は、その制作に携わるスタッフおよび全社員・関係者のすべてが、責任を負うという自覚をもつことが必要である。逆に言えば、放送した局が制作に関与していない「持ち込み番組」であろうとも、局はその内容に責任を負わねばならないし、また、制作会社は局が定めるガイドラインに従った番組でなくてはならないということだ。

【二つの事実】

一方で、冒頭に触れた「ニュース女子」番組は、新たな問題も提起している。同番組は、もともとインターネット上の動画配信サイト「DHCテレビ」（一七年四月にDHCシアターから名称変更）のオリジナルコンテンツの一つで、それをDHCがスポンサーとなって全十八局に提供、オンエアされる構図になっているとされる。

したがって、問題となった放送回（九十一回）の少しあとには「検証」番組（百一回）として、ヘイト批判に対するいわば反論が動画配信されたが、これは地上波放送局である東京MXテレビでは放映されていない。また逆に、近日中に放映されるであろう新たな「再取材」番組は、テレビで放映されても、おおもとの動画配信サイトで流れるとは限らない。

そうなると、ネット上で拡散している同番組の内容については、もしテレビ番組上で「修正」がなされたとしても、それは極めて限定的なものにならざるを得ないということだ。場合によっては、テレビと動画配信サイトで、「二つの事実」が並列するようなことさえ想定される。あるいは「大人の事情」によって、あえて二つの媒体を切り分け、放送局が大手スポンサーに気を遣うということもあるかもしれない。近い将来、テレビ番組のネット配信も開始される予定だが、地上波放送とインターネットの相互乗り入れが進む中で、守るべきルールをどのように適用するのか、難しい課題を背負うことになる。

それは必ずしも、ネットの動画配信に放送と同じような厳しいルールを適用すればよい、という単純な話ではないからだ。むしろネット上は、より自由な言論が保障されるべきであって、あえていえば、公平でないものも、嘘かもしれないものも、当然に混在するのが一般的だ。それを公権力によって取り締まることは社会全体の自由度を狭めてしまうという意味で好ましくない。

一方で、放送と同様ではないにしても、一定の社会的責任を負う場合もありうるわけで、すでにネット企業の法的社会的役割が「青少年の保護」や「忘れられる権利」として議論されてきている。その意味では今回の「ニュース女子」の件は、放送を超えた動画配信サイトのあり方も問われているということになる。そうなると、放送番組が対象のBPOや局の番組審議会を超えて、もっと大きな枠組みでの議論が必要となろう。

［参照：15年2月／16年9月／17年2月］

教育の自由* 09.12/17

【市民社会の窮屈さ進む】

一部の中学歴史教科書をめぐり、採用した学校に対して嫌がらせの電話などの組織的な圧力があったとして、議論が巻き起こっている。以前より沖縄戦や慰安婦の記述を巡って論戦が絶えないし、今年に入ってからは三月に道徳教科書の記述がニュースとなった。表現内容として、政府方針に沿ったものが求められていることが強く関係している。朝鮮学校無償化も、教育への政治介入が論点だ。

根底にある〈教育の自由〉については、憲法で幾重にも守られている。それは戦時の反省であって、国定教科書や教育勅語で思想の統一がなされ、教師からは教える自由が剝奪され、最後には生徒や学生が学校で自由に学ぶことさえもできなくなってしまったからだ。勤労奉仕や学徒動員などの日々の不自由な学校生活は、さまざまな形で私たちが知るところである。

それゆえに憲法では、二三条で「学問の自由」が保障されている。いわゆる精神的自由は多くの場合、内向きと外向きの両面があり、学問の場合は、好きなことを学ぶことができる学習の自由と、好きなことを教えることができる教授の自由があるとされる。また一九条の「思想・良心の自由」では、教育現場における内心の強制が問題となる。今日の公立学校では、生徒や教師が、君が代を歌わない・演奏しないことが許されないとされている。立たない自由や歌わない選択肢が、生徒や教員になぜ認められないのかという問題だ。

さらに二一条の「表現の自由」との衝突もある。教育の平準化という国益との関係で、小中高の授業は厳しい制約のもとで行われている。日本の場合、全国同じ進捗で同じ授業内容を同じテキストで教える授業が行われることで、均質な労働者を育てることに最大の効果をあげてきた。

戦前の国定教科書の名残で、「検定」制度はいわば安上がりの官製教科書制度である。文科省が内容の可否を決定する仕組みであることから、公権力による事前の内容審査そのものであって、検閲に当たるのではないかとして、長く裁判所で争われてきた。さらに、審査に通った教科書は、公立の場合は地区教育委員会で選択されたものを、一律に全ての学校が採用するという方式をとっている。その結果、意に添わない教科書を使用せざるを得ない学校や教師が生まれる。また、教育委員会のメンバー構成自体が歪んでいるとの批判も絶えない。

さらには、教科書会社にとっては採用されればすべて国に買い上げてもらえる大きなメリットがあるが、その価格は法律で決まっていて安価に抑えられている。これらの点からすると、教科書制度は中身も流通もさらには財政的にも、国家コントロールの下にあるということができ、表現の自由の観点からすると、もし現状の制度を前提とするならば、最大限の注意を払った、謙抑的な運用が求められる。

にもかかわらず採択でも検定でも、市民社会の窮屈さがさらに前倒しで進んでいる状況があり、いま以上、教育現場の自由が失われることがないようにしなくてはなるまい。

●教育への介入めぐる最近のトピック●

17・3・24　18年度から使用が開始される小学校・道徳教科書の検定結果が公表され、検定意見に従い、パン屋を和菓子屋、アスレチックの公園が和楽器店に書き換えられたことが明らかに

3・31　48年に排除・失効の確認が国会決議されている教育勅語を「教材として用いることまでは否定されることではない」と閣議決定

7・19　国が朝鮮学校を高校無償化の適用対象外としたのは違法として広島朝鮮学園が訴えていた訴訟で、広島地裁は国の裁量権を認めた。13年2月、国は朝鮮学校が無償化の対象となる文科省令の規定を削除し、10高等学校を不指定にしていた

7・28　朝鮮学校を無償化の適用対象外としたのは違法として大阪朝鮮学園が訴えていた訴訟で、大阪地裁は学園側の全面勝訴の判決

7　学び舎の中学歴史教科書「ともに学ぶ人間の歴史」を採択した学校に対し、圧力まがいの抗議があったことが、改めて話題となった。当事者の学校長が、経緯について16年秋に同人誌に寄稿したものが、ネット上で広まり、これに対し新聞などが取り上げ、議論の対象に

8　沖縄・那覇地区で、採択された小学校道徳教科書が愛国主義的で、決定に至る審議経過も不透明だとして問題化

［参照：11年6月／14年1月／16年5月］

窮屈な選挙報道　*10.14/17*

衆議院選挙投票日まであと一週間、序盤戦を見る限り、今年も「窮屈な」選挙報道が続いている印象だ。こうした傾向が顕著になったのは、二〇一三年の参議院選挙からと言われており、その後、一四年の衆議院、一六年の参議院と、むしろその窮屈の度合いは増してきていた。ここではその理由をあらためて確認するとともに、さらにこの状況が、来たるべき憲法改正国民投票に与える影響についてみておきたい。

【お触書】

選挙期間中（公示・告示から投票前日まで）の表現活動は、主として二つの法律によって規定されている。公職選挙法は「この法律に定めるところの選挙運動の制限に関する規定は、日本放送協会又は基幹放送事業者が行なう選挙に関する報道又は評論について放送法の規定に従い放送番組を編集する自由を妨げるものではない。」（一五一条の三）と定める。新聞等の印刷媒体についても、同様の規定がある（一四八条）。これらは、人気投票の公表を除いては、自由な報道を認めるという規定に他ならないのであって、法の全体構成からしても当然の帰結である。

日本の場合、選挙期間中の表現活動に関し、候補者の選挙運動を原則禁止し、限定的に一部を認めているにすぎない。そして、その不足分をマスメディアの働きによってカバーする仕組みとなっている。具体的には、政見放送や選挙広告を、テレビ・ラジオや新聞で流すことによって、有権者に対し満遍なく候補者情報を行き渡らせることとしている。そのうえで、政策の違い等の詳細情報を、論評も含め各メディアが自由に報道することで、投票行動に有益で必要十分な情報が、社会に流通することが期待されている。まさに日本社会独特の手法によって、選挙期間中の多様で自由闊達な情報流通を保障しているのである。

その肝は、あくまでもマスメディアが「自由に」さまざまな候補者情報を読者・視聴者に伝達することにある。この伝達路が詰まってしまっては、当然、有権者に必要な情報は行き渡らない。その結果、後で触れる「特別に自由な情報発信が認められている者」の情報だけが、言論公共空間を占めてしまうような、歪《いびつ》な状況が生まれかねない。

では、なぜそうなるのか。実は先に挙げた公選法の条文の最後についている、但し書きに大きな要因があるとされている。「ただし、虚偽の事項を放送し又は事実をゆがめて放送する等表現の自由を濫用して選挙の公正を害してはならない。」という一節だ。この〈事実をゆがめてはいけない〉の一言が重くのしかかり、自由な報道が及び腰になっているという構図が出来上がっているのだ。

さらに放送媒体の場合はこれに、放送法の規定が二重に被さることになる。「政治的に公平であること」（四条二項）が、放送番組の編集にあたって守るように定められているからだ。

同法もその前段では、放送の自由を謳っており、しかも四条の制約も放送人の自律に委ねているとの解釈が一般的ではあるものの、放送現場の実態としては、選挙が近づくとどの局でも、一斉に「お触書」が出回り、候補者や政党を扱う場合には一分一秒まで平等に扱うことや、特定の政策を一方的に批判することはしてはいけない、などの自主ルールが適用されることになる。

【二つの動き】

こうした「必要以上」な気配りが、とりわけ放送媒体で行われるのには、二つの動きが関係している。一つは、繰り返し政権党等から出される文書や抗議の「成果」である。

例えば一四年の選挙直前に自民党から全放送局に発信された文書では、街頭インタビューの流し方といった詳細な番組編集にまで踏み込んでいる。こうした要請は通常、無視はできないものの、聞き置くといった対応ができるものである。実際、スポンサーをはじめさまざまな「圧力」はあっても、それにいちいち応えては、放送なかんずく報道は成り立たない。

しかし実際は、こうした動きと同時並行して、もう一つの政府の示した姿勢が大きな意味を持つ。それは、行政処分と行政指導をリンクさせたことだ。放送事業は国の免許が必要で、その所轄は総務省（政府）だ。これを定めているのが電波法であって、免許条件に合わない事態が発生した場合、免許取り消しや電波停止（放送中止）といった「処分」を行う権限も有している。

一方で、先に挙げた放送法の規定は本来、法的拘束力を有しないというものであったが、近年、政府が解釈を一方的に変更して、法の規定に合っているかどうかは政府が判断することを宣言し、実際、法に反しているとして個別の番組に関して放送局に「指導」という名の業務改善命令を出す事態が続いている。

さらに一五年には総務大臣が国会答弁で、前者の処分と指導は一体のもので、放送法違反があれば電波法に基づき電波を止めるとした。こうした政府の法解釈が、先に挙げた公選法の運用も含め、マスメディアに大きな影響を与え続けているということである。

【政党は発信力増】

そしてこうした報道現場の閉塞状況の中で、ひときわ目立つのが「政党」の政治活動としての情報発信である。特定候補者の選挙運動になってはいけないという制約こそあるものの、選挙期間中の表現活動として唯一、事実上のフリーハンドを与えられた政党は、その質量ともに他を凌駕する勢いだ。

こうした法構造は、憲法改正国民投票期間中も同様である。むしろ、政党には無料CMが認められているなど、さらに政党発信情報が増える仕組みになっている。一方で、放送番組には強い縛りが課されている。こうした状況が、有権者に正確で必要十分な情報を伝達するに相応しいのかどうか、もう一度精査する必要があることを、この間の選挙報道は示唆している。

［参照：10年7月／13年3月／16年7月／17年11月／18年9月］

選挙期間中の表現活動* 10.13/17

【深い分析、厳しい批判を】

選挙期間中の表現活動の主役は、立候補者と報道機関だ。戦後の日本では、選挙運動（候補者の表現の自由）を原則禁止することにした。資金量の多寡によって情報に格差が生まれるのはよくないとして、可能な限り情報発信量を制限することにより、公正な選挙の実現という国家的利益を確保しようとした。戸別訪問を全面禁止するほか、ポスターや立会演説会も、選挙カーやはがきも、すべて厳しい制約の下、必要最小限のみが認められているにすぎない。

この不足分を補うため、二つの工夫が設けられた。一つは、政見放送（テレビやラジオ）や選挙広告（新聞）を政府丸抱えで実施することで、候補者の金銭的負担なく情報の伝達を図っている。全国津々浦々に新聞が行き渡り、どの家庭でも無料でテレビが見られる環境がある、日本ならではの制度だ。

そしてもう一つが、選挙報道（報道機関の表現の自由）を可能な限り自由にして、十分な候補者情報等が行き渡るようにしている。前述の「マス」メディアであることとともに、いわゆる不偏不党の紙面・番組作りが「評価」されている結果でもある。日本以外では、最初から支持政党などが決まっている国が少なくないために、当落予測報道の禁止など、制約がかかることが一般的だ。むしろ候補者の選挙活動の自由度が高く、日本とまったく逆パターンであることが分かる。

これからすると、選挙期間中〈だから〉より慎重に選挙報道するのではなく、〈だからこそ〉自由闊達な報道を行うことが求められている。より多様で十分な情報を、有権者に伝える社会的役割があるからだ。判例でも、だれを泡沫候補とするかを、報道する側が判断することを是として、この自由度を後押ししている。

一方で近年の法改正により、政治活動（政党の表現の自由）がどんどん拡大する傾向にあり、リアル社会でもネット上でも、流れる情報は政党発のものが急速に増えている。しかも、法律上許されない選挙運動まがいだとして、マスメディア上では認められなかった内容のものまで、ネットでは流れている。

そうしたなかで報道が、公職選挙法の「表現の自由を濫用して選挙の公正を害してはならない」（一四八条と一五一条の三のただし書き）を過度に意識して、数量的平等性を必要以上に気にするなど遠慮がちであっては、本来、法が予定していた言論公共空間のあり方は実現しない。法の趣旨はむしろ自由の保障であって、報道機関はその社会的役割を果たすためにも、深い分析や厳しい批判による活気ある選挙報道を、自信をもって行う必要がある。もし法がそれを阻害しているのであれば、ただし書きの削除を含めて法の構造を見直す必要がある。

●選挙表現の自由をめぐる流れ●

96年　衆議院選挙に小選挙区制を導入。政治活動の枠で政党の選挙表現の自由が拡大

13年　インターネット上の選挙活動を一部解禁。一般市民の選挙表現活動が事実上初めて可能に

（政党のみがバナー広告が認められるなどの優遇や個人発信でＳＮＳはできても電子メールは禁止など、改正当時の課題はそのまま）

16年 選挙年齢引き下げで満18歳以上に選挙権が与えられ、同年齢以上は選挙表現の自由を獲得（有権者でない未成年や外国人には選挙表現の自由がないまま）

17年 国政や首長選挙では認められていたビラ配布が地方議員選でも解禁

［参照：10年7月／13年3月／16年7月／17年11月／18年9月］

国民投票法　11.11/17

憲法改正に関わる手続きを定める法律は主として二つある。国会発議までの手順を定める国会法と、その後の日本国憲法九六条に定める改正手続を内容とする憲法改正国民投票法だ。双方を合わせた「日本国憲法の改正手続に関する法律」が、第一次安倍政権において制定されており、二〇〇五年から〇七年にかけて多少は社会的耳目を集めたものの、その後は忘れ去られた存在だ。

そしていま、憲法改正が現実性を帯びるに従い、あらためてその手続きに関し議論が起き始めている。大きな争点になりうるものとしては、最低得票率の定めを設けるかどうかなどがあるが、ここではもっぱら表現の自由に直接関わる問題について、問題を整理しておきたい。

【表現の自由侵害】

国民投票運動とは、「憲法改正案に対し賛成又は反対の投票をし又はしないよう勧誘する行為」と定義されており、国民一人ひとりが萎縮することなく、自由闊達な意見を闘わせることが期待されている。そのことから、原則的に運動は自由であって、規制はあくまでも投票が公正に行われるための必要最小限なものとするとの考えに基づいて定められている。

これは、憲法改正に関わる議論は最大限の表現の自由が保障されるべきで、議論の場である公共的空間には、国会を含む公権力は介入すべきではない、ということでもある。しかし実際には、国民投票法には致命的な問題がある。それは、(1)広告表現の法規制に何ら遠慮がないこと(2)国会が情報コントロール権を握っていること(3)政党が議論の中心になるようにあらかじめ制度設計されていること――の三つである。

具体的な表現にかかわる規定としては、投票期日直前十四日間は、国民投票広報協議会が行う広告放送を除き、国民投票運動のためのラジオ・テレビの広告を禁止し、一方で政党は、事実上自由にテレビCMを流せるようにし、しかもその経費の一部は国費で賄うこととしている。また、放送局は政治的公平を守った番組を放送することが義務付けられる。

【過剰広告規制】

第一の問題点は、投票前広告規制は行き過ぎた法規制であるばかりか、合理的根拠が見いだせないことだ。なぜ広告さらには放送のみを規制の対象としているのか、なぜ二週間のみに期間が定められているのか、といった「なぜ」に対する答えは見つからないし立法時にも説明がなかった。

資金量の多寡によって運動の優劣がつく可能性があるので、平等性を担保するためというのであれば、政党広告を除外している点や、解釈によっては、直接的な投票運動には入らないからということで意見広告が野放しになる可能性からすると、あまりに「ザル法」だ。ただし、これらをすべて禁止するとなれば、それは現行法制度以上の強力な表現規制であって、より大きな問題を孕むことになるだろう。

従ってこの点は、法規制ではなく「自主規制」によって問題克服を図るべきだろう。その規制はもっとも大量の資金を投入することが容易に推測される、各政党が自らの責任で自主ルールを策定・公表すべきだ。そのうえで媒体である新聞や放送は、これらの自主ルールに反した広告を掲載・放映しないことを決めておけばよいと考える。その中身は例えば（1）ネガティブキャンペーンは避けること（2）単なるイメージキャンペーンを避けるため、放送広告は六十秒以上、新聞広告は全ページ以上の長尺広告とすること（3）過度な広告合戦を避けるため、総量もしくは出稿量を定めること（同一地域内への平等出稿）――などが考えられる。

【検閲】

第二には、国会機関たる「国民投票広報協議会」が広報や広告の取りまとめ役になることについてである。この組織がどのようなものになるか、実はわかっていないのだが、各議院においてその議員の中から選任された同数の委員（各十人）で組織されることが決まっている。

そして、国民投票公報の原稿の作成、投票所内の投票記載場所等において掲示する憲法改正案の要旨の作成、憲法改正案の広報のための放送および新聞広告、その他憲法改正案の広報に関する事務を行う。

それからすると、同協議会が無料広告の出稿要領を決める点、広報内容を客観的・中立的になるよう事前審査する点、一般広告を禁止する期間に政党取りまとめの広報（官製情報）が流される点は、憲法の禁止する検閲行為に近いものであると思わざるを得ない。

協議会構成メンバーに有識者を加えることによって恣意性を排除したいというが、問題は国会機関が情報コントロールを行うという点そのものにある。あるいは広報内容は政見放送類似の恣意性が入り込む余地がないものにするので問題がないと説明するが、もしそうならば、徹底的に必要最小限度の「公報」に限定化すべきであろう。

【政党優遇】

そして第三に、政党のみが手厚い優遇策を受けることで、一般市民の知る権利を侵害することの問題性である。一般広告を禁止する期間に政党のみが情報発信が許され、しかも新聞・放送への無料広告を認められている点、特別な法的保護を受けた政治活動（政党ＰＲ活動）がこうした国民投票運動とは別枠で自由に行える点、をどう考えるかである。政党が指定する市民団体に無料広告枠を付与することで政党のみの批判を解消できるというが、政党の意思のもとでの意見表明を表現の自由とは言わない。

もちろん、メディアがもつ公共的空間によるフォーラム機能を重視する観点から、無料広告枠は存置するという考え方はあり得よう。ただしこうした工夫は、あえていえば最後の微修正の範囲であって、その前にまず、憲法改正のための手続きが憲法違反の可能性がある状況を、国会自らがただす必要がある。そのためにも、あらためて手続法の中身を精査し、再検討することが急がれる。

［参照：17年10月／18年6月］

知る権利空洞化*　*11.14/17*

【表現の自由　制約する内閣】

第四次安倍内閣が発足した。第一次以降、この内閣の特徴の一つは、表現の自由に対して制約的であることだ。秘密保護法や共謀罪など、わざわざ取材・報道の自由に「配慮」することを明文化せざるを得ない法律が制定されたほか、情報公開法・公文書管理法の解釈変更により、知る権利の空洞化が進んだ。

第二に、政府・自民党として報道機関に対して抑圧的だ。典型的なのは選挙の際に放送局に示されてきた抗議や要請の数々であり、それに伴う政府の放送法解釈変更による行政介入の余地の拡大である。米軍基地新設に反対する沖縄メディアや原発事故に批判的な言動に、ことさら強い姿勢を示すことも特徴と言えよう。

そして第三が、こうした立法・行政の動きに呼応するかのように広がる「忖度」状況である。各自治体や公営の社会施設である美術館や公民館の対応がこれに当たる。政治的中立性が強く要請される空気が蔓延し、その結果、政府方針に批判的な言動は、社会的批判の対象となる傾向が強まっている。

2017

今後、憲法改正が想定される。表現の自由の関係では、緊急事態条項の創設と表現の自由状況におけるただし書きの挿入が予定されているようだ。前者の肝は私権の制限であり、報道機関も対象となる。現行法でも指定公共機関として、政府への人員や機材の提供などが要請されているが、有事では義務化される。これは官邸発の「国営」報道を強いられることを意味する。

後者は、世界の中でも稀な「一切の例外がない」表現の自由保障の規定となっている憲法を、「普通の国」並みに公益に反する場合は制限できる、と改めることが企図されている。すでに秘密保護法や共謀罪法によりその前触れがみてとれるが、一度穴が開けば、あっという間に広がることは旧憲法でも立証済みだ。

制約的な新規立法が相次ぐ中、憲法によって表現の自由の例外を認めることの危険性を、私たちは改めて確認することが必要だ。それを知るには、政権が過去に何をしてきたかを知るのが一番だろう。

●安倍内閣発足後の表現の自由めぐるトピック●

〈第1次安倍政権〉

06・11　菅義偉総務相がNHK国際放送で拉致に関する放送を命令

12　改正教育基本法成立、道徳の教科化

07・1　防衛「省」昇格

5　憲法改正手続法成立

6　イラク復興支援特措法改正。従軍取材協定を締結

〈第2次安倍政権〉

13・7　TBSの放送が批判的として自民党が取材拒否

12　特定秘密保護法成立

14・1　籾井勝人NHK会長が就任時に「政府が右と言うのを左とは」と発言

2　琉球新報の自衛隊記事を巡り、防衛省が日本新聞協会に抗議

2　東京都美術館で政治性を理由に作品撤去要請、美術館での作品撤去要請が続く

3　憲法テーマの市民集会を神戸市が後援拒否（同様の事例が各地で相次ぐ）

3　大阪府泉佐野市教委が「はだしのゲン」を学校図書館から回収

6　さいたま市公民館だよりで9条俳句を掲載拒否

11　自民党が選挙報道巡り各局に文書要請

11　自民党がテレビ朝日の番組に対し公正中立報道を要請

〈第3次安倍政権〉

15・6　自民党文化芸術懇話会で参加議員や作家百田尚樹氏から「言論封殺」発言

9　改正個人情報保護法。改正マイナンバー法成立。安全保障関連法成立

16・2　総務相が国会で電波停止に言及

4　国境なき記者団・報道の自由度ランキングで過去最低の72位

10　沖縄県東村高江のヘリパッド工事再開、現場で機動隊員が「土人」発言

2017

17・2 森友学園問題で首相・昭恵首相夫人の関与が問題化、情報開示行われず

2 経済産業省が記者の入室を禁止する措置

3 自衛隊南スーダンPKO部隊の日報隠蔽が発覚、稲田防衛相は7月に辞任するものの責任の所在は不明

5 首相が憲法改正具体案を表明

5 加計学園獣医学部創設に関し首相の関与が問題化、情報開示されず

5 国連言論及び表現の自由の保障に関する特別報告者が調査報告書で日本のメディアの独立性を警告

6 「共謀罪」法成立

［参照：09年8月／13年1月／19年1月・2月・8月／20年9月］

ＮＨＫ受信料「合憲」　*12.09/17*

一時間近く並んで中に入ったものの、判決読み上げはわずか五分足らずで閉廷、しかも判決主文は「上告棄却」だけ。六日、初めてＮＨＫのあり方について憲法判断が下されるとして注目を集めた最高裁大法廷判決は、実にあっけないものだった。そんなこともあって、むしろ気になったのは、なんで十五人も裁判官がいて女性はたった二人なんだろうとか、せっかくの大法廷判決なのに、なんで判決の読み上げのときくらい音声録音や写真撮影を一切認めないのだろう、という裁判所の「閉鎖性・後進性」だった。おそらくこうした司法を覆う空気そのものが、今回の判決にも色濃く影響していると考えた方がよさそうだ。

【議論の余地残す】

最高裁で表現の自由が実質審理されること自体がそう多くはなく、ましてや大法廷で判決が出るのは、事実上、平成に入って三例目だ。前回は十年前の二〇〇六年、その前は一九八九年（平成元年）のレペタ訴訟と呼ばれる、法廷内のメモ採取の是非が争われた事件で、この判決によって傍聴人もようやくメモを自由に取ることができるようになったきっかけとなった事件だ。

さらに遡ると、ほとんどが一九五〇年代の事件で、日本の戦後法制度の構築期において、取材報道の自由・名誉毀損・猥褻・取材源秘匿・法廷内撮影・広告の自由などが正面から争われ、そして判断基準が示されたという、善きにつけ悪しきにつけ、まさに今日の言論の自由の基本的なルールが作られた司法判断であった。

そしてその後しばらくの空白期間を置いて、八〇年代に入って立て続けに大法廷における新しい判断が続いたうちの一つが、先に挙げた法定メモ訴訟だったわけだ。それがゆえに、本当に久しぶりに表現の自由に関する大法廷判決ということで、ついついどんな新しい放送の自由や放送制度に関する解釈が示されるのかを（勝手に）注目していたということになる。

そうした期待は完全に裏切られたわけではあるが、思い直せば、最高裁が余計な「公共性」論や「公共放送」観を言わないことで、私たち市民社会に自由な議論の余地を残したということからすると、評価してもよいかもしれない。なぜなら、あとで触れる通り、今回の判決の中身からだけでも、むしろ「危うさ」を感じさせる言い回しがあるからだ。

【四つの論点】

判決は、四つの論点を提示した。現行放送制度の憲法上の位置付け、受信料制度の憲法適合性、そして具体的な契約の有効性としての受信料債権とこの権利の消滅時効の範囲についてである。

前者二つは憲法問題、後者二つは民法上の争点ということができる。ここでは前者について、ポイントを絞って要約する。

まず、日本の放送の二元体制（ＮＨＫと民放）の意義をあらためて確認し、公共放送たるＮＨＫを社会全体で支えていく必要性をうたっている。また、知る権利を実質的に充足する制度として現行の受信料制度を位置付けた点は、従来の最高裁の表現の自由の考え方を踏襲するものでもある。次にその支え方として、視聴者とＮＨＫの個別契約である受信料制度は、適正・公正な徴収手段であるとして、その合理性・適合性を認め、憲法上許される仕組みであることを正式に認めた。この点が、最高裁「初判断」としてニュースで紹介されたポイントである。

なお裁判はもともと、二〇〇六年にテレビを設置した後、「偏った放送内容に不満がある」と受信契約を拒んでいた東京都内の男性を相手取り、ＮＨＫが受信契約締結と未払い分の支払いを求めて提訴したことに始まる。一一年に始まった裁判はその後、東京地裁・高裁ともに、契約は義務と認めたうえで受信料制度は「公共の福祉に適合し必要性が認められる」との合憲判断をし、男性側に未払い分の約二十万円の支払いを命じていた。双方からの上告を受け最高裁は一六年十一月、憲法判断や判例変更を行うなどの時に開く大法廷での審理とすることを決め、今回の判決に至っている。

【経営延命策】

では、この判決によってＮＨＫの経営は安泰となったのかというと必ずしもそうは言えまい。

2017

例えば、ＮＨＫはインターネット上への業務進出を熱望しているが、判決でいう「公共放送」の意味合いをそのまま維持できるのか、できない場合は受信料制度自身が否定されるのか、むしろより不透明感が増したともいえる。

あるいは、そもそも日本の現行放送制度を、公共放送たるＮＨＫと商業放送の民放の二本立てと定義しているが、この言い方では民放は「公共」放送ではないということになる。しかしとりわけ地上波テレビは、実際にはＮＨＫ同様に公共性を有する放送として存在しており、その差異を広告の有無だけに求めるのには無理があるだろう。

また、ＮＨＫを公共の福祉のための放送と位置付けたが、その中身も依然として曖昧なままで、判決文の中でも触れられた契約者への十分な理解を求めることが必要、とのＮＨＫ自身の責務をどう果たすかは、むしろ引き続き今後の課題である。というより、憲法上の公共の福祉論は往々にして、表現の自由に対する広範な制約事由として利用される場合もあるだけに注意が必要だ。

ＮＨＫに求められる「公共」性については、有事や自然災害の際の情報提供といった狭い意味ではなく、あるいは形式的な不偏不党といった中庸報道を求めた事なかれ主義でもなく、真に多様で独立した、そして地域性豊かな番組を提供していく、「放送の自由」を実行する基礎としての公共性が実現される必要があるだろう。

判決では十五人中三分の一にあたる五人が補足・少数意見を付した。これは捉えようによっては、最高裁自体、今回の判決にしっくりいっていないことを表してはいないか。そう考えると今回の最高裁判断は、消極的に現行制度の維持を認め、当面のＮＨＫの経営的延命策を授けたにすぎないともいえ、むしろ私たちがより積極的に公共的なメディアのありようを議論する必要を迫ったものであるといえるだろう。

〔参照：08年7月／10年12月／14年3月／17年7月／19年1月〕

放送の自由* *12.12/17*

【公共財としてのメディア】

法で民主主義を謳う法律は三つある。公文書管理法、文字・活字文化振興法と放送法だ。前二者が近年できたのに比べ、後者は一九五〇年制定のまさに戦後日本のスタートとともに生まれた。当時、民主国家の確立に自由で責任ある言論は不可欠として、いくつかの社会制度の整備が試みられた。大学におけるジャーナリズム教育の支援（東京、早稲田、慶応各大学などでの学科設置）や報道倫理綱領の制定とその実行機関として日本新聞協会の設立もその一つである。そして放送についても、豊かな番組作りができる環境をめざして、独立行政機関による免許交付などの新しい制度が構築された（ただし、わずか二年で電波監理委員会は廃止し、政府直轄方式に変更）。

同時に、日本は放送形態として「公共」と「商業」の並立態勢を選択した。大きく分けると世界の放送は、国営・商業・公共の三つに分かれる。近隣諸国では北朝鮮、中国、ロシアは国営放送が力を持っているが、ロシアには商業放送も存在する。一方で米国は商業放送がほぼすべて、公共チャンネルも存在するがほとんど見られていない。公共放送がメインの国の代表は英国で、言わずと知れた英ＢＢＣ放送がガリバーとして君臨する。こうしたなかで日本は、国営放送は戦前の反省からおかず、公共放送と民間放送が同じくらいの力で拮抗する、世界の中でも稀な放送形態を維持している国ということになる。

この「公共」の意味合いは、「みんなで支える」ということであるが、その支え方はそれぞれだ。米国の公共図書館のように公共放送も寄付が主流の国もあるが、多くの場合は視聴者から広く薄く「受信料」的なものを徴収する方法を採用している。ただしその集め方は、税金（仏）、公共料金として電気代と一緒に（韓国）など、さまざまだ。その中でも日本は、ＮＨＫと契約者である視聴者が個別の契約を締結し、未払い者に罰則がないなかで八割近い徴収実績を維持してきたのが特徴である。

最高裁判所はこうした状況を十二月の判決で、「放送が受信できる環境にある者に広く公平に負担を求め……全体により支えられ」たものと述べている。これは、まさに新聞や書籍・雑誌が再販制度によって定価販売を保証されており、それによって広く社会全体に平等なアクセスを保障しているのと同じ発想ともいえる。

極論すれば、ＮＨＫを見ても見なくても、新聞を読んでも読まなくても、社会の公共財として、みんなで少しずつ負担して公共的なメディアを支えることで、民主主義の発展に寄与することをめざしている。ここで大切なのは、司法のお墨付きによって守られるのではなく、国家からもスポンサーからも独立した存在としての「公共」であるという点だ。そして、ＮＨＫも（新聞も）、こうした社会的責務に応え得るふるまいと放送内容であることが絶対必要条件となる。

●ＮＨＫをめぐるトピック●

93・2　前年放映ＮＨＫスペシャル「奥ヒマラヤ禁断の王国・ムスタン」でのやらせ発覚

01・1　ＥＴＶ特集シリーズ「戦争をどう裁くか」で戦時性暴力を巡って番組改変が問題化

04　制作費不正支出のほか、相次いで局内不祥事が明るみに出て受信料不払い広がる（9月に国会で会長が謝罪）

13・10　東京地裁が受信料契約を合憲と判断（東京高裁も一審を認容）

14・1　籾井勝人氏が会長就任、発言が物議。経営委員の百田尚樹・長谷川三千子両氏の発言が問題視され、経営委員長が「経営委員服務準則にのっとり節度をもって行動を」との見解発表

14　ＮＨＫスペシャルでの佐村河内守氏、ＳＴＡＰ細胞事件での小保方晴子氏への取材が問題化

15・11　有識者等による総務省「放送をめぐる諸課題に関する検討会」が設置され、16年9月に第一次取りまとめを発表。インターネット時代におけるＮＨＫの在り方を議論

17・5　水戸地裁はワンセグ機能付き携帯所有者に、受信料支払い義務があると判示（16・8には別の事件で、さいたま地裁が支払い義務なしと判示）

9　ＮＨＫ内に民間有識者による「ＮＨＫ受信料制度等検討委員会」が「公平負担徹底のあり方」などについて答申

12　最高裁が受信料合憲の大法廷判決

［参照：09年6月／10年3月・12月／15年11月・12月／17年5月・7月／18年4月・12月／19年10月］

2018

本土メディアの沖縄報道　*01.13/18*

沖縄県内でヘリ事故が相次いでいる。この明らかな異常事態に対し、防衛相は「多すぎる」とは言うものの、どこか他人事だ。住民への危険を、除去しようという気概が見られないからだ。米軍自身が世界で一番危険と自認している基地は、即時かつ無期限の運用停止にするのが当然の帰結と思われるがもしそれができないなら、せめて例外なき飛行運用ルールの実行を確約させるのが、日本政府の最低限の仕事であろう。

【続く「他人事視」】

こうした「他人事視」は、本土メディアも同じだ。六日の伊計島《いけいじま》での不時着事故の記事は、産経新聞の場合、第二社会面のベタ記事（見出し一段）で、わずか二十五行だ。ちなみに隣の記事は、相撲の立行司によるセクハラを伝える、三十三行の記事で、見出しは二段で副見出しもついている。連続して発生した八日の事故に関しては、さすがに三段見出しの少し大きな扱いをしたものの、第二社会面の扱いは変わらない。

こうした記事の扱いは一七年末以来のヘリ部品の落下事故にも共通するが、より分かりやすい差異を示したのは、一年前の名護市安部でのオスプレイ墜落事故の扱いだろう。そこでは、あえて単純化すれば、「沖縄と東京」「政府寄りと沖縄寄り」の二つの要素のかけあわせで、見事に事故の伝え方が分かれたからだ。すでによく知られていることではあるが、事故を「①不時着、②大破、③墜落」のうち、どの表記を使用したのかという観点で、あらためて比較をしておこう。

〔①不時着〕読売、産経

〔①＋②不時着し大破〕ＮＨＫ（ＮＨＫ沖縄は②）、フジ、テレビ朝日（報道ステーションは②）、日本テレビ

〔②大破した事故〕毎日、朝日、ＴＢＳ（一部番組は③）、琉球放送（ＴＢＳ系列）

〔③墜落事故〕琉球新報、沖縄タイムス、沖縄テレビ（フジ系列）、琉球朝日放送（テレビ朝日系列）

米軍準機関紙ですら墜落と報じた事故を、今月起きた不時着と同じ表現で報じたことは、明らかに読者を誤導するものだったといえる。残骸が一カ所にまとまっていたし、「不時着（水）」は政府発表に従ったものだと説明されているが、それこそがいま沖縄で起きていることを直視していない証左であろう。さらに言えばこうした表記の違いは、沖縄の米軍基地に対する無理解や無関心から来るのではなく、政府あるいは米国に対する「思いやり」の結果であると推定されるだけに、根深い問題がある。

【虚偽の広がり】

校庭へのヘリ部品落下事故に際し、被害小学校への誹謗中傷が止まらない状況が報告されている。しかもその内容は、「やらせじゃないか」といった悪質な嫌がらせに始まり、「基地ができた後に学校を建てたのに文句を言うな」といった、基地の歴史的背景を無視した言説の繰り返しだ。そしてこうした、いわば「沖縄神話」ともいうべき誤解や曲解が、県外に限らず沖縄県内においてすら、むしろ広がっている実態がある。

その結果、沖縄問題が日本社会全体で広く一般化する中で、同時に「沖縄は基地で食べている」「人が住んでいないところに基地を造った」、さらには「基地反対運動は県外の過激派がやっていること」といった明らかな虚偽が広がり、一部で定着しつつある。

ちょうど一年前の東京のテレビ番組が、沖縄ヘイトであるとして問題になったが、むしろこうした一般的な誤解の広がりが表面化したものともいえる。ちなみに当該MXテレビは、いまだに謝罪していない。一七年十月二十七日に県内であった、百田尚樹講演会が喝采を浴びるのも同じ構造である。

こうした状況を、一部メディアが事実上、後押ししている状況がある。さらに言えば、「基地反対運動は過激派の仕業」といった言説を、積極的に広めているといってもよい報道すらある。もちろん大多数のメディアはこうした状況を快く思っていないものの、積極的に火消しすることはなく、黙認しているのが実態ではないか。これこそがより罪深い「消極的加担」であって、前述の小学校への中傷を生む原因になっていると思われる。

二〇〇五年ごろから始まっていた在日コリアンに対するヘイトスピーチを、変わり者の仕業として長い間大手メディアは黙認した。その結果、彼らの声はネットを中心に大きく広がり、繁華街におけるヘイトデモを堂々と行い得るにまで力を持った。その延長線上に、一三年一月に銀座で行った、沖縄県内全首長によるオスプレイ配備撤回のデモに浴びせかけられた、非国民呼ばわりの誹謗中傷がある。

メディアは黙認という消極的加担によって、社会全体に差別意識の拡大を許してしまったのであって、今回の沖縄ヘイトは、これと同じ過ちを再度犯してしまっているのではないか。しかもより深刻なのは、それに「意図」が入っている可能性が拭えない点だ。


【歴史修正する政府】


現在、日本中で明治ブームを起こそうという動きが進んでいる。首相官邸のウェブサイトに特設ページが開設され、内閣官房「明治150年」関連施策推進室が中心となって、民間・地方自治体を巻き込んだ国家事業として実施されているからだ。そこでは、明治期の施策を賛美し、政府が主導して時代のイメージを作り上げようとしている。現政権は、教科書検定基準の変更など、積極的に過去の歴史への関与を深めている。その過程で、時の為政者にとって不都合な真実は埋もれることになる。

現政権は、日々の行状を記録として残すことを拒否する一方、過去の歴史を書き換えることには熱心という特徴を持つ。メディアは、こうした国が深く関与した積極的なイメージ作りとは一線を画すことが、真っ当な沖縄報道をする土台であることを忘れてはならない。それが消極的加担から脱却し、正面から沖縄の問題を日本の問題として捉える足がかりになるからだ。

［参照：09年12月／12年1月／14年1月／17年2月］

著作者保護と文化の継承* *01.09/18*

【問われる努力と工夫】

国内法令の中でも、著作権法は頻繁に改正が続くものの一つだ。それだけ、技術の進歩に対応させる新しいルールが必要であるとともに、争いが絶えない領域ということだ。その理由は、権利（ライツ）ビジネスが金のなる樹だからにほかならない。

しかし本来は、著作者が自身の生み出した作品を、わが子のように愛おしく思う気持ちを権利化したものであることを忘れてはならない。著作者人格権と呼ばれるもので、日本では、作品を勝手に改変すること等を禁止することで、作品を保護し創作者を守ってきた。この権利は一身専属制（その人だけのもの）であって、他人に譲ること、ましてや売買はできない。

一方で、作品をコピー（複製）することを権利化し、それを売り買いできるようにしたのが著作財産権で、狭義の著作権である。広義の著作権はそうした両面があったにもかかわらず、現在では後者ばかりに目が行くようになってしまっている。こうした風潮がディズニーに代表されるような米国企業のコンテンツビジネスの広がりの中で一般化しているともいえる。

これらは専ら著作権者を守るためのものであるが、彼らが権利を独り占めしてしまっては、多くの人がその作品に触れる機会を逸してしまうことになり、文化の伝承も広がりも生まれない。「巨人の肩に立つ」という言葉があるように、先達の知見をベースにして、次の世代において新しい研究や発見が行われることに人類の発展もある。これらは、著作権者の利益を多少犠牲にしてでも、自由利用を認めることで、文化の継承を図ろうとした制度上の知恵だ。

日本では、著作権者に無断で利用者が複製することができる「例外」を個別事例ごとに認めることによって、多くの人にその作品を享受する機会を与えてきた。個人利用目的（テレビの番組を録画する）などがそれにあたる。一方で米国等では、「フェアユース」という名目で、みんなのためであれば原則自由にコピーができるようにし、問題があれば著作権者が裁判所に訴える制度を採用している。

デジタル時代になり、コピーは質が劣化する、経費や労力・時間がかかる、といったデメリットがほぼなくなり、いったん例外を認めると際限なく海賊版が出回る危険性が高まっている。別の側面としては、映像コンテンツは権利関係が多岐にわたり、その処理をするのが大変なので、例外方式は時代遅れという声も強い。ただし、こうした著作財産権を使う側＝儲ける側の論理だけで議論すると、時として忘れ去られるのが本来の主役である著作者の作品を愛おしく思う気持ちや、文化継承のための工夫でもある一般市民の作品を楽しむ自由だ。これらをどう取り込んで、文化を後世に伝えていくかの努力と工夫が問われており、それはデジタルアーカイブを社会でい

2018

かに構築していくかの議論とも重なり合う。

●著作権をめぐる最近のトピック●

17・4 京都大学入学式で学長が式辞に引用したボブ・ディランの歌詞をホームページに掲載したことに対し、日本音楽著作権協会（ＪＡＳＲＡＣ）が問い合わせして話題に（問題なしの結論）

6 ＪＡＳＲＡＣが全国の音楽教室等事業者に18年1月から受講料の一部を著作権使用料として徴収する方針（受講料の２・５％）を発表。約２５０事業者が徴収権限のないことの確認を求める訴訟を提起

7 欧州連合（ＥＵ）と経済連携協定（ＥＰＡ）大筋合意。著作権保護期間を現行50年から70年に延長。環太平洋連携協定（ＴＰＰ）でも米国の要求は70年

9 ドラマ「逃げるは恥だが役に立つ」の「恋ダンス」の無断アップロードに対し、星野源氏の所属レーベルのビクターが事実上黙認の一定期間経過後、音声削除などを実行し話題に

11 ＪＡＳＲＡＣが会見で改めて、外国映画の音楽使用料の実質値上げ（定額制から定率制に変更）を全国興行生活衛生同業組合連合会（映画館の集まり）に要求

12 音楽教室や楽器店で作る「音楽教育を守る会」が著作権等管理事業法にのっとり文化庁裁定を申請。これを受けてＪＡＳＲＡＣが音楽教室への支払い要求を一時保留と表明

［参照：09年4月・7月／11年2月／14年7月・10月／17年4月／18年6月］

被害者の実名報道　*02.10/18*

事件・事故の被害者報道をめぐる議論が続いている。一六年七月の神奈川・津久井やまゆり事件、一七年七月の九州北部豪雨、同年十月の神奈川・座間九遺体事件において、当事者の要望を受ける形で自治体や警察当局が被害者の氏名を公表しないケースが続いているからだ。直近では、一八年一月の白根山噴火でも当初、防衛省・群馬県・県警とも「遺族の了解が得られていない」として、死亡した自衛隊員の氏名を公表しなかった（ただし二月のヘリ事故では氏名公表）。

これらから、報道機関の実名報道原則の主張を社会全般としては必ずしも受け入れているとは言えない状況が明らかだ。一方で大規模災害においては、東日本大震災で明らかな通り、報道による安否確認が強く期待されている実態もあるわけで、あらためて問題の所在を確認しておきたい。

【古くて新しい問題】

事件・事故報道における氏名の扱いが報道課題としてクローズアップされたのは一九八〇年代

半ば以降だ。それ以前にも、紙上裁判として、研究者や一部法曹関係者では議論されていたものの、扱う報道機関がおおよそ新聞社に限定されていたことから、社会全体の問題には成り得ていなかった。しかし、写真週刊誌の登場やテレビのワイドショーの開始などと相まって、深刻な人権侵害の事例として、報道被害が認識されるようになった。

当初は、主として被疑者の取材・報道対応が問題とされていた。一方で、冒頭に挙げた事例のように、昨今は被害者の取材・報道が問題とされるケースが増えている。

二〇〇三年の個人情報保護法や〇五年の犯罪被害者等基本計画の影響が一般に言われるが、インターネットの普及によりプライバシーがより身近な問題として認識されるようになったことや、いったん公表された個人情報が無限定に拡散することで、被害がより拡大、深刻化する状況が生まれていることもある。こうしたなかで、被害者の匿名発表が一般化している状況があり、従来の報道機関の主張はもはや力を持ちえていないのが現実だ。白根山事故にあたって陸自が発表した資料によると、過去十年間の公務中の事故死亡者のうち、実名公表は三件にすぎないという。

【行政機関個人情報保護法の弊害】

匿名発表を誘引している一つの理由として、行政機関個人情報保護法（行個法の一六年改正問題がある（施行は一七年）。そもそも同法では改正前より、行政機関が保有する個人情報の第三者提供が「明らかに本人の利益になるとき」と「特別な理由があるとき」（八条二項四号）に限定されていた。

報道機関への氏名等の発表は、「特別な理由」という例外的な提供扱いとされていることから、恣意的な判断で一方的に非公表になる懸念があるとして、当初から、一部で問題視されていた。そして実際に、旧法施行後には、「過剰反応」と呼ばれる官庁からの非公表事例が相次ぐことになった。

行政が保有する個人情報は一般に、本人と公的機関の二者しかもっていないものと、氏名や顔写真のように緩やかな制限のもとで、一定程度幅広く社会で共有しているものがある。さらに、政治家の資産のように法的に公開が義務付けられているカテゴリーが別に存在する。

それからすると、公務員については、被疑者である場合はもちろんのこと、被害者であってもこの「公開原則」の個人情報として位置付けることが可能ではないか。そして、大きな社会的関心の対象となった事件・事故の場合、緩やかな縛りの対象である氏名は公開カテゴリーに位置付けることとして、行政機関が恣意的な判断で是非を決めるのではなく、明文上の規定として先述の例外規定に、報道機関への提供を示すことが考えられてよかろう。

【防災計画の影響】

もう一つは、災害対策基本法に基づき策定されている、政府の「防災基本計画」の影響だ。当初の段階で、災害時の被害者情報は消防庁（国）に集約し、公表することなどを決め、実効性のなさに現場からも非難の声があった。東日本大震災でも消防庁が一元管理の〝一九九五年の全面修正ルール〟は実行されなかった。にもかかわらず今回もその基本路線は継承しており、「人的被害の数（死者・行方不明者数）については、都道府県が一元的に集約、調整を行う」「都道府県は、関係機関との連携のもと、整理・突合・精査を行い、直ちに消防庁へ報告する」と規定している（二編二章二節）。

この運用方法として、犠牲者・負傷者はその氏名も含め、地方自治体がまとめ、公表するかどうかの判断を行うということなのか、公表は消防庁が一元的に判断するのか、曖昧さが残ったままだ。発表主体が国であれ自治体であれ、その公表の是非を求められると、責任回避で穏当な匿名発表に落ち着きがちなことは容易に想像がつく。

個人の実名発表問題に関しては、報道機関と関係機関の間で、あらかじめ一つの目安を策定することが混乱を招かない道ではないか。抽象的な実名報道の主張ではない、当局との間の実務的なマニュアルがあれば、知る権利の保障や、市民社会における過剰な匿名社会のまん延による疑心暗鬼を呼ぶようなことの回避にもつながるだろう。例えば、以下のことが考えられる。

（1）公務員の公職中の死亡・行方不明は必ず実名発表する。負傷の場合も可能な限り同様とする。

（2）政府ほか公的機関が関与するような場合（たとえば、警察が救助活動を行った）も、（1）に準ずる。

（3）上場企業社長ほか公人についても、（1）に準ずる。

（4）警察が発表の是非について主体的に判断したり、当事者を代弁することは行わず、報道機関に情報提供することを原則とする。例外的に匿名発表をする場合の窓口として、ソーシャルワーカー等の専門家が遺族の意向を反映できるような制度を全国整備する。

被害者実名報道の問題は、事件・事故報道に限らず、現行の報道原則に大きな影響を与えるとともに、行政機関とメディアの関係を推し量る重要な課題であっておろそかにできない。

［参照：09年2月／10年1月／12年10月／13年2月／16年10月／19年9月／19年9月］

報道の自由＊　*02.13/18*

【政治家報道の免責拡大を】

週刊誌を中心に、政治家を含む有名人の不倫報道が続く。一方で〝線香疑惑〟も含め、政治犯罪の初報も週刊誌であることが少なくない。しかし前者が、当事者から訴えられる可能性が低いのに対し、権力悪を暴くような記事は、名誉毀損で訴えられる危険性と隣り合わせで、過去に『FOCUS』や『噂の真相』が事実上廃刊したのも、こうした訴訟リスクと無縁ではない。そうした意味で、政治家の疑惑報道が少ないのは、法的に「守られている」側面が拭えないのであって、報道機関をすぐ訴えるのも、日本の政治家の特徴だからだ。

名誉毀損法制は、歴史的には為政者批判を取り締まるためのものだった。いまはやりの明治維新の新政府も、自らの地位安泰のために天皇・政治家・高級官僚への批判を封じ込めるための讒《ざん》謗律《ぼうりつ》を制定していた。

逆に言えば、表現の自由は、こうした公権力に対する批判拡大の歴史であって、日本でも現憲法制定とともに、刑法の名誉毀損罪を改正し、表現の自由の領域を一気に拡大した。その方法はおおよそ世界共通で、社会的評価を低下させるなど形式的には名誉毀損が成立する場合でも、その報道内容が真実であり、公憤に基づくものであれば罪には問わないことにしている。

いわゆる免責要件と言われるもので、刑法の名誉毀損罪の追加条文として公共性・公益性・真実性が明記された。当然のことながら、政治家の汚職は明らかに公益・公共性があるが、有名人の不倫が公共の関心事かどうか疑わしい面は残るだろう。一方で、不倫の現場写真はわかりやすいが、政治家の口利きやご意向の証拠を示すことは極めて難しい。結果として、政治犯罪の真実性証明が難しく、せっかくの自由拡大の仕掛けを生かしづらい状況を生んでいる。

そこで裁判の積み重ねの中で、「真実相当性」と呼ばれる考え方が採用され、合理的に推測できる証拠がそろっていれば真実性があると認めることになっている。しかし権力犯罪では、取材段階では証言をしてくれた内部告発者が、裁判の法廷に引っ張り出されると証言を覆すなどの事例もあり、一筋縄ではいかないのが実態だ。

こうした状況を打破するものとして、米国などいくつかの国では、さらなる工夫がなされている。それは政治家の場合、報道が事実でないことを自身が証明しなくてはいけないとしたり（立証責任の転換）、悪意がなく書かれたものは真実であるとみなす（現実的悪意の基準）といったことが行われ、これによって政治家報道が事実上、名誉毀損の危険から解放されている。日本では全く逆に、こうしたルールがないことを理由に、国会で「悪魔の証明はできない」と自らの疑いをはねのける事態が横行している。こうした一部政治家の悪弊を退けるためにも、海外に倣い一層の政治家批判の自由拡大を、制度的に認める時期にきているのではないか。

●名誉毀損法制をめぐるトピック●

47年　日本国憲法制定に伴い、刑法230条の名誉毀損罪の追加条文として、免責要件を規定

66年　新聞の選挙候補者記事をめぐる名誉毀損訴訟で、最高裁は「その事実を真実と信ずるについて相当の理由があるとき」と真実相当性を認め、真実性証明の範囲を拡大

81年　月刊ペン事件で池田大作創価学会会長の公人性を裁判所が容認、公共性範囲が拡大

86年　北方ジャーナル事件で名誉毀損を理由とする事前差し止めを最高裁が容認

01年ころ　最高裁が名誉毀損訴訟の損害賠償額の引き上げを指示。これを受け、従来は5万～50万円だった賠償額が一気に100万～500万円超に高騰。賠償額計算のための点数表の最上位に政治家を位置づけ

90年代から02年ごろまで　ロス疑惑事件報道で新聞・通信・放送・雑誌等のマスメディア各社の敗訴が相次ぐ

01年　写真週刊誌『FOCUS』が損害賠償額高騰などを理由に事実上廃刊

02年　自民党が政治家への執拗な取材や報道を制限するための人権擁護法案を上程

05年ころ　高額の損害賠償請求により執筆者を威嚇するスラップ訴訟が問題化

16年　首相が自身の疑惑に対し「ないことを証明すること（悪魔の証明）はできない」と反論

［参照：10年10月／12年3月／14年4月／16年11月／19年3月］

司法行政の隠蔽体質　*03.10/18*

いま国会で民主主義社会の根幹が瓦解しつつある。すでに米軍基地問題で、中央政府は主権国家として役割を放棄しており、その意味で政権を維持する資格を持たないが、一七年から中央官庁で続く、公文書の意図的な隠蔽と改竄、そして国民を欺くデータ誤用は、行政権限を預ける先として到底認められない事態だ。しかも、国民の財産である公文書を扱っている意識を微塵も感じさせない官庁の対応と、それをむしろ奨励するかのような政治家の姿勢は、現時点で収まるどころか、まったく終わりが見えない。

【後進性】

これらは積極的な情報操作で悪質極まりないが、さらに広い範囲で行政一般において「言わない」ことによる情報コントロールも深刻化している。佐川宣寿国税庁長官（前・理財局長、三月九日に長官を辞任）の会見拒否がその象徴例だが、沖縄県内でも渡具知武豊・新名護市長が定例会見を廃止することが話題になっている。実際は定例会見をしている自治体は必ずしも多いわけではないものの、「あえて」止めることの意味は問われる必要がある。

このように、やるやらないをもっぱら首長の恣意的な判断で決定できること自体、行政執行に関して説明責任があると考えておらず、会見を単なるサービスとして捉えていることの証左であろう。

しかも、住民ほか日本全体の大きな関心事で、公共性が高い辺野古新基地建設の問題を抱える行政の責任者としては、より一層の説明責任義務がある。継続的定期的な会見を通じて、行政の透明性を担保し、開かれた政府を実現するという基本的な民主主義ルールが、日本においてまったく定着していないことが残念だ。そしてこうした、情報公開・アカウンタビリティーの後進性は、行政だけの問題ではなく、日本の統治機構全体に通底する根の深い問題である。

【長官が会見拒否】

なぜなら司法の世界も、その壁の厚さは行政に引けを取らないからだ。それは、寺田逸郎最高裁長官が一月八日に退任した際、定例だった会見を開かず、「黙して語らず」が美学であるかのように受け入れられている点からも明らかだ。

オウム真理教関連裁判がすべて終結したタイミングであったことも含め、長官がその職を辞するにあたり、報道機関の問いに一切答えないことは、「普通ではない」ことを確認しておく必要がある。司法権も公権力の一翼であって、その最高責任者は司法行政について説明責任があるからだ。

しかも関わった個別の裁判について「(個人として) 一切答えない」のと、「(長官として) 一切答えられない」のでは、意味が異なることに無自覚ではないか。広報担当者の回答は後者であって、これは司法の行政トップとして「発言すべきではない」というメッセージを、明らかにしたものと受け取らざるを得ないからだ。

さらにいえば、長官は三権の長として皇室会議のメンバー (議員) であり、天皇の譲位を決定した責任もある。ちなみに、一七年十二月一日に開催された皇室会議の議事概要は、同月八日に宮内庁から公表されたが、そこに記された議員の発言は、十人分すべてをあわせたものとして、わずか百字余り、あまりに空疎な中身である。しかもそれ以外の〈議事録〉ほか「記録は残さない」という、政府方針が確認されたと伝えられている。

あるいは、「個々の意見を明らかにするのは好ましくない」と皇室会議で合意した、というのが政府説明だ。異論があったのかなかったのかも含めて、一切口外を許さない政府の姿勢を、司法トップがそのまま受け入れる姿勢を示すこともまた、司法の独立を自らが蔑ろにするものといえるだろう。こうして、歴史的にも重要な公式な会議の発言内容は未来永劫、闇の中に消えていくことになる。

【原則と例外の逆転】

司法および司法行政に関する情報開示に消極的な体質は会見にとどまらない。いまここで、あらためて厚い司法のベールについて説明を繰り返さないが、例えば、裁判員裁判終了後に実施されている裁判員会見の記録も、当初は詳細なものが存在したが、市民からの開示請求を受け、翌年からは簡素なものに変更された。そもそも司法分野には、文書管理や情報公開に関する法制度が存在せず、現時点では、裁判所が自主的に有する「裁判所の保有する司法行政文書の開示に関する事務の取扱要綱」（一五年七月一日実施）に従って、行政サービスとして私たちの要望に応えているにすぎないということになっている。

さらには、公開で開かれている法廷に提出された裁判記録はおろか、裁判の結論である判決文も、一般市民にとって入手する手だては極めて限定的だ。具体的には、判決文は裁判所が自ら公表するものと、報道機関や商業雑誌を通じて目にするものがほぼすべてであって、直接、判決文を含め裁判記録の開示を求める道が閉ざされている。

しかし法制度上は公開が原則で、刑事確定訴訟記録法では明確に「閲覧させなければならない」と規定されている。が実際は、同じ条文の例外規定が適用され、関係者のプライバシー保護を理由に、コピーはおろかほぼ一律で閲覧さえもできない。とりわけ記者の閲覧は「報道目的」であってプライバシーの侵害が明らかであると判断されており、認められることはないとされる。

これらは、裁判記録も行政文書同様に公的文書であって国民共有のものであるという認識が、決定的に欠けていることに起因していないか。こうした情報隠蔽体質を変えない限り、いかに裁判員裁判によって市民が司法に参加しても、施行当時盛んに掲げられた「司法を国民の手に」とのスローガンは空文化するだけだ。

［参照：08年8月／10年5月／19年5月］

2018

緊急事態条項* *03.13/18*

【表現の自由との抵触不可避】

政治の世界では憲法改正論議が始まっているが、そのテーマの一つが緊急事態条項だ。自民党内の検討では、野党からの批判が強い個人の自由や権利の制限は、国民投票を見据えて盛り込まない方針と伝えられたが、決着はついていないもようだ。一般には、権限集中と私権制限がその特徴で、前者は首相や大統領に一時的に全ての決定権を委ねるのが一般的だ。後者は移動・居住の自由や財産権等を、部分的あるいは全面的に制限するもので、その最たるものは徴兵制といえる。

ただし、こうした緊急事態対処の法制度は新しいものではなく、すでに国内で整備されてきている。大きくは自然災害と人災に対処するものがあり、前者の代表例は、伊勢湾台風を契機に制定された災害対策基本法で、これに基づき基本計画が内閣府のもとで策定されてもいる。最近増加している法制度が後者で、原子力事故や新型インフルエンザへの対策のための特別措置法だ。この延長線上に、有事（戦争）があった場合の武力攻撃・存立危機事態対処法と国民保護法があり、国民保護業務計画が作成されている。

こうした法制度には、表現の自由に関する権利制限条項が存在する。大きくは二種類で、一般市民の自由を制約するものとして、インフル法では特定期間の集会制限が定められている。一方、報道機関に関しては指定公共機関に指定することによって、いくつかの義務を課すことが可能だ。日赤や公益的事業を営む法人約百六十が該当し、放送局ではNHKと広域民放局のあわせて二十社が指定されている。さらに指定地方公共機関があり、おおよそすべてのローカル放送局が属する仕組みだ。一方で新聞社は、災対法では指定地方公共機関に指定されているものの、有事関連法では入っていない。

指定公共機関のなすべきことの一つは、収集した情報提供の努力義務だ。文言通りだと、報道をする前段階で、取材で入手した情報を政府に伝達する義務があることになる。もう一つは、政府情報を「そのまま」放送することの是非だ。気象庁発表の地震や津波警報を、できる限り迅速に伝えるために、事実上そのまま伝達することと、政府が消防庁を通じて流す武力攻撃情報（Jアラート情報）を「ノーチェックで報ずる」ことが同じでよいかとの課題だ。このほか日常的に、業務計画を策定し報告することや、人員・資材の備蓄などが義務付けられている。

形式的には同じ制度のように運用される可能性が高い指定公共機関であるが、政府が主体となる戦時において、首相の指揮命令系統の下で、報道内容を含めて統制を受けることでよいのか課題が残っている。憲法に緊急事態条項が入れば、こうした差異には関係なく、罰則なしの協力義務であったものに、強制性が付加されることで、常に表現の自由よりも国家安全保障が優先し、緊急事態下では行政権の下で報道活動がなされる状況が正当化されることになる。

2018

●緊急事態条項をめぐるトピック●

52 気象業務法制定 13条で予報・警報の周知規定

61 災害対策基本法制定 2条5号で「指定公共機関」規定

99 原子力災害対策特別措置法制定 災対法に基づき指定公共機関との連絡調整等を規定

（同様の法に、石油コンビナート等災害防止法、大規模地震対策特措法、南海トラフ特措法、日本海溝・千島海溝周辺地震特措法、原子力規制委員会設置法）

03 武力攻撃事態等及び存立危機事態における我が国の平和と独立並びに国及び国民の安全の確保に関する法律、特定公共施設等の利用に関する法律制定

04 武力攻撃事態等における国民の保護のための措置に関する法律制定

12・4 自民党が憲法改正草案を発表。私権制限を含む「第9章 緊急事態」を新設

12 新型インフルエンザ等対策特措法制定 感染防止のための施設利用・催事の制限・停止を規定

12・11 自民党が選挙公約で「武力攻撃や大規模自然災害に対応した緊急事態条項を新設」含む憲法改正明示

18・1 自民党憲法改正推進本部は党改憲案で、政府への権限集中や国民の私権制限は見送る方針を示す

［参照：12年4月・5月／16年3月／20年2月・4月］

放送制度見直し　*04.14/18*

まさに唐突に出てきたのが、三月半ば以来の放送制度の全面見直しである。ただしその伏線として、二月の衆議院予算委員会やその前の新経済連盟新年会でも、安倍首相が「テレビもネットも同じ」との発言をしていた。そうしたなか三月になって、放送はＮＨＫだけで民放は不要であり、放送法に関する規律をなくすという話が報じられ、一気に火が付いた形だ。

その後四月に入って、政府は質問主意書に対して「放送法四条撤廃の具体的検討はしていない」と回答、沈静化を図っている。しかし根底に存在する、放送を大幅に縮小し、その分、携帯ほか通信事業に周波数の帯域を開放することで新規参入を促し、経済活性化を図るといった、いわば現政権の得意技である強引な岩盤規制突破策は健在だ。

そしてこの新たな「放送」政策は、これまでの社会を支えてきた放送事業の基本構造を大きく揺るがすことにより、放送の自由や放送の公共性を変質させることになりかねない。

【規律撤廃】

第一に新方針は、よく話題に上がる政治的公平を含む番組準則をはじめ、さまざまな種類の番組をバランスよく編成することを求める番組調和原則、有識者による番組審議会（番審）などの放送規律を撤廃するとしている。一見、放送を縛り行政介入の口実となってきた放送法の規定がなくなることは、自由の拡大のように見える。もちろん表現の自由にとって、「何も内容規制がない」ことはよいことである。したがって、通信・放送の分野でも規制がないのが究極のかたちであることは間違いない。

しかし大切なのは、そもそも放送法は、放送を規制するためのものではなく、放送の自由を守るためのものであるということだ。法律が一般市民の行動規範として、やってはいけないことを定めているのに対し、憲法は公権力の恣意的な権力行使を戒めるものであって、いわば国を縛る基本ルールである。そして放送法は、「健全な民主主義の発達」のために放送の自由保障を定めていることからわかる通り、いま話題の情報公開法同様に、まさに憲法的な、国を縛り市民の自由のための法律であることを知らなければならない。

免許・認可事業は行政圧力がかかりやすい分野であるがゆえに、公権力の身勝手を抑える役割を果たす歯止めの法律が必要だ。したがって、放送法の規律を撤廃するのは、自由拡大ではなく、自由縮小につながる恐れがあり、公権力の直接規制の道を開くことに他ならない。

残念ながら、その意味合いをここ三十年間、政府が勝手に変え、番組規制根拠や報道圧力の道具にしてきた経緯があるがために、前述したような「なくなることが自由拡大」という誤った印象を持ちがちになるのである。したがってもし現行法を変えるのであれば、大切なのは放送の自由の保障であり、そのためにも放送人の職責が求められており、その一つの目安が事実報道や公正さをうたった番組準則であるし、自律制度としての番審であるという本来の姿に戻すことが先決だ。その上で、その不十分なところを直すのが本筋ということになる。

【民放の役割】

第二に新方針は、放送における民放は不要で、NHKがあれば十分とする。これは、従来の放送の公共性の在り方をほぼ全否定するものだ。戦後の放送体制は、NHK（公営）と民放（民営）という二種類の公共性を有する放送メディアによって形成されてきた。こうしたなか、最高裁も先の受信料判決で認めたばかりの、放送の二元体制をなくしNHKだけの放送が、より豊かで面白い放送番組につながるか吟味が必要だ。

さらにいえば、規制撤廃＝自由拡大という新自由主義的発想は、こうした文化の破壊をもたらすもので、しかも一度壊れた文化は元に戻せない。とりわけ分断化が大きな課題となっているいま、社会共通の言論公共空間が必要で、その中心的な担い手が民放を含む広義の公共放送であろう。しかも放送の自由の構成要素である、多様性と地域性を確保するために、民放の存在は大であって、むしろ実現のための社会的役割（責任）を負ってきた。

しかも、こうした文化的社会的機能についての議論が、内閣府・規制改革推進会議の投資等ワーキング・グループという、経済的側面を中心とする場で検討され、しかもその討議過程について不透明なのも心配の種である。二〇一八年夏ごろに第三次答申を出す予定だが、会議は非公開で、開催日時も直前まで秘密という秘密主義で、議長の会見もない（ちなみに、メンバーの一人が「ニュース女子」の司会進行役を務める長谷川幸洋・東京新聞論説委員である）。

経済論理で表現の自由や公共性を扱うことの危うさは、竹中平蔵総務大臣（当時）が推進役となっていた「通信・放送の在り方に関する懇談会」（二〇〇六年）で経験済みだ。さらにさかのぼれば一九九〇年代、同じ規制緩和の観点で検討が進んだ新聞・出版等の再販（定価販売を事実上規定する再販売維持制度）論議でも、同様の問題点が指摘された。当時、官邸とともに再販撤廃を主導した公正取引委員会（公取委）は、渋々ながらも文化的側面での議論をする必要性を認めた経緯もある。

放送行政の所轄である総務省の「放送をめぐる諸課題検討会・放送の未来像分科会」（一八年夏に最終報告書の予定）とも調整ののち、早ければ一八年臨時国会もしくは一九年通常国会に、放送法改正法案を提出したい意向が政府にはあるとされる。

通信と放送の区分けに関し、法制度が実態に合っていないことは事実で、その見直しは必要だ。しかしそのための道筋のつけ方と議論には、丁寧さが求められる。政府の側には「AbemaTVに出演した時の『成功体験』が忘れられないのではないか」といった邪推を跳ね返すだけの重厚な理屈が必要だし、放送界側にも既得権益の擁護ととられない、真に視聴者にとって望ましい形の提示が期待されている。

［参照：08年7月／09年6月／10年3月・12月／15年4月／17年7月・12月／18年12月／19年10月］

大衆表現の自由*　04/10/18

【都迷惑防止条例の迷惑】

公文書問題に関心が集まるなか、東京都で迷惑防止条例改正案が原案通り可決成立し、七月から施行される。改正のポイントの一つはつきまとい行為の規制強化で、「不安を覚えさせるような方法により、みだりにうろつくこと」や「名誉を害する事項又は性的羞恥心を害する事項を告げること」が追加され、罰則について懲役・罰金とも、現行の二倍に引き上げられた。これに対し、国会前抗議行動などを制約する恐れがあるとの議論が起きている。

都は「安心・安全」のための施策と説明しているが、生活の平穏や社会秩序の維持のための法令は、表現規制を伴う場合が少なくなく、しかもプライバシー意識の向上や体感不安の強まりの中で、その範囲や厳しさが拡大する傾向にある。規制の対象となる表現行為としては、デモや集会、立て看板やビラ・チラシなどは、いわば大衆表現と呼ばれているものが多い。安価で容易に情報発信ができるし、直接的な個別の抗議も不特定者に対するアピールも可能な、融通がきく便利なメディアだ。私たちに最も身近で、誰にでも可能な表現行為であることから、古今東西、為政者にとっては政権批判が広がるきっかけになるとして警戒の対象となりがちでもある。

たとえば公道や公園におけるスピーチやデモの自由度は、「公」の捉え方次第で国によって大きく異なる。本来は社会共有の公共空間として、みんなが可能な限り自由に意見表明や情報交換できるよう活用される必要がある。

最高裁も、公道でない私有地であっても、広場等が表現の場所として用いられる場合は、可能な限り表現の自由を保障する「パブリック・フォーラム」の考え方を示している。しかし日本の場合の実際は、国や自治体の管理地であるという意識が強く、美観や騒音、スムーズな交通運行などを理由に、事前許可制を含めた広範な取り締まりが実施されている現状がある。

さらに、違法ではないグレーゾーンの表現行為の取り締まりである点にも注意が必要だ。青少年育成条例の「有害」図書や暴騒音規制条例の「静穏」を害することもその類いだが、今回の条例も「迷惑」といった違法なストーカー等の一歩手前の行為を取り締まることを目的としている。その結果、そもそも誰がみても明確で厳格な基準でなくてはならないという、表現規制の大原則に反し、取り締まる側の主観的な判断で表現規制が可能な基準となっている。

個々人の日常生活の安心感に資することがあるにせよ、規制度合いを厳しくすればするほどその副作用も大きくなる。その結果、本来目的とは異なる使われ方をされ、大事な市民的権利である自由な言論が制約されるとなれば本末転倒だ。だからこそこうした「治安」立法は、最悪の運用を想定し恣意的な運用がなされないような厳格さが求められている。

●大衆表現をめぐるトピック●

84・12　東京・吉祥寺駅前でのビラ配布に関し、最高裁は補足意見の中でパブリック・フォーラム理論を採用

88・12　国会議事堂等周辺地域及び外国公館等周辺地域の静穏の保持に関する法律が成立し、国会前デモは不可に

07・11　都内のホテルが日教組の集会使用を右翼団体の街宣活動などを理由に拒否。裁判所はホテル側に損害賠償命令

08まで　沖縄を除く全国都府県で拡声器による暴騒音の規制に関する条例が制定

08・4　官舎へのビラ配布に関する事件で私生活の平穏を侵害するとして最高裁で有罪確定

10・12　東京都青少年の健全な育成に関する改正条例が成立し、不健全図書（有害図書）の対象拡大

16・8　経済産業省前の「脱原発テント村」を強制撤去　国は13年に敷地明け渡し訴訟を提起し確定していた

10　沖縄・辺野古で反対活動中の山城博治沖縄平和運動センター議長逮捕　長期拘置後の18年3月、那覇地裁で表現の自由の範囲逸脱として有罪判決

18・3　東京都で改正迷惑防止条例成立

3　川崎市でヘイトスピーチ対策として集会等の事前規制を含むガイドライン施行

［参照：12年7月／14年9月／18年7月・10月］

青少年健全育成基本法　*05.12/18*

やっぱり、ではある。自民党が二月八日に青少年健全育成推進調査会（会長・中曽根弘文、会長代理・下村博文ほか、幹事長・義家弘介）を開催し、青少年健全育成基本法案や家庭教育支援法案の案文を提示、今国会の成立を目指す旨が同月二十日の自民党機関誌「自由民主」に掲載されたからだ。その後、四月二十六日には文部科学部会・青少年健全育成推進調査会合同会議を開催し、方針を確認している。こうした青少年保護を名目とした「有害」情報に対する法規制の動きは、ほぼ周期的に巻き起こる。

表現の自由の対抗的利益としては大きく、国家・社会・個人があるが、その社会的利益の中で古今東西普遍的に認められてきているものが「子どもの保護」である。公序良俗（わいせつ表現の禁止）とか平等な社会（差別表現の禁止）の実現などは、確かに重要な価値ではあるが、国によってあるいは時代によって、その判断基準は大きく異なるものだ。しかし、「将来を担う子どものため」となると、だれも反対する人はいないし、実際、様々な法社会ルールが実施されてきた。

たとえば、子どもを〈客体〉とした表現規制の代表が「加害少年の匿名報道原則」で、日本では少年法で氏名・住所等の本人を特定できるような推知報道を全面禁止している。これは、北京ルールと呼ばれる国際標準となっている。一方で〈主体〉とした規制の代表が、わいせつ・暴力表現に対するアクセス制限だ。たとえば、成人映画の鑑賞を制限する映画館への入場規制は万国共通ルールとして有名だ。

【「有害」図書】

そしていわゆる「有害」図書規制もまた、いまや多くの国で行われている一般的な表現規制ルールとなっている。日本でも、古くは一九五〇年代から「エロ・グロ不良出版物」への対策を含むいわゆる青少年条例が各地でき始め、七〇年代後半から自動販売機による「有害」図書類の販売を制限する目的で条例の整備が進んだ。その結果、八〇年代には長野を除く四十六都道府県で同種の条例が制定され、今日に至っている。

その後、九〇年代には包括・一括指定などの強化策が進み、検閲に該当するのではないかとの違憲訴訟も起こされたものの、その後も対象をインターネットや漫画・アニメに広げるほか、罰則も強化される状況にある。こうした漫画表現への規制拡大については、「非実在青少年」として話題になったように、未成年者がポルノ猥雑写真の被写体とされる場合と異なり、被害者がおらず保護法益がないのではないかという指摘のほか、戦時の国家総動員法における「赤本（安価な漫画本の俗称）」狩りによる漫画規制と通じるものがある、などの批判がある。

そして「有害」環境対策としてのもう一つの流れが、自民党を中心とする「青少年健全育成法」制定を目指す動きだ。二〇〇〇年には青少年社会環境対策基本法として、その後は名称に「有害」が加わる形で法案化されていたが、内容が性・暴力表現等を含む放送・図書・雑誌等の流通規制であったことから、報道界等から強い反対を受け断念、〇四年に規制色を薄めた「青少年健全育成基本法」として上程された（同年廃案）。

その後、検討の舞台を「青少年の健全育成に関する小委員会」から「青少年問題に関する特別委員会」に変え、「青少年の健全な成長を阻害するおそれのある図書類等の規制に関する法案」骨子をまとめ、その議論の延長線上でインターネット上の「有害」情報対策として、携帯電話上の情報に特化した青少年ネット規制法（青少年が安全に安心してインターネットを利用できる環境の整備等に関する法律）が〇八年に成立している。

その翌年には、同法を強化する内容の青少年総合対策推進法案を提出したものの、与野党の修正協議の結果、ニートの自立支援などを目的とする「子ども・若者育成支援推進法」として〇九年に成立した経緯がある。そして冒頭に紹介した今回の法案は、この支援推進法を全面的に組み替える内容として予定されている。それはある意味で、二十年来の悲願である「有害」表現規制を実現するための強い意志を感じるものである。

【表現規制への憂慮】

現在、自民党が予定している青少年健全育成基本法案はいわば理念法で、具体的な施策が書き込まれているものではない。国・地方公共団体・保護者・国民・事業者それぞれに対し、「責務」を定めるのみである。しかしこうした法枠組みが現場に強い影響を与えることは、昨今のヘイトスピーチ規制法が、理念法であっても具体的な表現規制効果をもたらしていることからも明らかである。

たとえば、先に述べた通り各自治体のほとんどは、「有害」図書対策の条例を有する。こうした自治体間や国との連携を法が求めることで、法が条例の「親法」として位置付けられ、一体化が進むことになるだろう。その結果、条例がない県は法令化圧力が強まるだろうし、規制はより厳しい県に合わせることになると想定される。また、保護者への責任を新たに課すことで、有害図書やネットに接続した親に、法的責任をとらせる枠組みができあがることにある。

そして事業者については、「露骨な性描写や残虐シーンを売り物にする雑誌、ビデオ、コミック誌等を始めとする性産業の氾濫、テレビの有害番組等」を問題視し、法制定を求める請願が参議院に提出されている（第一九六回国会請願の要旨・五四八）。事業者規制は、隠された主要目的ともいえるわけだ。今年に入ってからイオン傘下のスーパー、コンビニ、書店、インターネットサイトから成人向け雑誌が消えた。

こうした表現物の流通制限は、事実上、当該表現物の市場からの排斥に繋がり、禁止と同様の効果をもたらす。これは、「違法」ではない「有害」レベルの表現が、違法表現物と同様の厳しい規制を受けるということであって、過剰な表現規制ということになる。「子どものため」に惑

2018

わされることなく、過剰な規制に陥らないことが肝要だ。

［参照：08年6月・12月／10年2月／12年8月／16年5月／19年2月］

取材源の秘密* *05.08/18*

【倫理上の最高規範だが】

財務省セクハラ疑惑に関連し、当事者が記者であったことから、無断録音が許されるのか、音源を週刊誌に勝手に渡してよいのか、などが問われることになり、所属先のテレビ朝日が記者会見の席上、「取材活動で得た情報が第三者に渡ったことは、報道機関として不適切で、遺憾だ」とし、産経新聞・読売新聞などが同様の指摘をした。

ここでは取材上の記者倫理として（1）隠しどり（2）取材源の秘匿（3）「ワークプロダクツ」の外部提供（4）公益通報と記者活動の関係性、が関係してくる。共通のキーワードは「取材先との信頼関係」だ。記者本人と取材先個人もしくは取材先の組織、さらには記者のみならず所属元の報道機関、さらには報道界全体との間で信頼関係が壊れると、その後の取材ができなくなり、事実上の取材の自由が失われ、それは読者・視聴者の知る権利に応えられなくなる、ということになる。

それゆえに、取材源は絶対に守り抜くことが最高位の記者倫理といわれている。同様に、ワークプロダクツと呼ばれる取材上で得た情報や生成物、たとえば取材メモや録音テープ、テレビ局における映像テープ・データも、取材源を守るために絶対に保護しなければならないもの、とされている。同時にこれらは、報道目的として取材上得られたものであって、報道目的外で第三者に提供する行為は、信義則違反で二重に許されないとされている。

しかし一方で、この取材源の秘匿は法によって守られているものではないことから、警察や裁判所から明らかにするように強制されることがあり、その都度、問題となってきた。法廷での証言については民事裁判ではようやく裁判所も職業上の秘密を守るという観点から保護を原則として認めるようになってきたが、刑事裁判で認めない判例が生きている。また、放送局のテレビフィルムは、警察・検察・裁判所とも提出命令や差し押さえ・押収が一般化しており、公権力との関係では第三者提供がまかり通っている現状がある。

同様に隠し録音についても、たとえばオフレコ取材は「オフ・ザ・レコード」の略で、まさに記録しないの意味だ。実際は、直接には報道しないことを前提とした参考情報の提供を受けるための取材で、より本音ベースの話を聞くために録音をしないことがルール化している。一方で、報道に備えて逮捕前の容疑者の姿をこっそり撮影する実態もある。

最後のよりどころは、こうした取材態様が公共性・公益性に担っているかに尽きるが、信頼関係を超える公表の意義があると思えば、いかなる場合も報じるべきであろうし、逆に、取材先を保護すべき時には、たとえ相手が公権力であっても体を張って（たとえば収監されることがあっても）守り抜く必要がある。

今回の事例は、そもそも取材活動の一環ではなく自身の身を守るための必要な手段と考えられるのでまったく問題ないと考えるが、取材先との関係からしても、相手がすでに信頼性を壊す行為をしているうえに、記者が報じるべきだと決断した場合、その方法として自社以外の媒体を活用することも、場合によっては許容されるべきだろう。

●取材倫理をめぐるトピック●

52・8・6　最高裁は、朝日新聞記者の証言拒否事件で刑事事件法廷での証言拒否を認めず
69・11・26　最高裁は、博多駅テレビフィルム提出命令事件で放送局に未放映分を含むテレビフィルム原本の提出を命令
70・3　朝日新聞記者がアルコール依存症を装って精神科病院に潜入入院した結果を「ルポ精神病棟」として紙面で発表
73・12　鎌田慧が期間工として働いた体験を基にして書いた『自動車絶望工場〜ある季節工の日記』発表
80・3・6　最高裁は、北海道新聞記者の証言拒否事件で民事事件法廷での証言拒否を事実上認める
81・2　朝日新聞記者が建設会社の談合を取材する際、会場に盗聴器を取り付け退社処分
89・10　TBSがオウム真理教に対し、坂本堤弁護士取材テープを見せ、その事実を隠蔽
90・7・9　最高裁は、TBSビデオテープ差し押さえ事件で警察のマザーテープの差し押さえ押収を適法と判断

04・8　朝日新聞記者が私立医大の補助金流用問題で、録音しないと約束しながら無断録音し、その音源を別の取材先に提供していたことが判明し退社処分

05・1　NHKの番組改変問題をめぐる取材で朝日新聞が隠し録音をしていたのではないかとして政府が問題視

06・10　最高裁はNHK記者の証言拒否事件で民事事件での証言拒否を原則認める判断
［参照：09年1月／10年11月／11年12月／16年8月／17年8月・11月／19年3月／20年3月・6月］

著作権法改正　*06.09/18*

混迷が続く国会の最中、さしたる議論もなく成立する法案もある。その一つが著作権法改正だった。ただしこの改正は、著作物を著作権者の許可なく無断でコピーすることを認めるもので、従来の著作権制度を根本から揺るがすだけに、きちんと振り返っておく必要がある。

【人格権】

著作権の概念は、大量印刷（複写）が可能になった活版印刷技術の普及を契機として生まれたとされる。ただしこの時点では、いわば著作権は印刷事業者が有するとされていた。近代著作権法の始まりは一般に、アン法と呼ばれる一七〇九年にイギリスで成立した法律で、著作権をそれまでの事業者ではなく、創作者に与えたという意味で、まさに画期的なものであった。その後、一八八六年に締結された国際条約（ベルヌ条約）でも、著作権は創作者のものであることが明記された。そして一九二八年の改正で、いまに続く「著作者人格権」の規定が誕生したというわけだ。

法律解説書においても最近は、「著作者人格権は著作権ではないにもかかわらず、著作権法に明記されている」と指摘するものさえあるが、これは間違いだ。あくまでも著作権は、著作者(創作者)が自身の創造物を、わが子のようにいとおしく思う気持ちを法的に保護するための制度であって、その中核が人格権としての著作者人格権ということである。そして、同時にその著作物を複写するなどして利活用するにあたり、その版権(著作物の財産権)を「著作財産権」と規定していることになる。

一般に「著作権」といった場合、後者の財産権のみをさす場合があり、そのために著作権＝著作財産権(複製権・使用権)といったイメージが出来上がってしまっている。いわば、広義の著作権(著作人格権と著作財産権)と狭義の著作権(著作財産権のみ)があるということだ。

そして日本は、この著作権法の考え方に従って法制度を作り、運用してきた。最初の著作権保護規定は一八六九年の出版条例とされているが、これはまさに事業者のための法制度で、しかも目的は出版事業を取り締まるための方策であった。その後、版権保護の規定が生まれ、先に紹介したベルヌ条約加盟に合わせて一八九九年に著作権法が制定されている。その後、一九七〇年に全面改訂され現行著作権法に生まれ変わったが、創作者本位(著作者人格権の規定)と、創作物の複写にはその権利を有する者の許可が必要なこと、いらない場合を例外として具体的に列挙している点など、その基本的な考え方は一貫している。

【フェアユース規定】

これに対しアメリカは歴史的に、著作者人格権が存在せず、著作権＝複製権としてきた（それゆえ、英語のコピーライトは著作権総体を示すことになる）。さらには、著作財産権の例外で許諾なしに複製ができる場合として、包括的な許諾制度である「フェアユース」規定が存在するのが特徴だ。まさに、基本的な部分で天と地ほど違う法精神であることが分かる。

この違いは時に大きなハレーションを起こすことになる。グーグルは、世の中のすべての情報を収集し、それをホストコンピュータに蓄積・整理し、様々なサービスを実施しているが、その一つに図書館プロジェクトと呼ばれていたものがある。現在のブックサーチ（書籍検索）サービスだ。家に居ながらにして世界中の文献が、その中に含まれる言葉で自由検索でき、しかもその文献を丸ごと読むことも可能という、極めて便利な代物である。しかしこれは、著作者に無断で著作物をスキャニングし、それをテキスト化して蓄積し、しかも無料で万人に提供するというものであって、日本ほか大陸法の国々では完全に違法な行為である。

しかしアメリカでは、「みんなのため」なら、無断コピーが認められるというフェアユース規定があるために、まさに公正使用＝公共利用という観点から、こうしたサービスが許容される可能性があるということになる。そこで、サービス開始当時、世界中を巻き込む裁判にもなり、日本からは日本ペンクラブなどが司法手続きに参加して反対活動を行った経緯がある。

今回の著作権法改正は、まさにこの米国型著作権法への転換であって、その結果、様々な混乱が生じる可能性から免れない。

【柔軟な権利制限】

しかも、あえて分かりづらい「柔軟な権利制限規定」と呼ぶことで、フェアユース規定ではないと誤魔化していることが問題だ。具体的には、（1）表現の思想または感情の享受を目的としない利用（三〇条の四）（2）コンピュータでの効率的な著作物利用のための付随利用等（四七条の四）（3）新たな知見・情報を生み出す情報処理の結果提供に付随する軽微利用等（四七条の五）については、「権利者への悪影響が少ない」として、許諾なしの利用が認められることになった。

しかし結果として、冒頭にも書いたように、著者に許可なく、著作物を全文スキャニングし、それを利活用して事業を行うことが可能であって、全面的ではないにせよフェアユース規定を導入したことは否定できない。歯止めとして、例えば検索サービスの場合は表示できる範囲を限定化することが予定されているが、それら運用はすべて「政令委任」されており、行政がその時の都合で勝手に決めてよいことになっている。

まさに、グーグル訴訟でかけられた歯止めを、著作権者の意思とは無関係に経済界の意向で外してしまったことになる。さらには、だれがどのような形で著作物データを保持し、利用しているかも全く分からないうえ、その悪用を防ぐ手立てもないのが実態だ。

著作権法は、表現者の人格権を保護する一方、文化の継承を図るための知恵であり、市民の知る権利や表現活動を守るという意味で、表現の自由のための法制度そのものである。そして表現の自由はガラスの城であり、一度壊れたら復元不可能だ。文化政策の根幹を支える著作権法が、経済論理で歪められることは、とても残念であるし悲しい。

［参照：09年4月7月／11年2月／14年7月・10月／17年4月／18年1月］

国民投票法の危険性* *06.12/18*

【多数党にコントロールされる】

国会最終盤に入り、与党が通したい法案が続々上程の気配だ。選挙区見直しの公選法や憲法改正手続法（国民投票法）の改正案もその一つである。二つの法律は内容的にまったく関係ないものの、表現の自由に関し制度上相関がある。候補者選挙である前者の選挙期間中の仕組みを、憲法改正のための国民投票運動期間に準用しているからだ。しかも、為政者の都合の良いようにつまみ食いする形で基本構造が設計されている。

その国民投票運動では、通常選挙の候補者に代わる地位を占めるのは、改正案を発議する国会だ。ただし、候補者の表現の自由が厳しく制約されているのに比して、国会には手厚い自由が付与されている点で大きく異なる。衆参の議席比で各政党に割り振られたメンバーで構成される国民投票広報協議会は、改正案の賛否に関するＰＲを担当する。広報内容から手法までのすべてを仕切る予定だ。

また期間中、政党は国費によって自由に新聞・テレビ・ラジオで意見広告を出せるが、その差配もこの協議会が行う。この政党意見広告は賛否同数と決められているが、大筋賛成を反対にカウントすることで、事実上、改正賛成の広告が多数になる可能性を否定できない。これらの判断も含め、その時点で国会発議に必要な三分の二の圧倒的多数を占める政党の意向で決めることができる仕組みだからだ。そうなると、先の国会によるPRも含め、投票期間中の情報が多数党によってコントロールされる危険性が拭えない。さらにこれらとは別に、政治活動としての政党広告は、制約なく自由に流せる。

一方でメディアには強い規制がかかる。一つには、放送は「政治的公平」が要請されることで、改正への賛否を明確にした番組は放送しづらくなる。また、投票直前の二週間は意見広告の放送も禁止だ。これらは「静かな環境」での投票を実現するためとされるが、最終盤の一番盛り上がったところで、自由な言論活動を封じ込めることにはならないか。しかもこの期間も政党広告は除外されており、この点からも政党主導の情報環境になりがちであることがわかる。

さらに議論を複雑にしているのが、与野党を通じてこのメディア規制をさらに強化しようという動きがあることだ。意見広告の禁止期間を拡大して全期間にすることや、対象を紙メディアやネットメディアに拡大するアイデアも示されている。これは、資金量の多寡が反映され、公正な投票運動が担保されないためと理由づけされている。

しかし、投票運動期間中の情報を歪める可能性は、政党発信情報中心の制度設計そのものにある。この歪みを減らすには、広報協議会を国立国会図書館に置くとか、政党広告を制限するなどの方策の方が効果的であろう。議論の場である公共的空間には、国会を含む公権力は介入しないという原則が、第一に守られるべきだろうし、この仕組みにおいて情報コントロール権を有する政党は、公権力そのものである。

●憲法改正国民投票をめぐる最近のトピック●

53 自治庁が国民投票法案を作成（閣議決定に至らず）
04・12・3 自民、公明の与党実務者会議で「日本国憲法改正国民投票法案」骨子が合意　超党派の憲法調査推進議員連盟が作成した法案をベースに修正と報告
06・10以降 改正法の原案には新聞・雑誌、放送の虚偽報道等の禁止、予測投票の公表禁止規定が設けられていたが削除。一方で、放送CM禁止規定を設定。当初の1週間案から2週間に拡大、さらに新聞にも拡大する修正案が示されたが放送のみに限定　メディア側に自制を求める声を受けて、政治的公正を求める訓示規定を新設
07・5・14 日本国憲法の改正手続に関する法律（国民投票法）が成立
11・10 野田佳彦首相のもと憲法審査会始まる
17以降 テレビCMに関し賛否。「同一時間帯同一時間」ルール、運動費用のキャップ規制などが民間側から提案
18・5・18 衆院憲法審査会幹事会で、自公が国民投票法改正案を提示

［参照：17年10月・11月］

集会の事前規制　*07.14/18*

胸騒ぎがする東京の夏だ。六月から七月にかけて矢継ぎ早に明らかにされた三つの方針に関してである。東京弁護士会（東弁）が集会の事前規制を含むモデル条例案を公表、軌を一にして新宿区がデモの出発地として利用できる公園を制限する方針を決定した。さらに同時期には東京都で、ヘイトスピーチ対策として利用制限を含む人権条例策定を目指すパブリックコメントを実施した。

【憲法違反の可能性】

東弁は、ヘイトスピーチに公共施設が利用される事態を防ぐことを目的に、二〇一五年九月には意見書を発表。さらに自治体向けのパンフレット「地方公共団体とヘイトスピーチ」を〇六年一月に作成・配布し、利用申請を拒否する法的根拠を周知してきた経緯がある。六月八日の意見書と条例案は、それをさらに一歩進め「差別的行為を目的とする集会のための……公の施設の利用の制限」として、ヘイト認定した団体・個人には公共施設の利用を禁じる規定を設けた。

具体的な条文規定としては、「当該利用が差別的行為を行うことを目的とするものと認めたときは、これを許可してはならない」「目的の有無は、公の施設において差別的行為が行われるおそれが客観的な事実に照らして具体的に明らかに認められるか否かにより判断するものとする」としている。ポイントは、行政機関が表現もしくは思想内容をチェックし、問題ありと判断すれば事前規制するという点だ。条例案では一貫して「差別的行為」規制と位置付けているが、中身は表現行為であることから、これ自体検閲行為で憲法違反の可能性が拭えない。

新宿区の新方針は六月二十日に改訂されたものだ。みどり土木部みどり公園課名の文書「デモの出発地として使用できる公園の基準見直しについて」によると、従来、区内でデモの出発地として使用できる公園は四つあったが、「頻発するデモによる周辺交通制約や騒音により迷惑しているため、公園周辺町会及び商店会からデモを規制してほしい旨の要望を受け」「住宅街に加え、学校・教育施設及び商店街に近接していない」という条件を加えた。これによって、これまでターミナル駅に近くよく利用されていた公園など三カ所を除外し、一公園に限定されることになった。

同時に使用間隔や使用回数なども厳格化しており、公園使用制限によって、実質的にはデモ規制を想定したものである。新宿区は公には否定しているものの、議員等からはヘイトスピーチデモの抑制効果を期待する声があがっている。八月一日からこの新基準が適用される予定だ。

【五輪を錦の御旗に】

一方東京都は、二〇二〇年の東京五輪・パラリンピックを踏まえ、ＬＧＢＴ（性的マイノリティ）差別とヘイトスピーチ抑止を目指す条例を制定する方針を五月十一日に明らかにした。「東京都オリンピック憲章にうたわれる人権尊重の理念実現のための条例（仮称）」骨子案によると、東京２０２０大会後も見据え、首都東京が条例で宣言することで、ホストシティにふさわしいダイバーシティを実現することを制定意義として謳っている。

条例案は、六月にパブリックコメントを実施、九月の東京都議会に提出する予定だ。可決されれば、一八年中に条例の一部を先行して施行し、第三者機関等の体制整備ののち一九年四月から全面施行の予定である。

デモや集会は、特段の有効な伝達手段を持たない一般の市民が、町の人たちに自分の意見を伝える重要な手段である。この憲法上の表現の自由が、行政機関の一存で制約されると、いろいろな意見が社会に伝わらない事態が生じることになる。時にこうしたデモは騒々しい場合もあるかもしれないし、集会において表現が激しい場合もあり得る。車の往来の邪魔になるかもしれないし、やってもいいが自分の目の前では許さない、という人もいるだろう。

だからといって、特定の人の発言を将来にわたって一切認めなかったり、デモを可能な限り制約することは許されない。あえていえば、デモはある人にとっては「害悪」かもしれないが、それをも許容することを民主主義社会は求められているということだ。そもそも、公道を使用しての示威行動であるデモ行進は、自由に行えるというのが大原則だ。ただし、車の往来等を勘案して、公機関が必要最小限度の条件を付せるにすぎない。

【蟻の一穴】

デモに伴う出発（あるいは解散）地点としての公園使用も、発言内容に問題があるかもしれない集会も、外形的な条件がそろっていれば、原則はすべて許可されることが予定されている。公園や公共施設の使用不許可は、事実上、デモ行進や集会が行えなくなる可能性を含むものであるからだ。今回、新宿区や東京都（あるいは東弁）が予定している措置は、こうした原則を大きく踏み外し、表現行為としてのデモ行進や集会を事実上大きく制約させるものに他ならない。

いったん、デモや集会に条件をつけることを認めれば、すべてのデモは、何らかの市民生活の支障を及ぼす可能性があり、その規制範囲は無制約に広がりかねない。しかしこれは、原則と例外の逆転であって、憲法で保障された表現の自由を根本から揺るがすものであって許されない。

表現の自由は、猥褻表現であるとか、ヘイトスピーチであるとか、いわばみんなが規制されても仕方がないと思うような表現領域から侵食されるものだ。さらには、オリンピックのための環境整備というと、だれもが反対しづらい空気がある。しかし、こうした時に開けられた穴がどんどん広がり、気が付くと自らの表現の自由を失うというのが歴史の教訓である。しかも沖縄では、すでに日常的なデモや集会が、政府意向に反するという理由で制約的な状況にある。今回の東京の動きが、全国に広がる気配があるだけに憂鬱だ。

［参照：12年7月／14年9月／17年6月／18年4月・10月］

個人情報保護制度＊　*07.10/18*

【後れを取る日本の対応】

欧州連合（ＥＵ）は、二〇一八年五月二十五日、個人情報保護を大幅に強化、新ルールである一般データ保護規則ＧＤＰＲを導入した。同規則は、一九九五年以来のＥＵデータ保護指令に代わって一六年に採択されたものだ。個人の名前や住所のほか、ＩＰアドレスやクッキーといった情報まで、網羅的に個人データに含め、企業や団体が個人情報を域外に持ち出すことを禁じている。たとえば、日本企業の域内支店から、顧客の個人情報を本社の東京にメールで送ることはできない。違反には、最高で約二十六億円（二千万ユーロ）か全世界の売上高の四％の、いずれか高い方の制裁金が科される。

日本企業も含め、情報保護の仕方などを定めたＥＵ指定の契約を結ぶなどの対応が必要だ。個人データの処理と移転を厳しく制限することで、データ主体である本人の基本的権利を保護することを目的としている。

一方で日本は、個人の権利を守るという観点よりも、個人情報を保有する行政機関や企業がより自由に利活用できるための制度作りに腐心してきたきらいがある。まったくベクトルが逆を向いているということだ。中核的な法律である個人情報保護法も、漏洩などのトラブルが発生すると企業を罰する仕組みはあるが、直接的に主体である市民一人ひとりの権利侵害を認める構図にはなっていない。

それでも判例の中でプライバシー権として、一人に放っておいてもらう権利、自己情報コントロール権、そして忘れられる権利、という流れを示してはきている。ただしそれを超える勢いで、保護法が改正されることで、個人データの積極的な利活用を許容するルール変更が行われているのが実態だ。そうしたなかで、そもそも個人情報とは何かについての社会的な合意も曖昧になってきている。

いかなる場合も収集が禁止される「絶対秘」は、思想信条にかかわるセンシティブ情報などがあたり、憲法レベルで保護されている。次のレベルは本人と収集・保管先のみが保有する「原則秘」だ。一般にはこの類型のものが個人情報保護法の主たる対象で、目的外利用等が固く禁じられている。それに対し、「相対秘」とでもいうべき氏名やアドレスなどは、一定程度広く流布されているもので、その分、利活用のハードルも低くなると考えられている。さらに、個人情報であっても政治家の資産のように、公開が法的に義務付けられているような、「公開秘」が存在しているというのが全体構造だ。

にもかかわらず実態は、個人情報ビジネスと呼ばれるように、金のなる樹であるがゆえに、こうした類型が意識されることなく「個人情報・データ」と一括りにされることで、ルールさえ決めれば自由利用が可能になるとの考え方が支配的になりつつある。もしこうした考えをとるのであれば、一方で情報を守るために個々人に権利を与えることがなければ、バランスを欠くことになろう。

●個人情報保護をめぐるトピック●

67・7・25　住民基本台帳法制定
81・4・14　前科照会事件で最高裁が、事実上「自己情報コントロール権」を容認
88・11・16　行政機関の保有する電子計算機処理に係る個人情報の保護に関する法律（個人情報保護法）制定　名称に「保護」はあるものの、中身は利用方法を規定
02・8・5　住民基本台帳ネットワークシステム（住基ネット）稼働
11・13　行政手続きオンライン化法制定
03・5　個人情報保護法と行政機関個人情報保護法が制定
12　欧州連合（EU）はEUデータ保護指令に、データ主体の忘れられる権利・消去する権利を追加
13・5・31　共通番号（マイナンバー）法制定
16・4・27　GDPR（個人データに関する自然人の保護および同データの自由な移動に関する規則：General Data Protection Regulation）採択　EU加盟国28カ国＋アイスランド・リヒテンシュタイン・ノルウェーの欧州経済領域（EEA）加盟国が対象
17・5・30　改正個人情報保護法が全面施行され、経済界の要望を受けて個人データ利活用を大幅緩和

［参照：11年1月・8月／15年6月・10月／20年1月］

2018

災害報道　*08.11/18*

西日本豪雨で大きな被害が出始め、オウムの大量処刑が実行された前日の晩、「赤坂自民亭」では首相・担当大臣を含む、党幹部が顔をそろえて興じていた。翌朝、官邸では関係閣僚会議が開かれ、万全を期したというが、それにしても二百三十人を超える犠牲者・行方不明者、五万棟に近い住宅被害はあまりに規模が大きすぎないか。一カ月たっても、鉄道の運休は十六路線におよび、四千人近くが避難生活を続けている。

ようやく、トイレもない体育館避難が「当たり前」ではないことが指摘され始めたが、そもそもこれだけの自然災害が続き、そしていままさに、命の危険がある高温を記録し、遠くない将来に大噴火や地震の発生があると言われる中で、私たちの社会は「災害」の何にどう備えるのか、パラダイム転換を迫られている。それは報道においても当てはまるだろう。

【指定公共機関】

報道機関にとって、災害時の最も厳しい法的規律は「指定公共機関」としての情報伝達義務だ。人為災害として有事（戦時）と原子力事故が、自然災害では大規模災害（地震・台風等）とパンデミックと呼ばれる感染力が強い新型インフルエンザが想定されている。緊急事態が宣言されると、指定公共機関に指定されている（機関になることを承諾している）報道機関は、首長のもとで業務を遂行することが要請される。

指定公共機関の定め方は重層的で通信・放送の場合、法で直接定めるＮＨＫと、法の委託を受けた施行令の定めに基づき指定される、東京・大阪・名古屋の主要放送局十九局と回線および携帯電話キャリアの通信五社、法の委託を受けて地方自治体の長が指定する放送・通信事業者となっている。新聞社は、自然災害について多くの県では対象事業者に含まれている一方、有事に関して入っていない。これは、「速報性のある緊急情報の伝達の役割を担うことは一般に考えにくい」ためとされている。

人為・自然災害ともに法構造はほぼ同じで、報道機関に一定の義務付けを科す形だ。具体的な報道内容としては、警報・避難指示・緊急通報の伝達義務があり、公的機関の発表情報を「速やかに、その内容を放送しなければならない」ことが決まっている。ほかに強制ではないものの、業務計画の事前提出、収集情報や人員・機材の提供が定められている。自治体によっては、取材ヘリの空撮情報を県に速やかに提供するよう、指定段階で指示が出されていることから、当初から強制性が問題になっている。

この仕組みが国民保護法において問題となり、沖縄の場合は全国で唯一、放送各局が承諾を一時的に保留した。理由としては、「報道の自由が侵害される疑念が拭えない」「避難の指示、緊急通報は本来放送に携わる者の使命であり、あえて義務付けられるべきではない」というものだ。これに対し、県からは文書で「放送のあり方に県が干渉するものではなく、あくまでも報道の自由は保障される」との回答があったことから、「いかなる緊急事態においても県民の基本的人権および知る権利を守り、自由で自律的な取材報道活動を貫く」との条件を付し、了解した経緯がある。

【情報伝達責務】

放送法でも、これらの規定と重複するかたちで、「災害が発生し、又は発生するおそれがある場合には、その発生を予防し、又はその被害を軽減するために役立つ放送をするようにしなければならない」との、包括的な放送義務規定がある。ここにいう基幹放送とは、地上波のテレビ・ラジオ、BS放送、一部のCS放送のほか、携帯電話会社によるマルチメディア放送をさす。これによって、主な放送事業者に防災放送が義務付けられることになるが、国や地方自治体による防災計画の中に組み込まれているのは、NHKと民放地上波だけだ。

報道機関において実際に行われている情報伝達としては、地震発生直後に揺れを想定して警報が流れる緊急地震速報が身近だろう。放送局においては、気象庁とオンラインで回線を結んでいて、情報が伝達されると自動システムで直ちに速報が流れるよう設定されている。携帯会社においても、通常とは異なり、制御用ネットワークを利用し、特定地域にある大量の携帯電話に対し、いわば放送型の一斉同報を行っている。

このほかに安否情報システムとして、従来型の新聞のほかテレビやラジオによる安否情報放送と、携帯各社が実施している災害伝言板がある。前者のうち、最も典型的なのは、新聞や放送が警察庁および自治体発表のほか独自取材によって収集した情報を報ずるものだ。東日本大震災の時にも、避難者・犠牲者等の紙面化が役に立った一方で、グーグル等のプラットフォーム事業者のユーザー書き込み型の仕組みが一般化した。ラジオ局がプラットフォームとなり、情報の集約を図る動きもあり、勤務先、近隣ビル、私立学校の安否情報や、理髪店やタクシーと災害時の情報ネットワークを構築する仕組みもある。

こうしてみると自然災害については、防災・減災のための仕組みは法の強制がなくても行われていることがわかる。むしろこれらを強制・義務化することは、報道機関の自由な取材・報道活動の足かせになりかねない。緊急事態であることを理由に、取材で得た様々な情報の目的外利用が「当然に」強制されるし、政府が現行の放送の枠の中で、情報を「直接」流すことすら可能であるからだ。しかもこうした仕組みが、自然災害だけでなく、政府自らが主体である人為災害の場合も同じように適用されるのが現行制度だ。発表主体こそが取材の対象であって、その発表情報をベースに報道するという仕組み自体が矛盾しており、デメリットが大きすぎる。

【営業上の理由】

一方で報道機関側の問題としては、西日本豪雨においては、放送の流し方が視聴者に「誤った印象」を与えたのではないかとの声もある。全国共通の番組放送が一般的なため、ローカルが一定の警戒情報を流しても、それを超える「日常的な」娯楽番組が、そうした緊張感を打ち消してしまったとの指摘だ。さらには、L字等の窓枠放送がスポンサーへの金銭補償などの関係で「できれば最小限に抑えたい」という営業上の理由もなくないのだろう。

現行制度は、政府や報道機関の都合が、ベストの形を阻害している可能性があるということだ。身近で間近な自然災害も、県内ではヘリの墜落等で決して遠い話でない人為災害も、「国益≠政府益≠国民益」に陥らないためには、法的拘束力はきれいになくしたうえで、むしろ業界としての自主ガイドラインを広告主ほか関係各所との間でルール化していくことが必要だろう。「やらせる・やらされる」の関係ではなく、地域住民に即した災害報道ができる仕組みを改めて検討し直してみてはどうだろうか。

［参照：11年4月・5月／15年2月］

公文書管理法* *08.14/18*

【改正を早急に実現すべき】

連載第一回は情報公開だった。意思決定の透明性確保が社会の大前提となったいま、知る権利の実効性を高めることが、二十一世紀の表現の自由の大きな課題であると考えたからだ。その基本として、公権力とりわけ政府・政治家の行状を記録としてきちんと残し、整理し、保管することが必要不可欠で、公文書管理の肝だ。しかしこの間の文書の隠蔽、廃棄、改竄は、こうした基盤を完全に崩壊させた。その理由は、法制度そのものの欠点、運用の誤り、意識の欠如の複合だ。

この「見える化」とは真逆の事態は、こと政治の世界だけではなく、スポーツ界にも大学にも同様の事件が起きていることからすると、日本社会全体に蔓延している病なのだろう。そうしたなかで国会最終盤に文書管理ルールの変更を行ったが、その内容は改善には程遠く、「何もまったく解決していない」ことを確認しておくことが必要だ。

東京都もしかりで、豊洲新市場問題で決裁文書以外の交渉記録がことごとく廃棄されていたことの反省から条例制定したものの、保存の仕方が変更されないまま条例で固定化し、問題解決に至っていない。にもかかわらず、政治的には解決済みとされてしまっている。

第一に、「行政文書」とは何かである。作成時点においては個人的なメモであっても、その会議や打ち合わせ等の記録がそのメモしかなければ、これが会議の記録であり、行政文書だ。しかし、多くのメモや交渉まとめなどが、「公式でない」という一方的な解釈で行政文書に認められないままだ。あるいは、多くの会議体で議事概要がつくられているが、その場合に、基となる速記録もしくは録音テープは、議事概要が完成した段階で行政文書ではなくなるという珍解釈がまかり通っている。

第二に、「公人」の「職務上の業務」とは何かである。首相夫人秘書官が最たるものだが、公務員がその肩書の下で業務として行った行為を、私的行為であるとすることが、事実上確定してしまった。財務省調査でも、交渉記録は正式に廃棄後も個人の手控えとして私的に保存しているとしているが、業務上必要で保存しているものを、私文書扱いすること自体が間違いだ。

第三は「電磁的記録」の扱いだ。メールのやりとりも、ローカルのコンピューターに一時記録させているデータに始まり、共有フォルダーに入れているものまでも、メールは原則、私的メモと同じ扱いで保存の対象から外れることになりそうだ。

そして、第四に、政治家関係者との交渉記録など、大切なものほど記録にとらない、とっても残さない、残していても公文書扱いしない、という「慣習」が固定化してしまうことになった。そして意図的に、「政治レベルの政府活動」を行政文書の対象から除外してきたことがわかった。

こうした基本的な問題が山積している規定・運用方法を、新ガイドラインとして胸を張ること自体、政府は恥ずかしくないのか。国会もウソ答弁に振り回された経緯からすれば、そのおおもとをただすべく、公文書管理法の改正を早急に実現すべきだ。

●文書管理をめぐる最近のトピック●

18・1・19　最高裁が内閣官房機密費のうち、政策推進費など一部公開の判決（ただし保存期間5年で廃棄）
3・12　財務省が決裁文書についての調査結果を発表（その後6・4まで断続的に資料の発表が続く）
5・23　財務省が森友案件の「書き換え前の決裁文書」「交渉記録」「本省相談メモ」を公表。書き換えであって改ざんではないと説明

5・23　金融庁が情報公開請求情報を、総務省に「危機管理」のため提供（請求者名も口頭で）。請求情報の当事者である野田聖子総務相に内容が報告された。野田総務相は記者懇談会席上で請求内容を開示。その後、閣僚給与返納を発表

5・25　防衛省が、情報公開関連の取材に匿名で応じた職員を特定する調査を省内に指示

6・4　財務省が「森友学園案件に係る決裁文書の改ざん等に関する調査報告書」発表。関係職員の処分・麻生太郎財務相の閣僚給与返納を発表

7・4　東京都が公文書管理条例施行一年を経て「公文書の管理状況について」を公表

7・20　「行政文書の管理の在り方等に関する閣僚会議」で「公文書管理の適正の確保のための取組について」が決定

7　総務省の研究会の議事記録が「備忘メモ」として私文書扱いだったことが判明。大臣は公文書でないと言明

［参照：08年11月／10年4月／13年11月・12月／17年4月・11月／19年12月］

2018

総裁選報道で自民介入　*09.08/18*

嫌な時代から、怖い国になってきたとの思いを強くする。十一月二十八日に自由民主党本部総裁選選挙管理委員会委員長・野田毅名で「総裁選挙に関する取材・記事掲載について」のお願い文書が各報道機関あてに配布された。そこには以下の具体的な要請内容が記されている。「1、新聞各社の取材等は、規制しません。2、インタビュー、取材記事、写真の掲載等にあたっては、内容、掲載面積などについて、必ず各候補者を平等・公平に扱って下さるようお願いいたします。3、候補者によりインタビュー等の記事の掲載日が異なる場合は、掲載ごとに総裁選挙の候補者の氏名を記したうえ掲載し、この場合も上記2の原則を守っていただきますよう、お願いいいたします」

【制裁】

問題は大きくわけて三つある。第一は、法的根拠なく政党が表現規制を求める行為が持つ危険性についてである。政党は一社会的勢力に過ぎない存在ではあるものの、実際には強い公共性・公益性を有する機関である以上に、政治的には公権力と事実上同一である。しかも、政権党の場合は、政党の政策がそのまま政府方針となり、国家政策として実現されることになるし、党総裁が国家を代表する首相になるのが一般的だ。

そうした存在である政党の表現規制行為は、まぎれもなく政府＝行政権による表現規制と同じような効果を生む可能性が高い。政党の指示に従わなかった場合、過去の例からすると即座に「取材拒否」を行うことで、報道機関にとっての日常的な不利益を生むことを強いてきた。ＴＢＳに対しての出演拒否や、テレビ朝日に対しての要請がこれにあたり、いずれも報道機関側が「それなり」の犠牲を払う結果となっている。

さらには、目に見えない制裁として、その後の行政機関の取材上の便宜が失われることすら、ないとは言えない。言うまでもなく、政府が好ましくない言論を封じ込めたり、特定の表現行為を後押ししたりすることは、決してやってはいけないことだ。憲法でも、検閲の禁止として行政権の事前内容審査は絶対的に禁止されているものの、公民館等の貸し出しや、公営美術館・博物館における作品陳列の拒否や修正要求など、いわゆる行政側の恣意的な判断によって表現行為が制約を受ける例が少なからず生じている。しかもその傾向が近年強まっているのが現状だ。

そうした中で、新たな事例として付け加えることの問題である。党本部は、以前から行ってきたことで、今回が初めてではないと説明しているという。おそらく小泉時代からではないかということだ。また、あくまでもお願いであって、強制ではないそうだ。しかし周辺状況からすると、六年前であれば、受け取ってすぐごみ箱に捨てられていた文書が、いまの状況の中で別の意味を持つに至っていることを、政党自身が十分認識をしたうえで要請しているはずだ。その意味では、同じではないのである。

また、取材は自由です、としていることから、報道は自由ではないということを強調していることも気になる点だ。それゆえ、こうした行政の威を借りてさも強制力があるふりをして行う威圧行為は、許されるものではない。

【「公平」絶対主義】

第二は、とりわけ最近五年つとに強調されてきている、「公平」絶対主義の問題性についてである。自民党は二〇一四年の選挙以来、公平問題に執着している。在京テレビ局に報道の公平性確保を求める文書を提出、それを受け現場では編成局長名等の注意文書を回覧し、数量平等に努める現実がある。放送法や公職選挙法上の公平報道規定に基づくものとされているが、そもそも公職選挙法は数量公平を言っていない。これは裁判所も認めているところで、「泡沫」候補扱いをすることも認めているし、ここで言う公平さは、もっぱら特定の党派性をもった報道方針を持つことはよくない、という意味である。

一方で放送法は、法自体が違法行為の認定基準として使用されることを予定しておらず、ましてや行政府が法条文をもとに番組内容規制をするためのものではない。あくまでも放送人の職責として豊かな番組を制作するための「心構え」としての倫理的基準に過ぎないのである。しかも放送法上の公平は、質的公正さを謳っているもので、強いて言えば社会の弱い立場、小さい声に耳を傾けるという意味での公正さを求めるものである。

【萎縮社会】

そして第三には、今回の文書が新聞・通信社にのみ配布されている、と伝えられていることに対する危惧感である。これまではもっぱら放送に対して強面《こわもて》態度を示してきたが、今回は「あえて」活字を対象としてきたことの意味を考えざるを得ない。放送局は十分に目が行き届いているとの、自信の表れなのかもしれない。さらに、公平要請はここ最近、もっぱら政権批判を許さないとほぼ同じ意味で使用されてきた。その逆（政府支持の言動に対する偏向批判）は、ほぼ皆無であることからもわかる。

市民社会の中にも、こうした政府の態度に呼応して、政府批判のメディアを口汚く罵《ののし》る風潮が後を絶たない。その攻撃対象として今回は、活字をターゲットにしてきたと言えるからだ。その理由をあえて深読みするならば、憲法改正論議の中で、絶対的な「公平」報道を求め、事実上の批判を許さないという意味であろう。放送には放送法がありいつでも物が言える立場にあるのに対し、新聞は憲法改正手続法においても射程外で、自由な報道を保障されている。それに対して政党が強い懸念を持っていることの裏返しとも読めるからだ。

それからすると、いま報道機関は、政府・政権党によって、最終段階まで押し込められているとも言え、いかに跳ね返せるかが問われている。まさかとは思うが、この沖縄県知事選でも「数

2018

量平等」の要請がないとは限らないからだ。［参照：13年7月／15年12月／17年10月］

政府言論の自由* 09.11/18

【忖度だらけの社会に】

政府・政党・政治家の「自由な言論」が続いている。これらが、言論の自由とは似て非なるものであることを、表現主体も理解していない恐れを感じてしまうほどのおおらかさだ。もちろん、公権力は憲法で保障された市民の自由や権利を守る立場にあり、基本は一切邪魔してはいけないことになっている。そして場合によっては社会的弱者の立場に立って、十分な権利保障がなされていない場合、手助けをするという役割がある。

にもかかわらず、最近の振る舞いはその逆をいくもので、たとえば自民党議員の立て続けの発言は、LGBTの差別を是認し、むしろさげすみの対象として捉えているように思われる。それが、失言ではなく確信犯であり意図的なものであることは、本人の謝罪もなければ取り消しもなく、また党内にも発言を許容する空気に満ちていることからも推測される。

しかもこうした発言が、メジャーなメディアを通じて行われていることにさらに大きな問題がある。なぜなら、社会全体の閾値《いきち》が下がっていることの反映として、これらメディアが「安心して」自由な言論の場を提供しているからだ。こうした状況は既に五年ほど前から顕在化しているが、ここにきてより遠慮なくなされるようになっている。しかし、こうした政府・政党・政治家といった社会の「声が大きい人」が自由を謳歌するということは、社会にとっては最悪なパターンであることを確認しておく必要がある。

いわゆる「政府言論」と呼ばれているものの一種だが、政府が自分の好ましいと思う者のみに発言の機会を与えたら、それは「プロパガンダ」であるし、気に入らない者の発言を抑えたら、それは立派な「検閲」だ。しかもこうした言論市場への介入を続けると、社会の言論公共空間は死滅してしまうか、もし見た目は存在していても忖度だらけの息苦しい社会になってしまう。

だからこそこれまで、政府は可能な限り口出しをしない「謙抑性」が求められてきたし、裁判でもこうした振る舞いを求めてきている。たとえば公民館等の貸し出しについては、その集会内容に踏み込んで判断することを原則、認めないことにしている。あるいは、芸術活動に対する国家助成も、可能な限り外形的客観的な基準で可否を決めることが好ましいとされてきた。これは裏返せば、表現内容が政府にとって心地よいものかどうかに関係なく、自由な表現活動が社会的に保障されているということである。同じことは公党にも当てはまる。それからすると、政党内のトップを決める際に、その報道に関し公平性（数量平等）を報道機関に求めるといった行為は、権限がない代わりに、政府の威を借り言論統制を意図するものであって、より悪質ともいえるからだ。公権力およびその構成者は、自身の立場を自覚し、憲法に忠実に行動する必要がある。

●政府言論の自由をめぐる最近のトピック●

95・3・7　最高裁は、市民会館の使用不許可について、明らか、かつ差し迫った危険の存在が

具体的に予見される場合に限定

13・7・4　自民党が過去の放送内容を理由にＴＢＳを取材拒否

14・10・31　安倍晋三首相が国会で朝日新聞の報道を「捏造」と非難

11・20　自民党が選挙報道をめぐり放送各局に公平報道を文書で要請　テレビ朝日に対し公正中立報道を個別に要請

18・2・11　安倍首相がフェイスブックで「哀れですね。朝日らしい惨めな言い訳」と書き込み、13日の国会で朝日新聞批判を展開

2・16　この日に行った前川喜平前文部科学事務次官の授業内容に関し、自民党議員が文科省に照会し記録を取り寄せ

3・16　東京都議会文教委員会で自民都議が、区立中学の性教育が不適切と批判

7　杉田水脈自民党議員が『新潮45』８月号でＬＧＢＴは生産性がないなど主張

7・29　稲田朋美元防衛相が、法曹界の護憲派を念頭に「憲法教という新興宗教」などとツイッターに投稿

7・29　谷川とむ自民党議員がＡｂｅｍａ　ＴＶで「同性婚や夫婦別姓は趣味みたいなもの」と発言

8・28　自民党が各報道機関あてに「総裁選に関する取材・記事掲載について」のなかで、「必ず各候補者を平等・公平」に扱うことなど要請

［参照：14年2月／16年2月／17年6月／18年10月］

出版界のヘイトビジネス　*10.13/18*

【「新潮45」の休刊】

老舗出版社・新潮社の発行する『新潮45』が休刊した（事実上の廃刊）。事の始まりは、同誌八月号掲載の衆議院議員・杉田水脈寄稿文である。文中の「LGBTは生産性がない」と読める一文に、同氏の過去の発言などがあわさり、同じ国会議員である尾辻かな子ほかの批判の声がネット等で広がった。その後、同誌十月号が杉田擁護の特集「そんなにおかしいか『杉田水脈』論文」を組むことで、さらに問題視の声が広がった。特集で小川榮太郎は、「LGBTの権利を擁護するなら、痴漢が触る権利を社会は保障すべきではないか」といった趣旨の、下品かつ意図的な差別感情を露わにした文章を寄せている。

ここに至り、社内の公式ツイッター「新潮社出版部文芸」にすら疑問が示されるに至り、他メディアも大きな扱いをする中、佐藤隆信社長の「（十月号企画は）常識を逸脱した偏見と認識不足に満ちた表現」との談話が公表された。ただしこれが、具体性に欠き謝罪の文言もなかったことから責任放棄との批判を受けることにつながり、間をあけることなく休刊発表、社長と編集担当役員の減俸処分という流れを辿った。休刊後も、その幕引きの仕方などを巡って、社前抗議活動が行われるなど余波が続いている。なお、当人である杉田議員は謝罪や撤回はないほか、所属政党の自民党も当初は放置の構えを示すなど（のちに注意）、むしろ外目からは容認の雰囲気を醸し出した。

もちろん表現者自身の差別性がまず問われるわけであるが、同時に掲載媒体の責任がある。実際、十月号では一貫して、ＬＧＢＴを「性的嗜好」と称し、「性的指向」との用法を排除しているのは、編集者の判断が介在していると考えられる。さらに重大なのは、そうした編集を後押しするかのような社会の空気感であり、何よりも政治家の差別意識であるといえるだろう。それは、沖縄ヘイトも含め、とりわけ近年の大きな特徴であるからだ。ただしここでは、その中間に位置する出版社（編集者）の編集倫理に特にフォーカスして、問題を整理しておきたい。

【業界地図】

同誌の休刊告知文では、部数低迷に直面し十分な編集体制を整備しないまま刊行を続けたことを原因としているが、貧困な職場環境に問題を集約させてしまっては、あまりに身も蓋もない。確かに、すでに周知のとおりに当該誌も含め雑誌全体の売り上げは激減している（ピーク時の五分の一以下といわれている）。それは新聞も含め活字メディア共通の深刻な課題だ。冒頭にも触れたとおり、すでに雑誌はミディメディアどころか、さらに母数が小さい趣味メディアの領域に入っているものもある。

そしてこうした小さなパイの中で、苦戦を強いられているのが月刊総合誌ともいえる。『月刊現代』『諸君！』『論座』と休刊が続くなかで、『WiLL』『Hanada』『正論』の極端な右寄り路線に感化される形で、『新潮45』『VOICE』が右傾化していたのが昨今の特徴だ。ほかに『文藝春秋』『中央公論』『潮』があるが、これらも総じて保守系論壇誌ということになる。リベラル系は『世界』が孤高を守っているといったところだ。よくネット世論は右寄りとされるが、同様に中高年向け雑誌も、大きく右に偏っているということができる。

【責任放棄】

それからすると、まさに杉田議員を産んだのが新潮を含む差別言説で儲ける「ヘイトビジネス」であったといえる。近年散々、嫌韓反中で儲けてきて、その流れが収まってきた中で、格好の軌道修正の機会ととらえただけで終わってしまったのでは、意味がない。嫌韓ブームのさなか、新潮社も含め少なからぬ編集者は、多様性こそが出版の特徴で、嫌韓もあればその反対もある、ということでバランスをとっていればよい、と発言していた。

まさに昨今の新潮誌の編集スタイルは、双方の路線を混在させるという点で、この考え方を地で行くものであったと言えるだろう。いわば社会のメジャーメディアがヘイト言説をまき散らし、書店の目立つ棚でヘイト本を売り、社内吊り広告でヘイト見出しの週刊誌を売り続けたことで、社会のヘイトスピーチの閾値を下げ、今日の社会の分断を呼ぶような差別を正当化するかの空気を作った責任がある。

今回の廃刊が、ノンフィクションライターの職域を狭めたことは残念至極だ。しかしそれ以上に、破壊した社会の雰囲気を正常化させる役割を、壊した本人が負うべきであって、それを放棄するとすればその責任は極めて大きい。休刊を一つのけじめというならば、それは了としたい。しかしそうであれば、当然ながら『新潮45』以上の投資を、健全な言論公共空間の再構築のために投じるべきであろう。それが日本を代表する表現の自由の担い手である出版社の社会的責務である。

その意味で、出版社は「何を出してもよい」時代は終わっていることに気が付かなくてはなるまい。取材のためなら何をしてもよい時代が終わったのと同じで、今は取材過程の透明性が強く求められている。同じように、出版意義、目的の正当性が求められており、そうした編集過程の透明性が、ネット時代であるからこそ、言論公共空間における基幹メディアである大手出版社には求められている。

これを機に、改めて活字媒体の「マルコポーロ」(一九九五年、文藝春秋)、『僕はパパを殺すことに決めた』(二〇〇八年、講談社)、「ハシシタ・奴の本性」(一二年、週刊朝日)、「慰安婦報道」(一五年、朝日新聞)、ネット媒体の「WELQ(ウエルク)」(一七年、DeNA)、放送媒体の「発掘!あるある大事典II」(〇七年、関西テレビ)、「ニュース女子」(一七年、MXテレビ)などの記事・番組内容が問題となった各事例を総合的に検証し直すことも必要だろう。中身は、差別や捏造など異なるし、放送界には常設の検証機関であるBPOができたなど違った環境はあるものの、編集倫理としての共通の課題も少なくない。その作業を自分自身の責任に課していきたい。

［参照：13年10月／15年5月・11月／16年6月・9月・12月］

タテカンは社会の害悪か* *10.11/18*

【プリミティブな表現】

ノーベル賞報道の片隅で気になる記事があった。十月二日朝、京都大学に同大特別教授の受賞を祝うタテカンが設置されたものの、すぐ大学側に撤去されたというものだ。立て看板やビラ・チラシ、あるいはデモや集会などは、いわゆる大衆表現と呼ばれるもので、だれでも・いつでも・どこでも、しかも容易に表現行為が可能という意味で、最も原始的《プリミティブ》な表現である。そのため、表現する者からすると、特別な技術や媒体、財産がなくても気楽に表現ができる便利なツールである一方、為政者からすると、たとえば大衆の怒りが直接的に表現されることで、社会全体を動かす大きなムーブメントになる恐れがあり、厳しい直接的な取り締まりの対象になりがちだ。

その規制根拠には、ずばり社会秩序維持（破壊活動防止法、反社会勢力規制条例など）のほか、美観維持（軽犯罪法、屋外広告物条例など）、騒音防止、売買春防止（売春防止法、風営法など）、交通秩序維持（道路交通法、公安条例など）がある。いずれも、広義の社会秩序の維持を法目的として外形的な取り締まりをすることで、実質的には表現をする場を奪うというものが中心である。しかも、該当する行為をすべて取り締まるのではなく、選択的規制（取り締まる側の恣意性）

が発揮されやすく、為政者による狙い撃ちが可能という特性があるとされる。

具体的には、郵便受けへのポスティングも、ピザや不動産の広告はお咎めなしでも、政治的なビラだと不法侵入等で逮捕するということになる（裁判でも有罪となっている）。あるいは、駅前のティッシュの配布や電信柱に貼られているビラも同じだし、場合によっては右翼の街宣車と政党の街頭演説の差異ともいえるだろう。こうしてみると、法令を字句通りに厳格に適用すると、実質的な表現活動を広範に制約することになりかねないことがわかる。そこで、言論公共空間を維持するために、少しくらい私有財産（個々人の生活空間）が制約を受けても、社会に多様な情報を流通させるために我慢しましょう、という考え方が示されることになったが、定着には至っていない。

ほかにも、デモや集会も同じ理屈で、為政者は「好ましくない」と思う者には自由を与えない、という手法を取りがちだ。しかもそれらは、表現の枠外、暴力行為だという論法が使われる。沖縄の新基地建設現場付近における抗議活動がその典型例だろう。文脈は異なるが、ヘイトスピーチの恐れがあるものに対する公的施設の貸し出し禁止やデモの不許可も同じである。こうした表現内容に踏み込んで、事前に表現の機会を奪うことを「例外的」措置として認めることは、将来に大きな禍根を残す恐れがあるので注意が必要だ。

●プリミティブな表現めぐる最近のトピック●

79・12・25 大田立て看板事件で、電柱への看板設置が軽犯罪法違反として有罪判決（高裁はは

り札に該当しないとして無罪確定）

87・3・3　大田立て看板事件の最高裁補足意見で、「ビラやポスターを添付するに適当な場所は、道路、公園等とは性格を異にするものではあるが……パブリック・フォーラムたる性格を帯びる」として表現の自由の重要性を指摘

04・12・16　立川反戦ビラ配布事件で、ビラ投函は刑事罰に処するに値する程度の違法性はないとして地裁無罪判決

06・8・28　葛飾政党ビラ配布事件で、ビラ投函は社会通念上容認できない行為とはいえないとして地裁無罪判決

08・4・11　立川事件で最高裁は、管理権者の管理権を侵害し、私的生活を営む者の私生活の平穏を侵害するとして有罪判決

09・11・30　葛飾事件で最高裁は、他人の財産権の不当な侵害は許されないと有罪判決

18・5　京都市の屋外広告規制条例に基づく指導を受け、京都大学が大学周縁の石垣に設置されていたタテカンを撤去。その後も学生との間で、いたちごっこが続く

10・5　東京都が東京五輪・パラリンピックに向け、ヘイトスピーチを規制しLGBTなど性的少数者への差別を禁止する人権尊重条例を制定（19年4月施行予定）。差別団体等への公共施設での利用制限を実施

［参照：12年7月／14年9月／17年6月／18年4月・7月］

安田純平さん解放　*11.10/18*

安田純平さんの解放を巡り、「自己責任論」が広がった。本人も認めているように、ジャーナリストが個人の意思とそれに伴う責任で危険地に入るわけで、その範囲での「自己責任」はある。しかし、ネット上で流布されているものは、国に迷惑をかけたことに対する責任を追及する点で、似て非なることに注意が必要だ。

【距離感と不信感】

こうした批判の一つの特徴は、「怪しい感」を理由にするものだ。韓国との二重国籍であるとか、日本国パスポートは没収されたとか、何度も拘束されているのに出掛ける拘束ビジネスだとか、まさに根も葉もない「デマ」の類いが、そのまま拡散され、なんとなく信じられてしまっている状況だ。あるいは、拘束されていたにしては元気すぎるとか、歯が奇麗すぎる、といった「安田＝怪しい人」のイメージ作りがネット上では広範に行われ、これに相当の人が感化されている。

こうした影響を受けやすい理由として考えられるのが、距離感と不信感だ。

前者の「距離」は、地理的物理的に遠いということ、日本との関わりが見えづらい、あるいはシリア料理、シリア人が近くにいないなど、身近でないということ、そして戦争自体が遠い存在であることなどがあげられる。一方で「不信」は、ずばりメディアに対する批判・不信・不要の感情だ。一九八〇年代以降、多少の波はあるにせよ、一貫して高まっているメディアに対する否定感情が広く定着していることが、マスメディア上で、安田さんに対するいわゆる擁護論が出れば出るほど、その逆張りである否定論が強まるという傾向がある。

こうした距離と不信を根底にした怪しい感が、正論を超えて存在しているだけに、事態はより深刻だ。それは、〇四年のイラクで捕虜になった三人が帰国した時に巻き起こった、バッシングに比してという意味においてである。当時、自己責任論の急先鋒は、政府要人であり、それを受けての保守系識者であった。その背景には、政府のイラク戦争への対応等への批判をかわすといった、政治的背景なども見え隠れする中で、ある意味では政治によって作られた自己責任論であったとも言える。しかし今回は、政府からも目立った反応はない。それでも、すでに社会に「自己責任論」が定着し、わざわざ、そうした世論を意図的に作る必要がない状況に、社会がすでに変わってしまっているということだからだ。

【「無責任な迷惑者」】

しかも、その批判の仕方も冒頭にあげたように、「迷惑論」である。国に対して迷惑をかけた

「日本人の恥」ということになる。これまた本人が記者会見の冒頭で述べたように「政府が当事者になった」ことは事実であるが、それが迷惑であるかどうかは別だ。むしろ、政府の世話になるということは、広く考えれば、病気になった場合の救急車もそうだし、海や山での救難活動も該当するだろう。北朝鮮に拉致された者を助ける行為を、政府に世話になった迷惑者とは、だれも言わない。

もちろん、ここでもう一つの問題が生じる。それが、「わざわざ自分から好きこのんで行った」という「無責任な迷惑者」論だ。この点に関しては、ジャーナリズム活動に対する理解を社会的に醸成する以外に対抗策はないとも言える。ジャーナリズム活動とはそういうものだ、ということであり、こうした職業を社会的に必要と思うかどうかということだ。あえて結論を確認しておくならば、これはジャーナリズムの社会的存在意義そのものである。

市民になり代わり、あるいは代行して知る権利を行使し、様々な情報・知識を伝える社会的機能を評価する社会が、民主主義の前提であるということを、日々のジャーナリズム活動を通じてメディア自身が証明していくしかない。ただしもちろん、そうした合意を形成するための教育も重要だし、それを率先するのは政治家の役割だ。しかし、例えば今回の批判の渦の中で、政治家が積極的に安田さんの取材・報道活動を評価することはないし、そもそもその前に、戦地取材を邪魔することはあっても、それらを評価するような姿勢をとる政治家がいないことが、日本の不幸であるとも言える。

そしてもう一つ、この迷惑論を複雑にしているのが、「国家」との関わりだ。そもそもジャーナリズムたるものは、権力批判に代表されるように、国あるいは公権力に対しては批判的な立場にあることが一般的だし、そもそも「国」なるものとは離れた存在である。要するに、国益のために働くのは公務員であって、ジャーナリストではないということだ。しかしそうした国と離れた存在であるはずの報道活動が、いったん囚われの身になった瞬間に、国によって救出される関係になる。それはジャーナリストとしてではなく国民との関係で国が出てくるわけだが、それが混然一体となって、国を批判する立場の記者が国に救出される対象になって恥ずかしくないのか、といったねじれた批判が起きる原因になっている。

あくまでも、パスポート保持者である限り、発行元である国は、自国民を救出する義務があるのであって、その人がどういう人であろうと助けなくてはいけないのであって、それ以上でも以下でもないはずだ。

【危険回避】

もちろん、記者自身にも、危険回避の努力義務はある。いわば報道倫理・行動綱領の一つと言ってもよかろう。IFJ（国際ジャーナリスト連盟）などの国際報道機関はそのためのマニュアル本を発行しているし、日本新聞協会が一九八七年に、ルイーズ・モンゴメリー編『危険な任務を帯びたジャーナリスト：命を保つための手引き』を翻訳出版している。

こうした、しかるべき記者としての最低限の作法を守ることは大切であるが、戦争（紛争）地に行った場合、様々な身体拘束を受ける可能性があるのであって、それをもって努力不足であるということにはならない。むしろ、まっとうな取材をしているということは、それだけ取材対象からは疎んじられているわけで、拘束等の取材妨害の可能性・危険性はそれだけ高いということだからだ。

だからこそ、万が一拘束された場合は、その救出のために国際的連帯の中で、その努力がなされるわけだし、無事解放された場合は、帰還を素直に歓迎し、こうした危険を冒してまで取材をするジャーナリストは感謝の対象であるのが自然の流れだ。こうした「当たり前」が起きない日本は、ジャーナリスト、ジャーナリズム活動に対するリスペクトが決定的に欠如しているということにほかならず、そのこと自体が極めて危険であると言える。

［参照：14年11月／20年2月］

消費税メディア軽減税率* *11.8/18*

【特恵的待遇の意味】

国会が始まり、改めて消費税率引き上げが政治課題に挙がってきた。そうなると、自動的についてくるのが軽減税率の問題である。すべての商品・サービスに対して一律にかかる税金であることから、低所得者により重税感があるといった逆進性が問題になってくる。そこで多くの国では、同様の性格を持つ間接税である付加価値税（ＶＡＴ）に関し、生活必需品を中心に税率を軽減もしくはゼロにする方策がとられている。

日本でも、一九八九年に初めて消費税が導入されて以降、繰り返し軽減政策が議論の対象になってきた。しかし、税率が低い中で導入されることは、小売りに過剰な負担を強いることなどから先送りになってきた経緯がある。いよいよ二桁になることで、今回は導入ありきでの具体的な検討が進められているという状況だ。

細かな線引きは別として、食料品が対象になることについては特段の強い反対はないわけだが、「新聞」が対象になることには各方面から厳しい批判があるほか、業界内の不協和音も絶えない。たとえば、ことあるごとに小泉進次郎衆議院議員は反対意向を表明しており、それに呼応するメディア関係者も少なくない状況だ。ではなぜ、新聞「だけ」が特別扱いを認められているのか、まずは海外の事情から確認しておきたい。

第一に、多くの国では「知識課税」という考え方をとる。表現活動への課税は、歴史的には事前検閲と並ぶ公権力の批判封殺の一手段である。日本でも戦前・戦中は、事前に供託金を納めさせ政府にとって好ましくない言論があれば没収をしたり、印紙税という形で刊行物に税金をかけることで、批判的な表現活動を抑えていた。だからこそ、言論報道活動に政府が税金をかけることには、原則ノーであるということだ。

第二は、「民主主義の必要経費」という考えだ。民主的な意見形成の上で、豊かで多様な情報流通は不可欠であって、そうした知識・情報は可能な限り安価に誰もが手に入れられることが好ましいと考えられている。もちろん、表現活動は報道に限らず、芸術も含む文化全般に当てはまる。たとえばイギリスでは、新聞・雑誌・書籍も、さらにはコンサートなどの芸術活動に関しても、広く税率はゼロか軽減税率が適用されている。

2018

それからすると日本の適用範囲は、新聞でも定期購読だけで、駅売りや電子版が除外されていたり、雑誌や書籍は内容にふさわしくないものがあるから認めないという議論が当たり前に行われるなど、あまりにも、文化・知識・情報に対する理解が社会全体に低いということにならないか。

業界側にも責任はあると思う。本来は、市民社会のなかでジャーナリズム活動へのリスペクトがあって初めて成立する制度であるが、それを飛び越して政治向けの交渉の方が目立っているからだ。あるいは、重要な表現の幅の広さ・豊かさを切り売りして、適用外の雑誌・図書を、自ら選別することが正しい方向性なのか、まだ見直す時間はあるだろう。

●メディア軽減税率めぐる流れ●

75〜　歳入不足を補うため消費税導入を図るが、法案提出に至らず
87　売上税法案を提出したものの廃案
89・4・1　日本で3％消費税導入（88年に消費税法成立）
11　5％への増税のための税制改革法案成立（97年実施）
04・4・1　税込み価格の総額表示が義務付けられる中、書籍については例外的に「本体＋税」表記を容認（流通期間が長く、税率が変わる可能性があるため）。その後、13年に総額表示は任意扱いに変更
11・5　新聞協会は、軽減税率は世界の常識として適用を主張

13・1　新聞協会は、新聞に軽減税率適用を求める声明を発表（15年9月にも同趣旨の声明を発表）

14・4・1　消費税8％に増税

15・8　雑誌協会は出版物に軽減税率適用を求める意見広告を一斉掲載

12・12　軽減税率導入時の対象品目として、外食・酒類を除いた「生鮮商品・加工食品」のほか「週二回以上刊行される新聞」について8％に税率を据え置くことを、自公間で合意

16・5　政府は17年実施予定の税率引き上げを延期することを決定

16　税制改正大綱に「有害図書排除の仕組みの構築などを勘案し、引き続き検討する」旨の記述

16　日本書籍出版協会、日本雑誌協会、日本出版取次協会、日本書店商業組合連合会は、有害図書を区分する仕組みを導入する方向を示す

［参照：09年3月／13年4月／14年7月／16年1月］

2018

ファクトチェックの意義　*12.08/18*

辺野古新基地建設を巡り、二〇一八年十二月は大きなヤマを迎えている。

政府はパフォーマンスとしての「土砂投入」を宣言し、海は埋め立てられ不可逆な状況まで進んでいるとの既成事実化を図ろうとしている。本土メディアは間違いなく大挙して押し寄せ、その様子を大々的に報じ、結果として沖縄に諦めを強要する空気を醸成する役割を担うことになるだろう。翁長雄志前知事の遺志である承認の撤回は、国が私人に成りすます荒業と、いわば政府と一体化した司法判断によって、結果として問答無用の雰囲気作りが進んでいる。この点についても本土メディアの結果のみを伝えるストレート記事によって、沖縄の〝悪あがき〟感が助長されるという消極的加担が目を覆うばかりである。

そして二月の実施が発表された県民投票については、四市が非協力の姿勢を示すことを伝えれば伝えるほど、沖縄の基地に対する意思は県内バラバラであるというイメージを作ってしまっている。そもそも、気に食わない事務は拒否するということが許されてしまっては、通常の選挙事務も地元小学校の運動会を優先したいので協力しません、ということが許されてしまうということだ。

こうしてみると、これら事態をどう伝えるかで、受け手の認識が全く違ってしまうことがよくわかる。だからこそ、報道機関は「いまをどう伝えるか」に心血を注ぐことになる。

【県知事選】

通常の選挙期間中の紙面や番組を思い起こしてほしい。各候補者を必要以上に「平等」に扱うことに気を遣っていて、新聞で言えば行数も写真の大きさも寸分たがわぬほど同じスペースである。一方の候補者のみを批判し、結果として貶めることはご法度だ。しかしその結果、候補者情報は通り一遍の表層的なものになりがちで、有権者にとって投票にあたっての有益な情報にはなりえていない可能性が高い。

あるいは各報道機関は、事前の情勢調査（投票所の出口調査も含む）に莫大な経費をつぎ込んでいて、その結果の一つとして、「ゼロ当」と呼ばれる開票率ゼロ％の投票締め切り時間と同時に「当選確実」を報道するという離れ業ができる仕組みだ。しかしこれが本当に必要な選挙報道かと言えば、いわばショー的要素が強いと言っても過言ではなかろう。

そうした中で九月に実施された沖縄県知事選では、新たな動きが見られた。日本初のファクトチェックの実施である。しかも琉球新報と沖縄タイムスの両紙が、期せずして両方とも実施したことに意味がある。さらに言えば、紙面化された「嘘情報」が両紙で一つも重ならなかった点も興味深いところだ。すでに地元読者にとってはよくご存じのことだが、琉球新報の「ファクトチェック（フェイク監視）」で紙面化されたのは、知事選世論調査（八日）、沖縄振興一括交付金（二十一日、二十七日に続報）、安室さん特定候補者支援（二十四日）と、携帯電話料金削減公約（二十五日）の四つである。そのほかに「ツイッター分析」も実施し、選挙後も、「ファクトチェック」のワッペンは継続されている（例えば、十一月十六日付で菅官房長官の記者会見の誤りを指摘）。

一方で、沖縄タイムスの「偽ニュース調査」では、候補者政策の文字数、翁長前知事の言動、佐喜真淳候補の市長実績（いずれも二十七日）をニセ判定している。手法としては、約七十本の収集情報から、十七本を検証対象に行ったという。

【言えば変わる】

どちらの手法が「正しい」かの正解はないのであって、今後、経験を積んでいくしかなかろう。どちらも、事実関係から明らかな「虚偽」をフェイクニュースとして判定している点では変わりないが、あえていえば、沖縄タイムスは「指摘検証型」とでも言えようか。候補者名を明記したうえで、自社サイトと連携して、追検証ができるようにファクトデータのリンク先やフェイク画像を掲載した。

一方で、琉球新報は「アラーム型」だ。何よりも、選挙期間が始まる段階からフェイク指摘を行い、デマの拡散をより早い段階で摘み取る働きを示したと言えるだろう。あるいは、政策内容にもあえて踏み込み、投票行動に大きな影響を与えるとみられる候補者の書き込みを指摘した。その違いは、両紙の社風とも言えるし、協力先の差でもあろう。ファクトチェック・イニシアチブ＝ＦＩＪ（新報）と藤代裕之研究室＋国際ファクトチェック・ネットワーク（タイムス）の、判断基準や考え方が影響したということだ。

ただし、両紙の違いよりむしろ重要なのが、なぜ日本で初めて選挙期間中のファクトチェックが実施できたのかだ。その一つは、過去の二つの経験に起因すると言えないか。普天間飛行場にもともと人は住んでいなかったというような、いわゆる沖縄神話に、両紙は紙面とネット上で、そしてそれらをまとめた単行本で、繰り返し「反論」した体験がある。その結果として、こうした神話はだいぶ鳴りを潜めつつある（それでもまだ執拗に流されてはいるが）。言えば変わるの「成功」体験だ。一方で、痛い前例も経験している。県知事選の前の名護市長選では、「日ハム撤退」デマが、とりわけ若者層を中心に選挙行動に大きな影響を与えたとされたからだ。

こうした体験があったからこそ、先述したような選挙期間中の「公平縛り」から脱却し、一方の候補者の批判につながる記事は平等性に反するからできないという「思い込み」を超えて、一歩踏み込むことができたのではないか。

また、ファクトチェックは新聞の役割外という暗黙の了解が報道界には存在するようにも思える。情勢調査（予測報道）や候補者の政策紹介が本筋で、現実としてヒト・モノ・カネもこれらの取材に集中投下している。結果として、ファクトチェックは選挙報道の枠外で、第三者機関のやることという思いが強いということだ。あえて言えば、新聞は事実報道をしているのであって、選挙時のフェイク監視は報道ではないということになるのだろう。さらに、ネット言説にいちいち反応するのかという思いも、いまだに既存メディア間には強い。

こうした従来の報道慣習を超える勇気こそが、閉塞感がある今日のジャーナリズムを変える起爆剤になりうる。それゆえに、いま沖縄にこそ、日本のジャーナリズム全体を活性化させるヒントがあるということになろう。

［参照：12年12月／15年5月／16年9月／17年10月］

公平とは何か* 12.13/18

【権力の表現規制手段に】

いつもの光景である「強行的」採決によって次々と法案が成立した国会であった。新たな入管制度でも、外国人労働者を安価な使い捨ての対象とすること自体に変更はないように思われ、昨今の在日コリアンらに対するヘイトスピーチにも共通する、差別的な意識の存在が否定できない。にもかかわらず、一方でメディアに対しては、絶対的公平を求め厳しい批判が寄せられるのが近年の傾向である。しかもこの公平要求は、もっぱら政治的公平をさし、さらに言えば政権批判を許さないといった色彩を強く帯びているのが特徴だ。同時に、先に述べた差別言動と平等要求を主張する人々が重なり合い、裏表の関係にあるのが今日の特徴ともいえる。

最近の流れを振り返ると、こうした公平論議を主導しているのが政治家・政党・政府という現実がある。そして不公平であることを理由として、国会の内外で特定メディアを抗議・攻撃の対象としている。その最たるものが新聞でいえば朝日新聞と沖縄地元紙の二紙であるし、テレビでは従来、TBSとテレビ朝日であった。こうした政治家の声に呼応して、ネット社会でも雑誌や書籍の活字の世界でも、「潰せ」の声が広がっている。とりわけ九〇年代以降、市民社会のメディアに否定的な空気を固定・助長し、時にそれらの声に乗じて、国家によるメディアコントロールを強化してきたというのが基本構造だ。

そもそもこの「公平」神話の起源の一つは、放送法の規定だ。その四条に、事実報道、公序良俗、多角的論点の呈示と並んで「政治的公平」が定められている。この公平を「数量平等」と解し、なおかつそれに反するか否かは政府に判断権限があると解釈を変更したことから、これに反する番組は偏向と呼ばれることになった。と同時に、政府が偏向というのは総じて、自らを批判する場合に限られることから、偏向＝政府批判という定式が出来上がったわけだ。本来の意味合いとしては、少数者の声を聴くとか、反論に耳を傾けるとか、権力におもねらないという意味での「質的公正」をさす、いわば報道倫理の一つであったものが、権力による表現規制手段になってしまったということになる。

一方でこうした政治家の言動が、メディアの側にも責任があることも忘れてはならない。市民社会のなかのメディア批判の傾向を大括りすると、「一九七〇年代＝疑問→八〇年代＝批判→九〇年代＝不信→二〇〇〇年代＝否定→二〇一〇年代＝不要」と、確実・着実に否定的な空気が進化していることがわかる。こうした批判に十分に対処してこなかった責任は、当然当事者に帰すものがあるからだ。そして、いまの不要論が、まさに政府に批判的なメディアを潰せという声につながっている。こうした「公平」を旗印とした、市民社会と公権力の間の負のスパイラルによって、健全なジャーナリズム活動がどんどん窮屈になっている状況をどう正常化するか、大きな岐路に立っている。

●「報道の公平さ」をめぐるトピック●

93 テレビ朝日の衆院選の報道姿勢を巡り問題化 郵政省は「経営管理面で問題があった」として厳重注意 国会で「政治的公平は最終的に郵政省が判断する」と明言

03・11 自民党がテレビ朝日に衆院選に際し民主党に好意的であると抗議、所属議員の出演を拒否

04・7 自民党は参院選の報道で扱いが不公平であるとして抗議

13・6〜7 自民党は参院選報道で、TBSの番組が公正さに欠けるとして文書で抗議の上、党幹部に対する取材や番組出演を拒否

14・1 NHK会長が就任会見で「政府が右というのを左とは」発言

11 自民党は在京放送局に「選挙時期における報道の公平中立並びに公正の確保についてのお願い」で、出演者の発言回数や街頭インタビューなど公平中立・公正を要請

15・11 放送法遵守を求める視聴者の会が、政府に批判的な番組を偏向報道として糾弾する内容の新聞全面広告

16・2 総務大臣が国会で改めて、放送法に反した場合は電波法に基づき電波を止めると明言

18・8

同趣旨の政府統一見解を総務省が国会に提示

自民党は総裁選に際し在京新聞社に「総裁選挙に関する取材・記事掲載について」で、内容・掲載面積など各候補者を平等・公平に扱うよう要請

［参照：13年3月／15年12月／16年7月／／17年10月・12月／18年9月］

2019

「平成」を振り返る　*01.12/19*

今春の代替わりを前に、「平成」時代の振り返りが盛んだ。報道という面からみると、崩御・自粛報道に始まり、忖度やフェイクニュースに染まった中で終わろうとしているということになる。きわめて示唆的であるが、すでに時代の冒頭で、いま大きな課題となっているメディアの過剰自主規制、社会全体の慮《おもんぱか》り状況が現出していたということだ。

別の見方をすれば、マスメディアとりわけ新聞の社会的存在・影響力が一気に低下した三十年間であった。日本国内の広告費や業界売上高でみた場合、それまでの中核であった新聞業界の広告比率や産業規模が半減し、それに代わって台頭したのがインターネットであり、ちょうどいまその広告費が新聞を上回る状況にある。

こうした傾向は、平成前半の十〜十五年間はまだはっきりと認識されていなかったものの、いまに続く厳しいメディア批判の高まりを思い返すならば、着実かつ確実に進行していたといえるだろう。そして二十一世紀に入って以来、表現の自由の縮減状況は法制度上にも、そして日常社会のなかでも明確に表れるようになったということになる。

また同時に進行したフルデジタル化あるいはデジタル・ネットワーク化の流れは、情報の流れを一方向から双方向性に大きく転換するとともに、だれもが容易に世界に向けて情報発信をすることを可能とした。しかもその情報は、瞬時に地球上を駆けめぐるだけでなく、未来永劫ネット上を浮遊する時代を迎えることになっている。

そうしたなかで、ライツビジネスは市場の拡大によってより巨大化するとともに、個々人の行動記録を利活用する個人情報ビジネスが活性化し、プライバシー意識が高まる一方で、国家や一部の企業が膨大な個人情報を占有し、それを本人の知らないところで知らない形で利用することが一般化した三十年でもあった。

【表現の自由】

そうした状況を、まだ記憶に新しい二〇一八年の一年間で振り返ることで再確認し、新たな年、来るべき新時代の身の処し方を考えることとしたい（順番は重要度と比例してはいない。＝の後は「平成」時代全体の流れを示す）。

（1）政府公文書の隠蔽・改竄・廃棄の闇深し＝平成は情報公開制度が各自治体に始まり国レベルでも整備され、政府と国民の間で情報の共有化が始まった時代であったが、その一方で官僚・政治家のなかではそれに抗して「記録を残さない」動きが強まっている。

（2）憲法改正で緊急事態条項導入浮上、国民投票法ではCM規制強化も＝日本社会の「緩やかな合意」だった非戦に揺らぎが見え始め、戦争ができる国作りが進んだ時代であった。それに伴う秘密保護法制や緊急事態法制の整備は、表現の自由の制限に直結するものであった。

（3）放送制度改革で官邸筋から民放廃止論も。関連して4K8K放送が始まるなかNHKは受信料値下げとネット本格進出決定＝戦後すぐに確立した地上波中心・NHK民放並立の放送制度が大きな転換点を迎え「公共メディア」とは何かが問われている。

（4）東京都でヘイト規制条例成立、集会の事前規制も。関連して、新宿区で公園利用制限始まり実質デモ規制＝ヘイトスピーチが大きな社会問題となり規制立法が成立するなどの新しい動きが見られた一方、従来の例外なき表現の自由の大原則に「穴」をあけ、公権力による表現の事前規制を容認する動きが強まっている。

（5）消費税軽減税率で新聞定期購読料は認められるも雑誌・書籍は棚上げ＝平成の始まりはマスメディアに対する優遇措置として再販が大きな議論の対象となり、いままた税制優遇措置の対象を巡り「表現物の善し悪し」についての峻別が始まっている。

【ジャーナリズム】

（6）自民総裁選で新聞各社に公平報道要請＝放送行政をはじめとして、「公平性」を理由とした公権力の露骨な報道圧力が始まり強まったのも、奇しくも平成の時代と重なる。

（7）犠牲者氏名の非公表・被害者の匿名化が一段と強まる＝犯罪被害者の保護名目と、社会全体のプライバシー意識の高まりを受け、新たな法制度が整備され、警察の匿名発表が広がるとともに、「実名」報道に対する厳しい批判が寄せられるようになった。個人情報の利活用については、米国グローバルIT企業をはじめとする利用拡大の動きと、忘れられる権利などEUで進む新たな保護政策が同時進行する状況だ。

（8）沖縄県知事選で地元紙がファクトチェック実施。関連して、沖縄報道での温度差広がり対立へ＝オルタナティブファクト、フェイクニュースが流行り言葉になるなか、ポイントは権力による批判・異論の封殺にある。また、SNS上の「悪意なき」拡散が、誤ったイメージの固定・助長に寄与する状況を産むことに対する対抗策も出始めている。

（9）テレビ朝日のセクハラ告発がメディア内でも意識改革の端緒に。関連して、メディアの内の「働き方改革」始まる＝とりわけ女性の社会的地位の低さはいまに始まったことではなく、今もって日本社会の大きな課題であるが、その人権意識の低さは政界とともにメディア界において最も象徴的に表れている。そうしたなかで、ようやく新聞・テレビの世界でも女性記者・ディレクターが当たり前に存在するようになり、その結果、様々なハラスメントが社会的に問題視されるようになってきた。

（10）安田純平さん解放を受け「自己責任論」再燃＝単に危険地取材のありようにとどまらず、個としてのジャーナリズム活動、報道の社会的役割とは何かという根源的なテーマを改めて浮き彫りにしている。これは、時代を通じて大きな報道課題・対象である「災害」報道にも通じるものだ。

ほかにも昨年は、『新潮45』がLGBT差別論考を引き金として事実上廃刊したり、漫画海賊版ブロッキングで賛否が分かれる一方、著作権法改正で企業の無断スキャンが許容されたりもした。ここに挙げた事項は、今後しばらく、表現の自由あるいはジャーナリズムを考えるうえで議論を続けていく必要があるテーマであろう。

［参照：17年5月／19年12月／20年9月］

ネットと放送の一体化* *01.10/19*

【「放送の変質」課題に】

もうすぐ始まる通常国会に提出予定の法案の一つに放送法改正案がある。そこでは主として、NHKの業務見直しが諮られる予定で、本格的なネット（＝通信）進出を実質的に認める内容になると想定されている。その意味するところは、二〇一九年が「放送なるもの」にとって、大きなターニングポイントになる可能性があるということだ。

もともと放送は、通信の極めて特異な一形態だ。したがって、放送と通信を一体化するというのは、それ自体自然な考え方でもある。しかし一方で、現在の地上波放送と呼ばれているテレビやラジオは、全国津々浦々まで電波が行き届き、しかも無料（受信料徴収はあるが）で、誰でも簡単にいつでもアクセスできる「マスメディア」として厳然と存在してきた。その圧倒的な視聴者数と一斉同報の送信形態によって、日本社会全体の合意形成などに大きな役割を果たしてきたことは疑いようがない。

しかし、一〇年の法改正で放送定義が変更になり、言葉の上で通信と放送が融合していたわけで、さらに今回の法改正で実態が追いつく状況を生むということになる。さらにこうした空気を後押しするのが昨一八年の動きだ。ちょうど一年前、政府筋から一枚のペーパーが流れた。その内容は、民放を不要とする衝撃的なもので、すぐに民放界から総反発が起こり、結果、政府は火消しに回りうやむやのうちに闇に葬られることになった。この検討主体は官邸直属の規制緩和を議論する正式な審議会で、六月の報告書では、経済活性化の観点から市場の開放を謳うにとどまった。

放送マーケットを一度解体し、新規業者の参入を積極的に受け入れ、新たな市場を形成するとどうなるのか。こうした根源的な疑問は棚上げされたまま、フルデジタル化された社会において、放送とネットが一体化するための環境作りが一段と進んでいる。総務省のもとで開かれている有識者会議では、NHKの本格的なネット進出にゴーサインを出した。NHK自身はそのタイミングを見計らっていたかのように、かねての政治案件であった受信料の引き下げを発表、ネット常時同時配信の環境を整備した。

NHKは今後、公共放送ではなく「公共メディア」としてすべての通信のなかでの雄として、あり続けていきたいとの決意表明でもある。おそらくその際には、いまは受像機ごとに視聴者のボランタリーな支払いによって支えられている受信料制度は、全戸からの強制徴収といった形態に変化を余儀なくされるだろう。

2019

ある意味では偶然であるが、その受信料について最高裁は、一七年十二月に現行制度の合憲性を初めて認定した。NHK自身も内部に設置した有識者会議で、準備よくこうした受信料徴収の妥当性にお墨付きをもらっている。

こうしたポスト「放送」において、情報流通の自由は十分に確保できるのか、あるいは権力監視を含めたジャーナリズム機能は保障されるのか、こうした問いが置き去りにされたまま放送が変質し、相対的に弱体化していくことはないのか。こうした課題を社会としてどう捉え解決していけばよいかが問われている。

●放送の自由をめぐる動き●

16・7 総務省・放送をめぐる諸課題に関する検討会（諸課題検）「第一次取りまとめ」で、新たな時代の公共放送としてインターネット活用業務の一層の推進などを提言

17・12 最高裁がNHK受信料制度に合憲判断

18・1 NHK内部に設置されていた受信料制度等検討委員会が、「常時同時配信の負担のあり方について」など三つの答申を公表

1 NHKは経営計画で、20年度までの受信料据え置きなどを明記

2 「通信・放送の改革ロードマップ」と題するペーパーには、放送特有の規制（政治的公平を含む編集番組準則）の撤廃、あまねく受信努力義務の撤廃、「放送（NHKは除く）は基本的に不要」との記載

5 著作権法改正で「柔軟な権利制限規定」により例外の拡大実現

6 内閣府・規制緩和推進会議「規制改革推進に関する第3次答申～来るべき新時代へ～」を公表、そのなかで「放送をめぐる規制改革」を扱う

9 諸課題検が「第二次取りまとめ」 11月にはNHKネット常時同時配信を了承

11 NHKが20年10月に受信料額を改定し、実質4・5％の値下げを発表

12 新4K8K衛星放送が開始

［参照：08年7月／09年6月／10年3月・12月／17年7月・12月／18年4月／19年8月・10月］

官邸による質問制限　*02.09/19*

新聞社の労働組合の集まりである新聞労連（日本新聞労働組合連合）が五日、「首相官邸の質問制限に抗議する」との声明を発表した。ここで明らかになった官邸からの働きかけに関しては、いくつかの看過できない重大な問題がある（雑誌『選択』二月号が初報とされている）。

事の発端は、内閣官房総理大臣官邸報道室長・上村秀紀名で、内閣記者会あてに出されたA4・一枚強の文書だ。なお、東京新聞の望月衣塑子記者の質問に対し、具体的に反論する添付資料が一枚ついている。平成三十年十二月二十八日の日付があり、タイトルはない。文書は、「十二月二十六日午前の官房長官記者会見における東京新聞の特定の記者による質問について、添付資料にお示しするとおりの事実誤認等がありました」で始まり、続けて「東京新聞側に対し、これまでも累次にわたり、事実に基づかない質問は厳に慎しんでいただくようお願いしてきました。……にもかかわらず、再び事実に反する質問が行われたことは極めて遺憾です」と、一方的に質問に問題があるとする。

さらに、「（国内外で閲覧可能な会見の）場で、正確でない質問に起因するやりとりが行われる場合、内外の幅広い層の視聴者に誤った事実認識を拡散させることになりかねない）」としている。そして最後に、「度重なる問題行為については……内閣広報室として深刻なものと捉えており、貴記者会に対し、このような問題意識の共有をお願い申し上げるとともに、問題提起させていただく」といった内容となっている。

【沖縄への強硬姿勢】

この時期はまさに、沖縄県側の様々な申し入れや確認を政府がほぼ黙殺しつつ、土砂の投入を強行していた時期で、また辺野古新基地建設をめぐる県民投票が政治日程に上がっていたタイミングだ（この状況は現在も継続中ではある）。政府がそれゆえに、「雑音」を封じ込めたいと思うことは想像に難くない。政府にとっての雑音とは、工事に問題がある、ましてや違法性があるかのような言動は、工事を強行する政府の姿勢に批判が集まる可能性があるほか、県民投票の投票行動に影響を及ぼしかねず好ましくない、ということにほかならない。

こうした「異論」を封じるような姿勢は、現政権のメディア戦略の大きな特徴であり、とりわけ原発、安全保障、そして沖縄の米軍基地問題という現政権の重要な課題について、議論することさえを否定するに等しい強硬な言動を続けている。それが、政府方針に反対していることをもって沖縄地元紙を偏向していると決めつけたり、党内での「潰してしまえ」発言に結びついている。

2019

また、琉球新報が二〇一四年二月に報じた石垣市への陸上自衛隊配備に関する報道については、のちに事実であることが判明した事案にもかかわらず、事実誤認として防衛省が抗議・撤回を迫ったこともある。公開の記者会見において反論するのではなく、質問や議論を封鎖し、結果として事実を隠蔽する姿勢は、米国大統領が公開の記者会見やSNSで、フェイクニュースと報道機関を断罪する行為よりも、一段と悪質である。

【知る権利の侵害】

そのうえで、政府から記者クラブへの申し入れは、二つの点で大きな問題がある。一つは、特定の記者の質問を封じ込めるかの強圧的対応は、事実上の取材妨害であって、これは国民の知る権利を阻害する行為である。都合の悪い情報を隠したり、否定したりするのは為政者の習性ではあるが、昨今の公文書や統計情報の破棄・改竄・隠蔽にも通じる、事実を捻じ曲げ自己の正当性を押し付ける政府による情報コントロールの手法は許されない。

そもそも記者会見では、記者がその時々の取材で得た情報に基づき質問をするものであって、場合によっては真偽が判明しない事柄を確認する意味合いも多分に含まれる。いわば真実追求に向けての取材の一過程であって、正確性に欠ける質問は認められないという政府の態度は、事実上、質問の幅を大きく狭めるもので、取材の意義を損なう行為である。ましてや今回の場合、「誤り」としている政府の主張自体に争いがあることから、むしろ政府側に積極的な説明責任の義務がある事柄といえよう。

そしてもう一つは、当該記者あるいは社ではなく、記者の集合体である記者クラブ（内閣記者会）に対し申し入れをすることで、報道界全体を威圧するとともに、間接的には政権への忠誠を尽くすよう求めた点だ。これは先に挙げた、自衛隊配備をめぐる琉球新報の報道に対し、日本新聞協会に対し申し入れをしたのと同じ構図である。こうした場合、報道界側は一致して跳ね返す必要があるが、今回は公表されることなく、一カ月以上が経過していた。冒頭の新聞労連声明などがなかったら、そのまま埋もれ既成事実化することになっていたということだ。

【報道側にも課題】

当初はより直接的な特定記者外しの動きがあり、記者クラブ側がそれを拒否したため、記者室内に紙を張り出す形での申し入れを行ったと伝えられている。また、記者クラブとして「質問は制限することはできない」とも伝えているという。

実際、申し入れを受けた記者クラブ内に、望月記者の取材手法を疎ましく思う人（勢力）があるのかもしれない。官房長官に対する厳しい質問を、殊更に取材先との対立を生むものとして好かない記者もいるのだろう。トランプ政権下のホワイトハウス記者会見におけるCNNジム・アコスタ記者や、東日本大震災後の福島第一原発事故に際しての日隅一雄弁護士のやり取りを、記者会見をパフォーマンスの場にしているとか、喧嘩ごしのやり取りは記者会見にふさわしくないとの意見があったのと似た印象を受ける。

しかし重要なのは、それとこれとは別という点である。先のCNN記者の場合も、排除の動きに対しては、通例、トランプ政権に親和的なＦＯＸも含め、一致して報道機関が対抗措置をとった。それが最低限の報道機関としての矜持というものだし、知る権利の代行者として記者会見の場に出ているものとしての社会的責務だからだ。こうしたことから、プレス（報道機関）への信頼性は高まることもあるし、簡単に失われもすることを改めて認識して欲しい。

［参照：09年11月／11年12月／12年11月／16年8月／17年8月／19年3月／20年3月・6月］

「有害」図書規制* *02.14/19*

【消える成人雑誌】

国内大手コンビニエンスストアから「成人雑誌」が消えることになりそうだ。オリンピックを旗印にした健全化の波は、すべてをのみ込んでさしたる議論も起きていない。コンビニとしては、かつては店舗の呼び水であった雑誌は大切な商品であったが、紙媒体の低迷の中で売り上げは落ち込み、成人雑誌に限らず出版物は、できれば早く棚から外したいモノの一つということなのだろう。本音は、雑誌コーナーの代わりにイートインを、なのではないか。

一方で出版・取次側も、いまや六万店に近い全国のコンビニに、きちんと定期刊行物を届ける作業は並大抵のことではない。こうした「空気」もあって、成人雑誌の撤去は街から雑誌が消える終わりの始まりともいえるかもしれない。

多くの国で、猥褻物は違法な表現行為として取り締まりの対象だ。日本でも公序良俗の維持といった観点から、刑法一七五条で刑事罰が科される。同時に青少年の健全育成を目的として、未熟な未成年に対する表現規制が合法化されてきた。よく知られる少年犯罪の加害者の匿名報道は、当人の社会復帰のための社会的温情で、少年の保護を図ったものだ。一方で有害とか不健全とかいった名称で名指しされるポルノ・暴力系の表現物から未成年を遠ざけることが、大人の役割として古くから社会ルール化されてきている。

ただし前者の客体規制については罰則を設けないことで表現の自由とのバランスを図り、いざという場合は表現者の良識に任せて、あえて法を破ることを社会的に認めてきた経緯がある（もちろん、そうした実名・顔写真が社会的ハレーションを起こすこともある）。一方で後者の主体規制は、内容中立性と呼ばれる、「時・所・方法」による流通規制に限定し、発行そのものを規制しないことで自由とのバランスをとってきた。

同時に雑誌や書籍であれば、出版社側と販売店側が相談のうえ、ゾーニングといわれる区分陳列（コンビニの成人雑誌コーナーもその一つ）や、中身が見えないようなビニール包装やシール留めといった工夫で流通を自主的に制限し、青少年の保護を図ってきた。昨今では同時に、「見たくない人の自由」を守るという観点も加わっている。

こうしたなかで、コンビニ側が出版物の中身に踏み込んで、販売を取りやめるというのは、従来とは異なる新たな領域だ。これは、情報伝達者が表現内容を理由に、情報の流れを堰き止めることを意味するからだ。「低位な表現」物だからといったん容認された規制は、歯止めなく広がる危険性があり、それは結果として市民の知る権利を奪うことになりかねない。しかもこうした動きがこれまで、横浜市・堺市・千葉市・東京都などの「行政主導」で進んできたことに危うさを覚える。

一方、内容規制を自ら行うことで責任を負うことになった販売者が、これまでは免除されていた表現内容に関する法的責任を負わなければならなくなる事態も生まれよう。たかが「有害」図書規制ではない、表現物の自由な流通にとっての大きな問題をはらんでいる。

●有害図書めぐるトピック●

50　都道府県で初の青少年保護条例が岡山県で制定（16年に長野県で制定され、すべての都道府県に存在）

63　日本雑誌協会、日本書籍出版協会、日本出版取次協会、日本出版物小売業組合全国連合会により出版倫理協議会が設立。自主規制による青少年保護育成を目指す

80～90年代　包括指定、緊急指定、通報制度など、指定の簡略化や警察権限強化が進行

04・7　日本フランチャイズチェーン協会策定の『成人誌』取扱いガイドライン」で、条例で「有害」図書指定された雑誌や、出版団体が18禁マークを付けた大人向け雑誌（表示図書）の取り扱い禁止、シール留めされていない成人誌の販売禁止、陳列棚への18歳未満の方への販売・閲覧禁止の表示板の取り付けなど6項目を規定

16・3　堺市が「有害図書類を青少年に見せない環境づくりに関する協定」に基づき、ファミリーマートの成人誌販売の規制を強化（17年2月、千葉市でも同様の方針を発表）

17・11 イオングループのミニストップが成人誌の取り扱い中止を表明（18年1月から全店舗で実施）

19・1 セブンイレブン、ローソン、ファミリーマートが19年夏までに成人誌の販売中止を表明（ローソン沖縄では17年11月から取り扱い中止済み、ファミマは1割、セブンは3割の店舗でも取り扱いなし）。日本雑誌協会は、基準が曖昧で選別方法が不明瞭であるなどの懸念を表明

［参照：08年6月・12月／10年2月／12年8月／16年5月／18年5月］

ドローン規制　*03.09/19*

来年度予算が国会を事実上通過した直後の五日、内閣提出予定の法案が閣議決定された。そのいずれもが表現活動にかかわるもので、電気通信事業法と放送法、ドローン規制法の改正案だ。

【ＮＨＫの変質】

前者は、放送番組のインターネットへの常時同時配信にかかわる、ＮＨＫの業務拡大が中身である。当面は、すべてのテレビ番組を、そのままネット上でも見られるようにし、すでに受信料を払っている人は無料で視聴できる仕組みにする予定だ。さらに２０２０東京五輪中は、テレビで放送しない映像も配信し、しかもすべての人が自由に視聴できることにすると思われる（最近では、サッカーW杯でこの方式を採用した）。

これらを勘案すると早晩、ＮＨＫはネットオリジナルコンテンツを制作し、インターネットの世界に本格参入することになるだろう。その時には、受信料もテレビ受像機単位ではなく全戸徴収に踏み切ることが想定され、さらに言えば、その徴収方法は現行のいわばボランティア方式ではなく、税金同様の法的な納付義務が課される可能性が高い。現在、沖縄の受信料支払率は全国最低で過半に満たないが、その状況が一変するということだ。

そして何より大きな問題は、公共放送から「公共メディア」に変われば、NHKの役割自身が変質してしまうことだ。これまでは、旧来の放送の枠内で民放とNHKの並立体制を基礎として、より〈公共性〉が強い番組を流すことで、社会全体として豊かな情報環境を形成してきた。それがネットに拡大した場合、何をもって公共性・公益性が強いコンテンツというのか。

ネット関連事業に経費を振り分けた場合、どの支出を減らすのかも不透明なままだ。たとえば、手間暇がかかる沖縄の現地取材はしません、ということにもなりかねない。今回、政治的な取引として、ネット進出と引き換えに受信料の値下げを実行する予定である。これは、総予算額は少なくとも増額しないとの意思表明でもある。

そうした中で、NHKがどこに向かうかは、日本の報道機関の社会的役割を占ううえで大きな問題である。単にNHKの番組をネットで見られるというレベルではないことに注意が必要だ。

【事故隠しも】

そしてもう一つの「国会議事堂、内閣総理大臣官邸その他の国の重要な施設等、外国公館等及び原子力事業所の周辺地域の上空における小型無人機等の飛行の禁止に関する法律等の一部を改正する法律案」は、まさに直接的な報道機関の取材規制を企図したものである。いわゆるドローンの普及に伴い、テロ対策等の検討が政府内で始まったのは四年ほど前で「小型無人機に関する関係府省庁連絡会議」と「小型無人機に係る環境整備に向けた官民協議会」が一五年に設置され、当該課題については内閣官房・警察庁・文部科学・国土交通・防衛省が管轄してきた（www.kantei.go.jp/jp/singi/kogatamujinki/）。

今回の法案は、ラグビーW杯や東京五輪のテロ対策とされているが、今国会提出のイの一番の法案として提出してきたことに、隠された真の目的が透けて見える。法は防衛施設の「周囲おおむね三百メートル」の飛行を禁止するとしているが、これが実行されると沖縄県下の米軍取材活動は大きく制約されるどころか、事実上空中取材はほとんどできなくなるだろう。具体的にはたとえば、辺野古新基地の工事状況は空中からの撮影ができなくなり、県が指摘する赤土混入の可能性も、工事の進捗状況すらわからなくなる可能性大だ。筆者も先日、海上から工事状況を視察したが、護岸に阻まれ、中の埋め立て状況は空中取材に頼るほかないのが現実だからだ。

また、頻発するヘリ事故などの際、米軍主導で現場の立ち入りが大きく制約されるなか、空中からの取材ができないことでさらなる事故隠しが進むだろう。ほかにも、たとえば高江地区は事実上全面的に取材が不可能になるほか、米軍基地付近で起きた通常の事件・事故の空中取材も、三百メートルの壁に阻まれ認められない可能性が高い。

【お目こぼし】

政府は〇四年以降、表現規制を直接盛り込んだ法律を成立させてきている。秘密保護法、共謀罪法、国家安全保障関連法などである。表現とりわけ取材を制約することに無頓着な姿勢が明白であるといってよかろう。

さらに政府は、「正当な取材目的であれば同意する」旨を報道関係者に提示しているが、これらを制度化することについても現時点で否定的だ。従来であれば、個人情報保護法やストーカー規制法でも、報道機関の取材活動が制約される可能性を除去するため、明文で適用除外規定を設けてきた経緯がある。そうした報道機関の社会的役割に対する配慮は見られないということだ。法案のもとで予定されている取材許可は、あくまで運用上の行政サービスとしてなされるのであって、いわば「お目こぼし」に過ぎない。こうした恣意性を包含する法律を認めることは、憲法上の市民的権利である表現の自由を大きく制約することになる。

一六年に現行法が制定された際にも、すでに範囲の拡大による取材上の懸念が指摘されていたが、その危惧が現実のものとなったともいえる。法律名も、対象施設名が列挙された現行法から「重要施設の周辺地域の上空」と一般化し、今後も政府の意向で、取材をされたくない事案が浮上するごとに無限定に拡大する恐れがないといえない。官房長官記者会見問題ではさらにその後、「記者は国民の代表ではない」旨の文書の発信が明らかになったり、フリージャーナリストの海外取材を妨害する目的での旅券の強制没収もあった。

こうした、政府が取材の自由を軽視する姿勢は本件にとどまらないだけに、私たちの知る権利が制約され、政府の情報秘匿状況が進むことを強く危惧する。それだけに、沖縄をはじめとする在日米軍基地へのメディア取材を規制する効果を直接生む、同法改正案は決して認められるものではない。

［参照：16年8月／17年8月／19年6月・8月／20年3月］

記者は国民の代表* 03.14/19

【取材は知る権利の代行】

政治家は記者会見を行政サービスとみている、取材行為をそれほど大事に思っていない節がある、と以前に書いた。こうした杞憂が事実であること、さらに言えば、ジャーナリズム活動は単なる商業行為であるとみなしていることが明らかになった。図らずもこのことによって、近年の政府がとってきた一連の行為が腑に落ちるとともに、さらに重大な危機が迫っていることも知ることになる。一八年六月に発信された官邸から東京新聞への申し入れ文書は、「国民の代表とは国会議員であって記者は代表ではない」の趣旨と受け取れる。さらに「新聞社は民間企業」にすぎないとして、報道機関の存在意義自体を否定するかの内容も見られる。だからこそ政府は、政府が行ってほしくない国での取材をしようとする者の旅券《パスポート》を一方的に没収し、憲法で保障されている移動の自由にストップをかけた。また、気に入らない記者の質問は、公式な会見の場でさえも徹底して妨害することに熱心だ。

しかし、言うまでもなく記者活動が国民の知る権利に奉仕するもので、記者クラブの存在とその記者クラブが行う記者会見が、情報を社会に広くそして正確に早く知らせるために、有益な手段であることを、裁判所も認めてきた。実際の法制度も運用も、それを前提に行われてきている。

こうした現実をいとも簡単に、しかも時の政権の一方的な解釈で変えてよいものではないし、それを「例外的な出来事」として社会が「何となく容認」してしまうことは、まさに立憲主義の崩壊である。

そして今国会には、具体的な取材規制のための法案を上程予定だ。いわゆるドローン禁止法を改正し、広く防衛施設全般の周囲三百メートルでの使用を禁止するものだ。これによって、とりわけ大きな影響が予想されるのが沖縄の米軍基地取材であることは明らかである。すでに政府は、沖縄県紙が撮影した写真を立ち入り制限区域内での撮影と思われると文書で抗議している経緯がある。これからすると、現在進む辺野古の基地建設や、高江でのヘリパッド補修の工事状況の空中撮影は、すべて禁止されることになる。

そうなると、いまでさえ政府は、工期も建築費も、その移設理由も目的も、ほぼ一切を国家安全保障上の理由等で明らかにしない中で、さらなる情報隠しが進み、実相が住民に何も明らかにならない状況が深刻化する。事実にアクセスするための報道機関の取材行為を、同法案は根こそぎ奪うことになるということだ。

従来ならこうした場合には、報道活動に関する特別扱いが明文化されてきた。それらは、最低限の知る権利に対する配慮であった。しかし今回は、こうした適用除外の条文化に、政府は否定的だといわれている。むしろ近年の法制度は、総論（表現の自由）には一見配慮したように見せかけつつ、各論（取材報道の自由）にはより厳しくという傾向にある。このあくなき「挑戦」を見過ごしていては、この国の人権はすべて空文化してしまうことになる。

●取材の自由めぐるトピック●

52・7・21　破壊活動防止法15条は「取材業務に従事する者」に傍聴を特別に許可

00・5・24　ストーカー規制法2条の目的要件で、報道機関の取材行為が除外されることを国会審議で確認の上、21条の「適用上の注意」を規定

03・5・30　個人情報保護法50条は対象から「報道機関」を適用除外

06・6・8　探偵業法2条（2）は対象から「報道機関」を適用除外

13・12・13　特定秘密保護法22条は「取材の自由」に配慮したうえで、「不当な方法」は罰する旨を規定

17・6・15　組織犯罪処罰（共謀罪）法6条の2は「（捜査の）適正の確保に十分な配慮」を規定したものの、当初検討の思想の自由の文言は削除

18・12・28　官邸から内閣記者会向けに事実上の質問制限が文書で申し入れ

19・2・2　ジャーナリストの常岡浩介の旅券を、出国時の空港で没収（15年2月6日付で杉本祐一にも同様の返納命令処分、その後も渡航先を制限したうえで発給）

18・3・20　国会議事堂、内閣総理大臣官邸その他の国の重要な施設等、外国公館等及び原子力事業所の周辺地域の上空における小型無人機等の飛行の禁止に関する法律等の一部を改正する法律（改正ドローン禁止法）案を閣議決定

［参照：11年11月・12月／13年7月／16年8月／17年8月／19年3月・8月／20年2月・3月・6月］

天皇皇室報道　*04.13/19*

カウントダウン報道が続く。「東京オリンピックまであと○日」はひと休み中だが、代わりに「新元号発表まで」「退位まで」「改元まで」と、天皇・皇室関係のニュースが日々の紙面や番組の大きなスペースを占める毎日だ。しかも祝祭・慶祝ムードに溢れ、ひと色の報道になりがちだ。こうした、報道量や報道質の偏りや、それに伴う取材態様は、「事件」報道全般における日本のジャーナリズムの特徴ではあるが、それがややもすると読者・視聴者たる市民を誤った方向に導きかねない危険性もある。そして何よりも、報道機関の信頼性を脅かすことで自分の首を締めることにつながってもいる。

【「自粛」の渦】

まずは三十年前、「昭和」の終わりに針を戻してみよう。一九八八年九月十九日から、年明け一月七日の「Xデー」と、その後の新天皇即位前の、「異様な」取材・報道を原体験した世代は、すでにほとんど報道機関内にいない状況になっているようだ。それだけに、改めて振り返っておくことに意味があるだろう。

日本国中が天皇吐血に始まり、新聞紙面では連日一面で「今日のご病状」が報じられ、日本国中に「自粛」の渦が巻き起こった。そしてこの一極集中過熱報道とそのための取材は、百十一日間に及ぶことになる。報道機関は天皇の容体を把握し報道することを最優先課題とし、一社五十人にも及ぶ記者を皇居の周りに二十四時間張り付け、皇居への人の出入りを監視することで、容体の変化を推し量ろうとしたわけだ。主要な門の前には報道テントが立ち並び、雨の日も風の日も、しかも年末に向け底冷えがするお堀端で、ひたすら「待ち」の取材が続いた。

そのある種の集大成の紙面が年明けの「天皇陛下崩御」報道であったということになろう。琉球新報、沖縄タイムス、長崎、新日本海、苫小牧の計五紙の新聞だけが「ご逝去」を使用する中、大多数の新聞は大正天皇死去時に合わせたといわれる「崩御」使用によって、多くの国民は改めて非日常を認識し、さらなる自粛ムードが高まっていったことになる。そしてこうした特別感が「畏れ多い存在」との感情を育み、それがまたメディアに帰ってくる中で、量だけではなく質においても多くの制約がかかる結果となる。

【冷静に報じる】

前回は、「哀しみ」と「賛美」から、「服喪」と「追悼」、そして「奉祝」という流れを辿った。その大きなヤマ場であった死去に際しては、新聞は二千万部といわれる号外を発行し、通常は朝刊にある社説を夕刊に掲載した。テレビは二日間にわたって特別番組を組み、民放はコマーシャル抜きの放送を行った。もちろん出版界は、我れ先に特集号や別冊を発行した。それらはほぼすべて「天皇のため」の報道であったというのが特徴である。そうした中で当時、以下のような問題の整理をしたことを思い起こす。

(1)国民主権の現憲法下において、天皇は戦前のような主権者ではなく象徴である以上、天皇の元首化、神聖化を促すような報道は慎むべきである。

(2)天皇や天皇制に関する議論・批判は、自由かつ多角的に行われるべきであり、そうした自由はいかなるレベルにおいても完全に保障されなければならない。報道機関は、自らの存在基盤である言論の自由を率先して守る社会的責任を負っていることから、これらの権利侵害に対しては敏感に反応し、社会に訴えていくべきである。

(3)天皇・皇室に対しても、取材・報道の自由が不当に制限されるようなことがあってはならないのは当然であり、政府及び宮内庁における干渉や制約は、公式・非公式を問わず許してはならない。行政機関は、公的情報である天皇・皇室の情報を速やかに国民に知らせ、公開する義務を負う。

(4)政教分離は極めて厳密に行わなければならない。一般の市民の信教の自由が不当に制約されるような、内心の強制があってはならないことは、憲法の要請である。この基準からの逸脱に対し、報道機関は常に監視の目を光らせねばならない。

こうした状況は改善されたかといえば、むしろより不安視される状況になってはいないか。例

2019

えば、生前退位を決めた皇室会議の情報は闇の中である。ごく短文の議事要旨は公表されたが、そもそも議事録（会議記録）自体が存在しないと政府は発表している。各種の継承行事についての検討経緯も一切公表されていない。菊のカーテンはむしろ一層厚くなっている節さえあるということだ。

元号の制定に関しても、前回同様、報道界の代表（新聞協会、民放連、NHKの各会長）が「元号に関する懇談会」メンバーとして参加した。前回は、こうした報道界の関与を、天皇制と表裏の関係にある元号制定に直接関与することに問題視する声が業界内からもあがったが、今回、そうした話は聞かない。いわば、こうしたグレーゾーンに対する感覚は麻痺してきているということだ。

昭和天皇が手術を受けた八七年段階では、共同通信社編集幹部が業界の機関誌的存在の『新聞研究』に、「現行憲法を厳密に解釈し、象徴天皇制が憲法の枠からはみ出し、膨張していく危険な過程をチェックしていく」必要性を訴え、「自らの中に菊タブーが存在していたらそれを排し、再び元首化への道を歩ませないことだ」とまで記している。

それでも結果は「平和への強いご意欲」を賛美することになったのである。こうした平和を希求する天皇像は、今回の方がより強まるであろうし、それはまさに、憲法改正で元首化を目指す現在の政治状況と重ねて考えざるを得ない。

こうした冷静さを失いがちな天皇皇室報道は、日常から緊張感をもって報道できるかどうかにかかっていよう。例えば、その一つは「過剰敬語」をどう排するかだ。こうした小さなことからメディア自身が自らの立ち位置を確認することで、憲法規定にあった報道がなされ、それが社会に正しい理解をもたらすことであろう。

［参照：11年6月］

元号使用の強制性* 04.11/19

【異論に寛容であれ】

「どちらでもよい」をどう表現するかは、なかなか難しい。日本では年号表記に西暦と和暦（元号）が存在し、一般社会生活においては自由な選択が認められている。一方で、役所は便宜的慣行的に元号の使用を優先し、そこで働く公務員には学校現場の教員も含めて使用を義務化してきた。同時に私たち市民も、公的機関への届け出等に際し、行政の統一的な事務処理上、元号使用を強く要請されている。その結果、社会全体に元号が「原則使用《デファクト》」となり続ける素地が固まっていくわけだ。

元号法ができた当時、政府は公的機関における元号の使用について、「協力を求める」ことはあっても「強制するとか拘束する」ものではないと繰り返し答弁していた。それもあって元号法は「1　元号は、政令で定める。2　元号は、皇位の継承があった場合に限り改める」と、使用に関する定めが一切ないシンプルなものだ。今回も、政令第一四三号「元号を改める政令」によって、「元号を令和に改める」「皇室典範特例法の施行の日の翌日から施行する」との通知が、政府から関係各所に送られるにとどまる。

　しかし、受け取った側が「わざわざ」和暦を選択しないことは大変だ。一九八〇年代には、西暦を教育現場で使用したことを理由とした校長の処分が行われ、事実上の強制使用の流れは一層強まったとされている。これは、ちょうど日の丸・君が代の強制使用と似ていよう。国旗国歌法の制定は九九年で、その際にも政府は繰り返し押し付けるものではないといいつつ、教師は斉唱する職務命令に従う義務があるとした。報道の現場でも、官公庁の記者会見場における国旗の掲揚と一礼が慣習化している。

　実際、今日に至るまで公立学校教員の厳しい処分が続いており、東京都だけでも二〇一九年現在で五百人近い停職処分や減給等の服務違反に問われたとされる。司法も職務命令を合憲としたうえで、戒告は裁量の範囲内と処分を容認している。こうした教育現場と公的機関に元号使用を事実上強制することは、いっそうの「忖度」を生むとともに、西暦と自由に使い分けしてよいとの政府見解を無力化するばかりか、西暦使用を求める者に対し「非国民」とか「不敬」呼ばわりする社会を作ってきたわけだ。

　本来は、そうした強制性を戒める責任が政府にはある。にもかかわらず、一時は政府内でも官公庁の表記を原則元号から西暦に変更する動きがあるやに報じられたものの、外務省が西暦表記を部分的に導入しようとしただけでも、官邸からストップがかかるというありさまだ。元号を使わないことに対し、異論をはさむのに勇気が必要な社会は、思想・良心の自由が保障された社会とは相いれない。

一方で誰もが気兼ねなく元号を使用できるためには、思想性を持ち込まないことも大切だろう。それゆえ、国民の「総意」は、政府が無理やり作り出すものではないにもかかわらず、元号を国家の「精神的一体感」を支えるものとして位置づけることには危うさが伴う。それはまた、法制定当時に政府自身が、元号を「天皇そのものと結びつけることには注意したい」と繰り返し答弁したこととも齟齬が生じるのではなかろうか。

●元号をめぐるトピック●

47・5・2　旧皇室典範・登極令の廃止に伴い、元号の法的根拠なくなる
66・10・5　国連で「教員の地位に関する勧告」が採択。97年には「高等教育の地位に関する勧告」
79・4・27　渋谷直蔵自治大臣の参院答弁「一般に元号が使用されておりますけれども、これはもうご承知のように従来からの慣行によって行われ、協力を求めておる、強制するというものでないことは言うまでもございません」
6　元号法制定・施行
87・3・30　広島県内54の公立学校などで卒業証書の発行年月日に西暦を使用したことをめぐり、県教育委員会が校長等を処分
4・10　質問主意書に対する中曽根康弘総理大臣名の答弁書13号「国・地方公共団体等の公的機関が元号を使用すべき憲法上の義務はない。……国民又は国・地方公共団体等の公的機関に対し、一般に元号の使用を強制する法令は存在しないと考える」

88・12・10　中日新聞（東京新聞）が年号表記を「西暦（元号）」に変更　朝日新聞は76年に変更
17・6・9　天皇の退位等に関する皇室典範特例法
12・13　特例法に基づく政令で、退位日を4月30日と規定
19・4・1　新元号への改元手続きと元号の読み方を定めた政令などを閣議決定し即日公布

［参照：11年6月／16年4月］

九条俳句不掲載　*05.11/19*

2万――この数字は、全国を網羅する数として使われてきた。たとえば、就学児童がだれでも徒歩圏で通えることを原則とする公立小学校は2万弱（二〇一七年現在、私立を含めると2万95校）、かつては3万校近くあったが年々減少し、一七年に初めて2万校を割り込んだ。以前から、小学校同様にどこにでもある街の風景として存在してきた郵便局も、ほぼ同じ2万局をキープし続けている（一九年現在で2万74局、簡易郵便局を含めると2万3963局）。

【インフラの2万】

ちなみに、街の本屋も一九九〇年代までは2万3千店を数え、日本は世界でも稀な全国どこにでも書店がある国として存在していた。しかし残念ながら、近年急速に廃業しており、一八年には1万2026店まで落ち込んだ（図書カード端末機を設置しているような書籍をそれなりに販売する店舗は9千店未満とされる）。同様に、日本独特の毎朝戸別配達を実現している新聞販売店数も二〇〇九年、初めて2万を割り込んだ（一八年現在、1万5802店舗）。その意味で、全国を網羅している民間施設はコンビニで、一九九二年に主要七社の合計店舗数が初めて2万を突破、現在は6万店舗に近づいている（一七年にはセブンイレブン一社だけで2万店舗を突破）。

この2万という数は、いわば全国をカバーする流通インフラとしての、一つの基準数ということができるだろう。あまり知られていないが、もう一つ、ほぼ匹敵する数の公共施設として、戦後の日本社会に存在し続けてきたのが「公民館」である。全国の公民館数は1万4841館（類似施設を含む）、一般にはより馴染みがある図書館が3331館、博物館に至っては1256館（類似施設を含めると4434館）であることを思うと、その数は突出していることがわかる。公民館で働く職員数も5万人近くあり、この数からも日本の社会を支える基盤になっていることが窺える（いずれも文科省「社会教育調査」一五年度）。

ただしこの公民館、ここに挙げたほかの社会施設とは少し異なった歴史を持つ。いわば戦後生まれの民主主義の申し子であるという点である。

【社会的役割】

公民館は、図書館や博物館と並び、社会教育法に基づく公共的な社会教育施設として、全国の地方自治体に設置されている。前二者が戦前から、しかも世界共通に存在する施設であるのに対し、公民館は各地域の日常生活圏に根差し、様々な学習文化活動の拠点になってきた日本独自の施設である点が異なる。

一九四六年、当時の文部省は、地域住民の教え合い・学び合いや、自主的な学びの支援をコンセプトとした施設として設立を奨励し、法によって制度化したほか、積極的な財政支援も行ったことで、一気に普及したといわれている（文部次官通牒により設置が奨励されたのは、日本国憲法や教育基本法、社会教育法の交布前であった）。

さらに、公民館業務に密接な関係がある社会教育専門職員の資格を国家資格とし、専門職員の養成や配置のための施策が講じられたことも、普及の後押しになったといえるだろう。六〇年には公民館未設置市町村解消十カ年計画が策定されるとともに、前年の五九年には「公民館の設置及び運営に関する基準」が文部省告示として出された。

沖縄でも復帰後、公民館が各地で整備され、本土と同様の学びの機能をもつことになるが、むしろ一般の住民にとっては、選挙投票所であったり、住民健診（定期健康診断）の会場としてのイメージが強いかもしれない。あるいは、図書館がない地域にとっては、幼少時に通った公民館図書室は馴染みのある空間でもあろう。

このように、学校、保健所、博物館、図書館、町内会、さらには各種NPO団体との連携の中で、いわば「何でもあり」の学びの公共空間としての役割を果たしてきたわけだ。しかし一方で近年、公民館（やその他の公共施設）で開催される住民の集会や学習会、映画や演劇の上映会などが、内容が政治的であるという理由で利用を不許可にされる事案が発生してきている。

全国的に有名になったのは、「梅雨空に『九条守れ』の女性デモ」の俳句をめぐる一件だ。さいたま市の地区公民館で、利用団体の俳句会の秀作を毎月の公民館だよりに掲載していたところ、当該俳句に限り不掲載になった事件だ（一四年六月に公民館に提出）。公民館で俳句会が行われることも、公民館だよりが発行されている事も、そして刊行物に活動が紹介されることも、極めて一般的な光景であるなかでの事件で、しかも当事者が運営母体の市に抗議をし、翌一五年六月に裁判に訴えたことで、法制度上の論点が明確化されたということだ。

逆に言えば、事案自体はどこにもありそう、起こりえることであるだけに、その帰趨が注目されていたが、昨一八年十二月に最高裁で住民勝訴が確定し、同市教育長は改めて作者にお詫びをし、句が掲載された「三橋公民館だより」が発行された（詳細は、『九条俳句』市民応援団」ウェブサイト参照）。教育委員会は、この俳句が公民館の「公平・中立性」と相容れないとして不掲載決定をしたわけだが、一審で、思想・信条を理由とした不公正な取り扱いで、句が掲載されると期待した女性の権利を侵害したと認定、二審でも、集団的自衛権の行使について世論が分かれていても、不掲載の正当な理由にはならないとして女性の人格的利益の侵害を認めていた。

直接的には当該作者の人格権的利益が争点だが、まさに「公民館の自由」が争われたといってよかろう。これまで、図書館については〈図書館の自由宣言〉に代表されるように、図書館利用者の読む自由を含め、表現の自由との関係で多くの議論がなされ、その経験の上で、公共図書館が日本では地方自治体による運営であったとして、行政とは完全に独立した立場で運営されることが不文律とされてきた。そして博物館についても、東京や名古屋などでの美術館展示の撤去騒動などを通じ、作家や学芸員の中で議論が巻き起こり、芸術表現及び批評活動における表現の自由の確保についての意見表明などもなされている（たとえば、国際美術評論家連盟日本支部）。

今日、公民館はただでさえ、自治体行政改革の中で不要論が広がるなど、その維持が困難な局面を迎えているともいえる。そうした中でこそ、改めて公民館のよってきた存在意義や、その活動が市民社会に根付いたものであって、むしろ行政とは一線を画した自由な公共空間が維持されるべき大切な存在であることを、確認しておく必要があるだろう。そしてもう一つ、この事件が大きな注目を浴び、泣き寝入りさせなかった要因の一つは新聞報道であったとされる。東京新聞が事件発生直後の七月に記事化し、その後も大きな扱いで問題を提起し続けた。

五月三日は「報道の自由の日（press freedom day）」、その自由を守る主体は市民社会を構成する私たち一人ひとりであるが、報道機関がアラーム役として声をあげる存在であり続けることも不可欠である。

［参照：17年5月／19年10月・11月］

裁判記録の公開* *05.09/19*

【保存のルール作り、早急に】

いまから三十年以上前になるが、「レペタ訴訟」として知られている法廷でのメモの是非が争われた事件がある。当時、傍聴席では記者クラブに属する記者以外は、録音どころかメモを取ること自体禁止されていた。これに対して米国弁護士が訴訟を提起し、裁判では負けたものの最高裁は、判決以降、庁内ルールを変更して、一般人のメモ採取を許可するようになった、裁判史上に残る画期的な事件である。しかし裁判所は、この裁判資料を廃棄していた（ちなみに、表現の自由訴訟として名高い、外務省秘密電文事件やチャタレイ事件、博多駅事件の裁判記録も廃棄されていて存在しない）。

司法公開の重要な一歩の記録一切を捨てるとは、ブラックユーモアにもならないが、ほかにも重要な憲法訴訟で国が負けた事案についても残っていないことが明らかになっている。臭いものに蓋をしようとの意図的ではないと信じたいが、まさに歴史的事実の消去であり、隠蔽と言われても致し方ない。行政文書の場合は問題が指摘されてはいるものの曲がりなりにも規定が存在するほか、廃棄の場合は内閣府のチェックが入る。これに対し司法関連記録は、保管も廃棄も明確なルールが法制化されていないし、廃棄の際のチェックも現場判断に委ねられているからだ。

制度として民事事件の場合、最高裁の内部ルールである事件記録等保存規程（一九五四年）が定められており、判決文と特別保存記録は歴史公文書として、国立公文書館に移管され永久保存されることになっている。しかしその他の裁判資料は五年の裁判所保存後、ほとんど自動的に廃棄処分される実態があるともいわれている（根拠法令はない）。一方で刑事事件に関しては、訴訟係争中は裁判所、確定後は第一審対応検察庁で保管されるが、判決のほか供述調書、証拠、冒頭陳述、論告、弁論などからなる裁判記録は、確定後三年を過ぎると原則閲覧は禁止され、三〜五十年で廃棄される（判決文は最長百年保管）。そもそも、国の一般の公文書は公文書管理法に基づいて管理されるが、刑事裁判記録は適用除外だ。

保管記録満了後は、刑事参考記録として検察が保管、特別処分と称して検察が内部資料として保管、廃棄の三つの選択肢があるが、内部ルールとしての記録事務規程はあるものの、その選定手続き・基準や運用実態は不透明であるうえ、先に挙げた民事の特別保存と同様、刑事参考記録の制度が実際には機能していないことも明らかになっている。

さらに刑事記録については、保管場所が裁判所ではなく検察庁であることもあって、より保秘の壁が厚いとされており、検討は始まってはいるものの、現時点で保存・公開の道筋も十分に見えていないのが実態だ。しかし、その間にも重要な歴史的記録が廃棄され続けている状況は、何としてでも止める必要があるだろう。民間でも、こうした破棄された貴重な裁判資料を、弁護団等から集め、アーカイブとして保存・公開しようという動きも始まった。国は可及的速やかに、記録の廃棄をいったん停止するルール作りに着手すべきであろう。そして裁判記録の閲覧・謄写の請求権を法制化するなど、司法を特別視した制度を早急に改める必要がある。

●裁判記録公開をめぐる最近のトピック●

92・2・7　最高裁規程8号の保存規程（64年12月12日付）に関し、「事件記録等保存規程の運用について」で、特別保存すべき記録や事件書類の指針を規定

99　戦争犯罪裁判関係資料が法務省から国立公文書館に移管　その後、被告人名も含め開示

09・8・5　内閣総理大臣・最高裁判所長官申合せ「歴史資料として重要な公文書等の適切な保存のための措置について」

14・8・25 内閣総理大臣・法務大臣申合せ「歴史公文書等の適切な保存のための必要な措置について」と、同時実施についての法務大臣・法務局刑事局長申合せ。さらに「法務省から移管された特定歴史公文書等の利用の制限について」で、国立公文書館における刑事記録等の閲覧について確認

17・2・17 最高裁事務総局が「下級裁判所判例集に掲載する裁判例の選別基準等について（事務連絡）」で、日刊紙4紙で報道された事件を判例速報に掲載すると規定

18・4・17 上川法務大臣（福田内閣時代の初代公文書管理担当相）が「刑事裁判記録の保管の在り方等を検討するプロジェクトチーム」を設置

8・3 上川法務大臣は、オウム真理教をめぐる一連の事件の裁判記録の永久保存を指示したことを明らかに

9・28 刑事参考記録の一部を試行的に公文書館に移管する方針発表　刑事参考記録のリスト化も発表

［参照：08年8月／10年5月／17年4月／19年12月］

事件報道での呼称　*06.08/19*

日々の事件を伝える上で外せないのが「誰が」という人の情報である。事件の加害者にしろ被害者であっても、あるいは政治・経済・国際・文化など、どんなニュースでも、氏名や所属、あるいは顔写真は、一般に新聞報道の必須アイテムとされてきた。一方でこの紙面扱いは、案外ややこしいルールで運用されており、読者にとっては疑問に思う場合も少なくないようだ。

例えば最近の東京都内で起きた自動車暴走死傷事故でも、その運転者の氏名扱いを巡って、ちょっとした騒動となった。ではいったい、新聞紙面で「人」はどう扱われているのか、それはなぜなのか、新聞社の理屈は読者に伝わっているのか、改めて考えてみたい。

【多様な氏名扱い】

新聞は慣例的に、ニュース領域によって氏名扱いを変えてきている（歴史的経緯は飛ばし、ここでは今日現在の一般的な紙面扱いを紹介する）。例えば、スポーツ・芸能ニュースでの主人公は「呼び捨て」が通例だ。ほかに呼び捨てが一般的なのは、人事のほか、歴史上人物が挙げられる。ただし後者も、死亡後、何日から呼び捨てにするかは、その人の知名度や社会状況次第という恣意的な判断が入っているようだ。

それ以外の一般ニュースは通常、「肩書」と「敬称」の呼称が使用される。前者は、「社長、議長、首相、議員」などを指すが、「会社員、教師」といった職業呼称もよく使われるものの一つだろう。また、「無職」や「主婦」「学生」も、職業呼称の変化形といえる。この肩書呼称で問題になるのは「元」職肩書であろう。先に挙げた自動車事故の場合は、三十年前の公職を付したことに違和感を持つ人もいたようだ。確かに、そこまでさかのぼるならば、無職は少ないだろうし、主婦も元職がある場合が多かろう。

後者の敬称の一般例は、「さん」「ちゃん」「氏」で、新聞ではよく見かける呼称だ。ただし、肩書と敬称の使い分けは微妙で、一つの記事の中で、見出しは「氏」、本文は「肩書」という例も少なくない。さらには、先に挙げたスポーツ選手の場合、引退したり一般ニュースで扱ったりすると「さん」付けに変化する（たとえば、イチローさん）が、池江璃花子の場合は、現役であることもあって、「選手（肩書）」「さん（敬称）」「呼び捨て」と、新聞の中でさえバラバラだ。

このほかに、「特定呼称」とも呼ぶべき、法律や慣習・ルールで決まっているものがある。逆に言えば、特定のニュース領域でのみ使用される、特別扱いの名前表示ということになる。皇室関係（「陛下、殿下など」）や事件関係（「容疑者、被告など」）がこれにあたる。なお、これらはすべて「実名」表記している場合の例だが、紙面上では「仮名」や「匿名」も少なくない。

【犯人視しない】

この事件加害者の呼び方は、もっぱら刑事手続きに従って呼称を頻繁に変えているのが新聞界の習わしである。おおよそのルールは、逮捕前は匿名か肩書・敬称付きで、逮捕段階から「容疑者」呼称に切り替わる。この容疑者という用語は、メディア界の造語で、法律的には「被疑者」であって、しかも一九八九年頃まで、報道界は逮捕後の被疑者を「呼び捨て」としていたものの、犯人視イメージを低減させる目的で、呼称をつけるようになった経緯がある。

このあたりを更に詳しくみると、以下の通りだ。

※任意の取り調べ段階（参考人）＝原則匿名。ただし、公人（重大事件）は実名で肩書・敬称。冒頭の暴走自動車事故の「元院長」はこのケースの変化形で匿名・肩書だ。

※別件逮捕＝匿名。日本の警察は別件逮捕で、身柄拘束の期間を延ばす捜査手法が一般的とされている（刑事ドラマでもよく利用されている）。本来は違法な捜査であり、このようなものは「任意の取り調べ段階」同様と報道界では理解し、同じ扱いをするということになっている。

※逮捕状の発布＝容疑者

※書類送検・略式起訴・起訴・起訴猶予処分・不起訴処分・処分・処分保留＝肩書・敬称（氏）。ここで問題となるのは有名人の扱いだ。逮捕時の扱いも含め、過去の実例でいうと「タレント、リーダー、メンバー」などの肩書・敬称を使用し、容疑者呼称などを回避したことに、社会的に違和感が示されたことがある。現在進行中の事例では、ゴーン元会長の扱いも、この変化形といえるだろう。

2019

多くの紙面では、容疑者呼称も使用しつつ、肩書も併用しているのが実態だ。

※起訴・在宅起訴＝被告
※再逮捕・追起訴＝容疑者
※有罪確定＝受刑者・死刑囚
※刑期満了後の仮釈放＝敬称
※再審決定後＝元被告
※無罪確定＝敬称（さん）

【見直しの契機】

ただし、これらにはさらに例外がある。軽微な事件・事故、表現の自由にかかわる事件、公安事件など摘発に政治的色彩がある事件については、肩書・敬称をつける場合があるからだ。最近の例だと、山城博治議長がこれに該当する。ただしこの判断は、社独自の判断の余地があり、ほかの新聞では例外扱いをしない場合も少なくない。

こうしてみてくると分かる通り、とりわけ事件報道の場合、建前としては逮捕段階の被疑者あるいは有罪確定前の被告を、犯人視しないための人権配慮として面倒な呼称の工夫をしていることがわかる。しかしそれが読者に伝わっているかと言えば十分ではなかろう。少なくとも「容疑者」呼称は三十年を経て、いまでは真犯人をイメージさせる。そうであるならば、昨今の死傷事故をめぐる呼称に関する議論は、事件報道を含め全体の呼称の在り方を見直すよい契機ではなかろうか。

試しに、すべて肩書呼称の紙面を作ってみませんか。その際、高齢化社会が進むなかで、無職や主婦が最適の呼称かも大きな課題だ。

［参照：09年2月／13年2月／16年10月／18年2月／19年9月］

窮屈さ増す表現の自由* *06.13/19*

【「正当な取材」の危うさ】

本日、改正ドローン規制法が施行される。沖縄選出の屋良朝博議員が所属する国民民主党も賛成に回り、両院とも本格議論がないままの成立であった。参議院内閣委員会では、「正当な取材目的……の飛行については、知る権利及び取材・報道の自由が確保されるよう、合理的な理由に基づき同意・不同意の判断を行う」旨の付帯決議がなされたが（衆院でも同趣旨を決議）、これによって取材の自由が守られると思う者はいないのではないか。

実際、米軍は沖縄地元紙の取材に対し、「報道機関についても例外はない」と撮影の申請があっても認めない方針を示したほか、法の対象となる自衛隊・米軍施設として防衛省は、辺野古の埋め立て海域は既に米軍への提供水域となっていることから、規制対象にすることを示唆している。そもそも、これまで原則自由だったものが事前許可制となり、原則禁止となった意味合いは大きい。たとえドローン取材が認められたとしても、事故が起きすぐに飛ばしたい時、一週間後に許可が下りたのでは意味を失うからだ。

さらにこの「正当な取材」がいかに危ういものかを証明する事件が五日にオーストラリアで起きた。公共放送ABCの本社ニュースルームが連邦警察から令状捜査され、電子メール等が捜索されたからだ。理由は国家機密を公表した疑いとされており、首相は「法を守っていれば問題はない」と語ったと伝えられている。

この意味するところは、取材の正当性はもっぱら当局の判断によるのであって、いかに報道に公共性・公益性があり、国民の知る権利に応えたものであったとして、国家が隠したい情報にアクセスし報ずることは許されない、ということだからだ。日本に置き換えるならば、特定秘密保護法でも、正当な取材と政府が認めない記者活動は違法と判断される法構造となっており、同じ問題が起きうるということになる。

さらにこうした法の恣意的な拡張は、直近のトランプ大統領訪日の際の法運用においても疑われている。国会近辺でのデモ等を規制するための静穏保持法を根拠として、外務省が横須賀の自衛隊および米軍基地周辺を対象地域に指定したとされているからだ。法では国会のほか大使館等を対象としているが、まさに「等」を活用しての表現規制の可能性を拭えない。

さいたま九条俳句訴訟で、公民館の不掲載措置の誤りが認定されたり、神奈川県海老名市のフラッシュモブ訴訟でも行政処分の行き過ぎが指摘され、自由通路でのパフォーマンスの自由を認めるルール改正につながったと報じられている。また直近では、市民デモの集合場所に庁舎前広場を使うことについて、改憲反対団体には認めない姿勢を同県鎌倉市が転換したとも伝えられている。ここ五年ほどとりわけ窮屈さが増してきていた表現の自由であるが、こうして自治体レベルでは息を吹き返すきっかけが見受けられるなか、国レベルの後退状況がひときわ目立つ格好だ。

●表現行為をめぐる最近のトピック●

17・3・8　横浜地裁は、駅前自由通路での集団パフォーマンス「マネキンフラッシュモブ」に海老名市が禁止命令を出したことに対し、著しい支障を及ぼす恐れはないとして命令を取り消し（市は控訴せず確定）

18・12・20　さいたま市三橋公民館だよりに9条俳句が不掲載になった事案で、不掲載は作者の思想・信条を理由とする不公正な取り扱いであり人格権を侵害と判示した下級審判決が確定（判決を受け教育長が謝罪し、俳句を2月号に掲載）

19・5・17　改正ドローン規制法が成立

6・1　ドローンメーカー最大手DJI（本社・中国）が、沖縄県内の米軍基地周辺を飛行制限エリアに設定し、同社に事前に届けないと飛行できない制限をかけた

6・5　鎌倉ピースパレードの集合場所として、従来認めてきた市庁舎前庭の使用を、鎌倉市は18年に不許可としたが、使用を許可する庁舎内行為決定を通知

6　言論と表現の自由に関する国連特別報告者が、17年の対日調査報告書に対するその後の改善状況をまとめ、日本政府が勧告をほとんど履行していないとする内容の報告書が提出される見込み（菅官房長官は会見で、根拠がないと発言）

［参照：09年9月／16年8月／19年1月・3月・5月・11月／20年9月］

政治とメディアと若者と　*07.13/19*

パルコにセブンイレブン、沖縄にも「内地並み」の熱風が上陸する二〇一九年夏である。そしてまた、政治の世界においても「東京化」が、全国レベルで進んでいるといわれる中、沖縄の参議院選挙が改めて注目される。では、政治とメディアの関係性において、主として東京では何が起きてきたのか、改めて確認しておこう。

【首相との高級会食】

すでに多くの指摘があるように、安倍晋三首相のメディア戦略は硬軟の使い分けで、批判的メディア媒体に対しては国会でも具体的名称を出して厳しく批判し、また総裁を務める自民党でも取材拒否や抗議などの厳しい対応をとってきた。その一方、親和性の高いメディアには積極的に取材に応じるほか、紙面や番組に登場する傾向が強い。さらに、個人ベースで見ても、特定のメディア関係者との接触が、新聞動静欄だけからも明確に窺われる。

より具体的に誰と、どのランクの会食をしているか、学生の調査から見てみよう（専修大学ジャーナリズム学科・言論法研究室調べ）。会食場所を「食べログ」表示の値段で分類すると、社によって会食値段に違う傾向がみられる。具体的には読売・日本テレビが、回数が多いとともに値段も平均的に一番高い。多くの社が三万円クラスの中、四万円クラスの会食が多いし、回数も政権期間中すでに四十回を超え、回数では次に多い、朝日・テレビ朝日、日経・テレビ東京、ＮＨＫ、時事の四倍と大きな開きがある。ちなみに、全社でみると最多料金帯は二万円クラスで、次が三万円クラスとなっている。

会食自体が問題ということではないにしろ、経営トップと会うことによる政策決定への関与があるとすれば（最近の例では、官邸筋が発信源だとされる民放不要論に対する放送政策や、消費税率引き上げに伴う軽減税率の新聞適用など）、一般市民からの疑問に答えるだけの透明性の確保が、政治とメディアの両者に求められることになろう。

また、メディア媒体間格差は、まさに官邸メディア戦略の一つとして認識せざるを得まい。関連性に確証はないが、たとえば読売は首相インタビューが多い媒体であって、その紙面化される前に会食等が設定されているパターンが多い（二〇一一年六月、一三年四月、一四年七月、一七年四月）。

【メディア説明責任】

会食に限らない接触回数では読売・日本テレビのほかに、ＮＨＫが多い。新聞社では、読売↓

産経→日経→共同→毎日→時事→朝日の順、放送局では、NHK→日本テレビ→フジテレビ→テレビ朝日→TBS→テレビ東京の順。これはとりわけ番組収録などで選挙前後に増えることと関係している。最近は定例化した感さえあるAbema TVへの出演が話題になるが、全国放送であるNHKを重視していることの表れともいえよう。

また個人別でみると、会っている回数が一番多かったのは読売新聞の渡邉恒雄会長であり、同氏との接触のほとんどは会食であった（会食だけで約三十回、政権期間中、以下同じ）。ちなみに次に多かったフジテレビの日枝久会長は、自社関連のコースでのゴルフがお決まりのパターンだ。フジでは日枝会長以外との面談記録がないのが特徴であろう。

ほかに、接触回数が十回以上を数えるのは多い順に、小田尚（読売）、粕谷賢之（日本テレビ）、田崎史郎（時事）清原武彦（産経）、大久保好男（日本テレビ）、曽我豪（朝日）、福山正喜（共同通信）であった。ほかに目立つのは、島田敏男（NHK）、芹川洋一（日経）、田中隆之（読売）、朝比奈豊（毎日）、山田孝男（毎日）あたりであろうか。なお、読売の場合は役職のあるさまざまな社員と多く会っているのに対し、他紙・他局の場合は、特定の限られた者である傾向が強い。

会食の規則性を見つけることは難しいが、一三年から毎年十二月にメディア関係者との会食が定例化している。また一四年から、五～六月に固定メンバーでの会食を繰り返していることが分かる。たとえば前述の接触回数が多い記者の中でも、小田、粕谷、田崎などとの会食もその一つである。官邸を継続的にウォッチし、報道する意義はある一方で、「スポークスマン」にならないことの線引きが、読者・視聴者にきちんと伝わることが求められていることになる。そうしないと、政府益を守るための報道と見られ、信頼感の喪失につながりかねないからだ。これもまた、メディアが負う説明責任の一つであろう。

【若年層の政治指向】

こうした政治とメディアの関係性を、政治に冷めていると一般にいわれる若年層はどう感じているのか。あるいはそもそも、若者は本当に保守系政党支持なのか、もう一つの学生調査（一七年秋の衆議院選挙が対象）を紹介しておこう。すでに、広く学生間に、改革派という意味でのリベラル政党が自民・公明・維新各党で、守旧派が共産および立憲民主党・国民民主党などという図式が出来上がっている。そこで、そもそも保守という用語自体が混乱を招きかねないが、ここでは古典的な意味合いで使用していることをあらかじめ了解いただきたい。

東京・神奈川五大学約五百人に対するアンケート調査で普遍性があるとは言い難いが、一定の参考にはなるだろう。まず投票者中の投票先政党別割合は、自民党が約四割と断トツであった。二位は立憲民主の約一五％で、二倍以上の差があるとみるか、一般世論調査の差より小さいとみるかは評価が分かれよう。その投票理由であるが、自民投票者は、公約を読んで、信頼できるからと並んで、消去法でという回答が多いのが特徴といえるだろう。ほかには、家族や知り合いの評価からという回答も一定数を集めた。一方、立民は公約を理由とするものが多かった。

投票しなかった理由で圧倒的に多かったのは、用事があったから。ほかには、投票所が遠い、を挙げるものが多かった。投票したい政党がない、興味がない、はそれほど高い数字を示してはいないが、あえて本音を言っていない側面もあるかもしれない。ちなみに、もし投票していたらどこに投票したかの問いについても、三割が自民党と回答し、第二位の立民の三倍を示している。

もう一つ利用メディアの関係では、政治情報の入手先は、テレビ＝六五％、SNS＝二三％、新聞＝一一％という数字を示した。これが選挙期間中の政治情報の入手先となると、テレビ＝七二％、SNS＝一三％、新聞＝一三％と、SNSが一〇ポイント減少した分が、ほぼそのままテレビに移っている傾向がみられる。いずれにせよ、テレビの影響の大きさを示す結果となっているが、一方で、新聞がそれでも一割を超えていることも忘れない方が良かろう。それは同時に聞いている「政治情報を得るのに信頼を置いているメディア」としては、新聞＝四四％とトップで、ほぼ同率でテレビ、SNSは一〇％以下に低下するからだ。また、普段利用しているメディアと信頼しているメディアが同じと答えた学生は半数以下という結果となっている。

ファクトチェック等の新しい試みが始まっている今、また違ったメディア接触状況が生まれていることとも思われるが、政治選択情報としては、ネット情報よりもマスメディア情報が活用されている可能性が高いことを念頭に、政治情報の信頼度をメディア自身が上げていくことが期待される。

［参照：14年2月／16年5月］

【公権力行使で変わる「自由」】

ヘイトスピーチ禁止条例* 07.11/19

川崎市でヘイトスピーチ禁止条例のパブリックコメント（意見公募）が始まった。国内初の刑事罰を伴う表現規制で、差別のない街を目指すというものだ。平等な社会の実現はだれもが望むものであるが、これまで日本には集団（例えば、出自、性別、人種、国籍など）に対する差別的表現を取り締まる法律がなかった。もちろん、特定個人の人格を蹂躙するような差別言動は、刑法の名誉毀損罪や侮辱罪等で罰則の対象であるし、差別を否定する法律としては、ヘイトスピーチ解消法のほか、障害者差別解消法や部落差別解消法、さらに広義にみれば男女雇用機会均等法もある。

しかし一方で、日本は過去の教訓からあえて差別表現を表現の自由の土俵から外すことなく、刑事罰規制に慎重な姿勢をとってきた。その理由としては、社会秩序の維持を法目的とするようないわゆる治安立法は、運用によって人権を侵害する刃となる危険性が高いからである。実際、戦前戦中の多くの法律が思想・表現の自由の弾圧に利用された重い歴史がある。今回の川崎市条例の素案でも、表現の自由の侵害にならないよう配慮する旨の条文が予定されているが、同じ言い回しの法令としては特定秘密保護法や共謀罪法があり、過度な表現規制の可能性がいまなお危惧されている。

そして表現規制をする場合には、厳格性やＬＲＡ（より制約的でない他の選択すべき手段がないこと）基準が守られていることが必須だ。この点からすると、差別とは何かについて、振れ幅が大きく恣意的な判断の余地が残ることが指摘されてきた。しかもその善悪の判断を、行政が行う場合はより恣意的な運用の恐れが拭えない。自治体レベルの表現規制として、何度も違憲訴訟で争われてきた青少年条例がこれに該当するし、しかも度重なる改正によってより行政判断の自由度が高まることで、広汎な規制実態を生んでいるとされる。他の選択肢という点でも、川崎市は他の自治体と比較しても優れた「オンブズパーソン」制度を有しているにもかかわらず、ほとんどその活用が議論されず、初めに刑事罰規制ありきの議論がなされている点も気になる点だ。

日本の場合、これまでは強力なマスメディア自主規制によって少なくとも表面上は差別表現の流通を止めてきた。一般書店でも数多くの差別用語言い換え集が販売されているし、新聞や放送の現場ではパソコンで対象語を打ち込むと即座に警告が出るような仕組みになっているほどである。いわば、法制度上は最高度の自由が保障されてはいるものの、その自由は内在的な制約を包摂していたわけだ。その意味で、表現の自由は野放図な自由な言論とは違う。ただし、立法当事者自らが「表現の自由は無制限ではない」ということには最大限の注意が必要で、公権力の行使によって自由の裁量が変わる余地をつくることは、避けなくてはなるまい

●差別的表現規制をめぐる近年の経緯●

95・12　人種差別撤廃条約を留保つきで批准
12・4　川崎市人権オンブズパーソン条例施行
16・1　氏名の公表などを含む、大阪市ヘイトスピーチ抑止条例公布
5　川崎市で、公園内行為許可申請に対し不許可処分
6　横浜地裁川崎支部が、デモ禁止の仮処分

6　ヘイトスピーチ解消法制定
9　大阪地裁が、インターネット上のヘイト書き込みに賠償命令（17年に最高裁で確定）
12　川崎市人権施策推進協議会がヘイトスピーチ対策で報告書（18年に答申）
17・11　川崎市が、ヘイトスピーチが想定される団体や個人への公共施設貸出拒否を含むガイドラインを策定（18年3月に施行）
18・6　東京弁護士会が、ヘイトスピーチ規制のモデル条例案を発表
10　東京都は、公共施設の使用制限を含む人権条例を制定
12　川崎簡裁が、在日コリアンへの中傷のブログへの書き込みに侮辱罪を適用
19・7　東京地裁が、駅前を含む朝鮮学校付近における特定団体の街宣・ビラ配布禁止の仮処分
7　川崎市が、川崎市差別のない人権尊重のまちづくり条例（仮称）の素案公表　パブコメ開始

［参照：12年10月／13年10月／16年6月／17年2月・6月］

知る自由を狭める　*08.10/19*

参議院選挙の前も後も一貫して変わらないのは、何でも「なかったこと」にしようとする政府を中心とする動きだ。これは言うまでもなく、民主主義社会の根幹である、議論の前提を失わせるものであって、社会の存続にとって大きな危機だ。具体的事例を追いながら見ていこう。

【事実隠し】

一部の新聞では大きな扱いとなったが、東京地裁で係争中の法廷で「事件」は起こった。国家賠償訴訟で「認諾」という珍しい対応を示したからだ。少しややこしい話だが経緯を追ってみよう。

裁判は、日米合同委員会の議事録の公開を求めるいわゆる情報公開訴訟である。同委員会は日米地位協定により設置されたもので、合意の一部は公表用資料として明らかになる場合もあるものの、議事録は一貫して非公開、会議の中身は闇の中のまま、米軍本位の基地運用がなされている「悪の根源」の一つでもある。

これに対し情報公開クリアリングハウス（三木由希子理事長）が原告となり、一九六〇年の第一回委員会議事録の不開示と、行政協定時代の五二年の議事録の不存在に対し、決定を取り消して開示するよう求める情報公開訴訟が起こされた。この二つの文書はいずれも、協議内容は日米双方の合意なしに公表されない旨が記載されているとされ、まずは委員会の闇のスタートである「見せない決定」を見せろと迫ったものである。

この訴訟の過程で、沖縄県がかかわる裁判が大きな意味を持つことになる。北部演習場の中を通る県道七〇号線の共同使用に関する日米合同委員会文書をめぐる事件で、沖縄県が開示決定したことに対し国が県の公開決定の取り消しを求めて裁判を起こした。その際、不開示とすべき証拠として六〇年議事録の一部を裁判所に提出をしていたことが分かったからだ。まさに、議事録の公開を求め、国が不開示を決定していた文書が、別の裁判で国自らが開示していたという事態が生まれたわけである。

【不戦敗を選択】

そこで前述の情報公開訴訟は、すでに防衛省が公開していた文書を外務省が不開示決定したことに対し、国に賠償を求めるという形に変更し、さらに日米間で不開示を決めた経緯を明らかにするように求めた。これに対し国は、電話とメールでやり取りをしていたことを明らかにしたことから、原告はメールの提出を求めることとなった。いわば当然の成り行きである。

これに対し国は頑なにメールの提出を拒んだことから、民事訴訟法に基づく文書提出命令の申し立てが行われた。これは、「当事者が訴訟において引用した文書を自ら所持するとき」は、「文書の所持者は、その提出を拒むことができない」という規定に則したものだ。追い詰められた国は主張を撤回し、やり取りは電話だけで「メールはなかったこと」にしてきた。一度、法廷で明確にメールでのやり取りを説明したにもかかわらず、それをなかったことにできると考えること自体が驚きであるが、これまでの政府の行状を考えると、この間、加計・森友事件や自衛隊日報問題で、公文書を隠蔽・改竄・廃棄してきたわけで、むしろ驚くに値しないのかもしれない。

これに対して裁判所は、国からメールの提示を受けて実際の中身で判断するインカメラ審理を実施することとし、国に提出命令を行った。それでも国はその提出を拒み続け、二〇一九年六月二十七日の法廷で突然、冒頭に述べたように「国賠請求の認諾」を宣言し、不戦敗を選択したわけだ。まさに、この一連のやり取りを「なかったこと」にする最終手段に出たということだ。

【街頭演説でヤジ排除】

先の参議院選挙期間中には、街頭演説のさなかに、ヤジをした群衆を拘束する「事件」が起きた。札幌市で七月十五日に行われた安倍晋三自民党総裁（首相）の選挙カー上からの演説中、ヤジを飛ばした市民複数を北海道警の警察が身体拘束し、演説会場から排除した。まさに、沖縄の辺野古で日常的に行われている、抗議活動を行う市民の現場からの排除行為とそっくりであるが、県警はトラブル防止と公職選挙法上の演説妨害にあたり、対応は適切であったと反論していると伝えられている。

選挙の自由妨害の一つとして規定されているものであるが、最高裁は要旨「聴衆がこれを聞き取ることを不可能または困難ならしめるような所為」としており、肉声のヤジがこれに該当するかについては、否定的な見解が多数だ。それどころか、警察の政治的中立を疑われても仕方ないとの指摘がされているが、これまた沖縄の海上保安庁の振る舞いにそのまま当てはまることでもある。そして今回の事例から明らかなのは、物理的な排除によってこうした反対の声を「なかったこと」にしようとする強い意志が働いているということだ。

【選挙絡みでも続発】

そして選挙後には沖縄県で、異例の会見が開かれる「事件」も起きた。琉球新報七月二十五日付記事で報じられたように、二十三日付の沖縄タイムスの参議院選挙の自民党県連内の動きを検証した記事に対し、公の場での会見を開き、名指しして批判するとともに、訂正を求めたからだ。

ここ数年の顕著な状況として、政権党から個別の番組や記事内容に関し抗議がなされ、その結果、将来の取材や報道に対する圧力につながりかねない状況が生じている。公党に対する取材・報道は最大限の取材・報道の自由が保障されるべき領域であって、批判は甘んじて受けるのが基本的態度であるべきだ。

また、今回の事案でいえば、事実関係で個別に抗議することはあっても、わざわざ会見を開く意味合いは、単に事実関係を改めたいということ以上の当該紙に対するいやがらせと、他の報道機関に対する圧力と捉えられても致し方ない状況がある。とりわけ今回の取材源の開示を求めるかのごとき抗議の仕方は、事実上、批判報道をするなと言っているに等しく万が一、公の発言しか報じられないとなれば、読者・視聴者の知る自由を大きく狭めることになるだろう。これまた、県連内の不都合な内容を「なかったこと」にしようとしていると思わざるをえない対応である。

県民投票しかり、さらには辺野古の抗議行動しかり、政府は自らの都合の悪い事実を、ことごとく「なかったこと」にしようと強面の対応をし続けてはいないか。こうした対応は、沖縄集団自決の軍関与をめぐる教科書記述の問題などで、決して認められるものではないことを政府も学習しているはずだ。それにもかかわらず、その体質が改まるどころかより開き直りを感じられる状況になっていることを深く憂う。

さらに言えば、八月に入って起きた「あいちトリエンナーレ」での「表現の不自由展・その後」展示の中止もまた、「なかったこと」にすることで議論の機会を奪ってしまったという意味で、延長線上にある「事件」だ。

［参照：08年11月／13年11月／16年8月／17年4月・6月・11月／18年7月・9月・10月／19年10月］

れいわ、N国が政党に＊　*08.08/19*

【「言論の自由」を得る】

いま「政党」が脚光を浴びている。七月の参院選挙で、それまでキワ物扱いすらされ、「諸派」

として多くのテレビや新聞の扱いも「その他泡沫候補」だった政治団体が一転、いわばれっきとした国政政党として、国会内外での活動が認められることになったからだ（「NHKから国民を守る党」〔N国〕は二〇一九年の統一地方選で、すでに二十六人の公認候補を当選させてもいる）。得票数で見ても「れいわ新選組」（れいわ）やN国が、歴史ある社会民主党（社民）より多いのが実態だ。

日本の場合、法律上で政党を定義しているものは四つあり、公職選挙法、政党助成法と政党法人化法に、政治資金規正法である。報道によると、れいわから、政治資金規正法に基づく政党届が総務省にあり、七月二十一日付で認められたようだ。これにより、企業団体献金の受け入れが可能となるほか、個人献金の受け入れ可能額も、寄付者一人当たり年間最大二千万円に倍増する。また、政党助成法による政党交付金の配分も行われる予定で、一九年分は七千万円近くになる見込みとされている（八月十三日までに総務相に届け出、十月十日までに交付請求書を出すと、同月十八日に八月分から交付金が受け取れる）。

政党要件を満たさない新興政党が議席を獲得した過去の例として有名なのは、一九九二年の日本新党だ。熊本県知事だった細川護熙氏が立ち上げた新党は、ゼロ議席から四人が当選し、さらに翌年の衆院選でも党勢を拡大、非自民連立政権の首相に就いた。それからすると、山本太郎の「政権を狙う」も、まんざら夢ではない話である。そしてこの政党として認められると、大きな「言論の自由」を得ることにもなる。

まずは国会内での委員会や本会議での発言は、すべからく官報に記載され、国会が運営するサイトから動画でも配信される。まさかないとは思うが、N国が総務委員会に所属すれば、総務大臣やNHK会長と国会の場で論戦も可能だ。これらはすべて、無料でPRできるツールである。実際、れいわもN国もこれまでのところ主たる伝達ツールはネットだ。れいわのツイート数や、N国のユーチューブ再生回数は、自民党チャンネルの安倍首相を上回ったとされている。これらがさらに「お墨付き」を得ることによって、拡大することは容易に想像できる。

公職選挙法上では、政党として選挙カーやビラ、はがきが活用できる。また、小選挙区の候補者が政見放送（無料）に出られるようになる。そしてなにより「政治活動」の枠で、候補者の選挙運動とは別枠で、ほぼ法の縛りを受けることなく、自由な発言ができることが大きなメリットだ。憲法改正が発議されれば、国会に設置の広報協議会に入るのは現行の議席数では難しかろうが、少なくとも無料の意見広告（投票を直接促す「誘引する広告」）枠は獲得できるだろう。こうして、いまの法制度では、政党が格別優遇された言論活動の枠を有するつくりになっており、逆の見方からすると、むしろこうした「特別扱い」を見直す時期にきているともいえる。

●政党めぐる立法経緯●

48・7・29　政治資金規正法制定　法の目的は「議会制民主政治の下における政党その他の政治団体の機能の重要性及び公職の候補者の責務の重要性にかんがみ……政治活動の公明と公正を確保し、もって民主政治の健全な発達に寄与すること」。政治団体とは（1）政治上の主義もしくは施策を推進し、支持し、又はこれに反対すること（2）

する団体

特定の公職の候補者を推薦し、支持し、又はこれに反対すること、を本来の目的とする団体

52・7・30
公職選挙法改正で衆院選挙にいわゆる確認団体（実質は政党・政治団体）制度を導入（その後、順次拡大）。94年改正で衆院廃止、政党にのみ政治活動を容認。参院は名簿届け出政党が確認団体で、19年参院選挙では13団体

95・1・1
小選挙区制導入に合わせ政党助成法が施行され、政治団体（法人格を有する政党）に政党交付金を交付。交付金総額は国勢調査の人口に250円を乗じた額（現在約318億円）。法目的は「議会制民主政治における政党の機能の重要性にかんがみ、国が政党に対し政党交付金による助成を行うこと」により「政党の政治活動の健全な発達の促進及びその公明と公正の確保を図り、もって民主政治の健全な発展に寄与すること」。政党要件は（1）国会議員が五人以上所属するか、（2）国会議員一人以上で、直近の衆院選挙か参院選挙、またはその前の参院選挙のいずれかにおいて、全国で2%以上の得票（選挙区か比例代表かいずれか）であること

［参照：18年6月］

京アニ放火事件の報道　*09.14/19*

七月に発生した京都アニメーション放火事件に際して、犠牲者の遺族の多くは取材・報道を拒否する意向を示したとされ、実際に行われた犠牲者の実名報道に対しては、ネットを中心に新聞・テレビに対する強い批判や抗議が寄せられている。メディアの姿勢は、全く市民社会の共感を得られていないということだ。まさに、報道機関の大切にしてきた「事実報道」が否定されているともいえるわけで、ジャーナリズム活動にとっては根が深い問題であるだけに、改めて被害者氏名の扱いを通して報道のあり方を考えてみたい。

【線引きの難しさ】

当該事案は、表現の自由に関わる法制度上の問題と、ジャーナリズム倫理の問題を区別して考えることが必要だ。被害者の気持ちを慮り、取材や報道は控えるべきというのは後者の話である一方、警察が被害者情報を発表しないことは、公権力による情報操作の一環で取材・報道の自由を侵害する可能性が高く前者の話だからだ。

やみくもに被害者のプライバシーを晒すような報道が許されないことは当然だ。気持ちの整理がつかない遺族に押しかけるような取材も、いまや許されまい。ただしあえていえば、報道されれば被報道者にとってなにがしかの権利侵害が生まれることは、むしろ報道の普遍的な実態でもある。それでもなおジャーナリズムが社会にとって必要とされてきたのは、公共性・公益性を優先させて事実を明らかにすることに、取材・報道の意義と価値があるとの社会的合意があったからだ。

こうした基本的な考え方に則って、取材・報道するにあたっては当事者の許可をとることを必要条件とはしてこなかったし、明確な線引きによって被害者を含め特別扱いをする対象を決めることも難しい。実際、大規模自然災害の場合の犠牲者や身元不明者も含めた安否情報は、全国知事会レベルで実名発表が要望されるなど、むしろ積極的報道することが期待されている。また、日常的な自動車事故や火災などでの犠牲者に際し、匿名化の議論は一般に起きていない。

ただし「初めに実名ありき」ではなく、遺族や関係者の意向を配慮することは、これまでも報道界としてやってきたし、今後より一層慎重な対応が求められてはいる。それは、インターネット時代の中で、個人情報が独り歩きし悪用される可能性が高まっている状況があり、そのきっかけに新聞等のマスメディアの報道が利用されることもありうるからだ。

しかも（当局の）発表と（メディアの）報道の峻別という原則が、実際には成立していないのではないかとの批判も強い。すなわち、氏名を知ったメディアは報道意義をきちんと判断することなしに、ほぼ反射的に当事者に対し取材に押しかけ、実名で報ずる実態があるということだ。その結果、発表する当局側が個人情報の取り扱いにより慎重になっている側面があるのだろう。ましてや、被害者の情報についてはなおさらであって、こうした状況を報道側が真摯に受け止めることが必要だ。

報道の必要性や意義を納得してもらうためには、日々の取材や報道の積み重ねの中で理解を深めることが大切で、それは社会全体に対してと同様、公的機関に対しても言える。匿名社会が広がることは、市民一人ひとりが社会の出来事に無関心になり、のっぺらぼうで個が大切されない社会にも繋がりうるのであって、より大きな社会のあり方を問うてもいる。

【すり替え】

一方で、行政が世の中に流通する情報の善し悪しを判断し、好ましくないと思った情報は非公開にすることには、十分な注意が必要だ。今回の犠牲者情報の非公開も、遺族に寄り添い守るための対応と言われ、それを当然視する流れが強いが、そこには巧妙なすり替えがありはしないか。とりわけ犯罪被害者等基本法および同基本計画の制定ののち、被害者氏名の公表が抑制的になる傾向がある。さらに行政機関個人情報保護法の改正もその傾向を強める作用がある。

こうした流れの延長線上で今回、警察が取材・報道に対し仔細な条件を付したり、情報開示のタイミングを一方的に決めたわけだ。京都府警は、被害者に寄り添う姿勢を示したということであろうが、これが警察の正当な業務として一般化することには問題がある。現場の警察の恣意的な判断によって被害者対応が異なり、その結果として警察発表時の実名か匿名が分かれ、しかも取材の条件を警察が指示をするという事態が生まれているからである。

こうした公権力による社会に流通する情報をコントロールすることは、恣意性の挟む余地がないように、厳格に運用される必要がある。あくまで公的機関は職務上知り得た情報を原則、可能な限り速やかに開示する、すなわち犠牲者の氏名を実名で発表するルールを社会で維持する必要があるということだ。

そして、制度上求められている被害者および関係者を保護するための対策組織は、すでに海外で実践されているように、捜査機関等の公権力とは一線を画したソーシャルワーカーなどの専門職によって構成された組織で行うべきである。警察が当事者との調整を直接担い、公表を止めるような行為は結果として社会全体で共有すべき情報を覆い隠すことになり好ましくない。

【歯止め】

逆に言えば、もし警察が仲介役を行うのであれば、被害者家族のケアをする中で、報道発表に関しては個人情報を開示することを伝達するか、もしくは取材・報道対応マニュアルを手渡すことに限定すべきだろう。ここにいうマニュアル（ハンドブック）は、むしろ報道界が共同して早急に作成し社会全体の合意を得る必要があって、公権力が一方的に定めるものであってはならない。

ここで重要なのは、米国を含む多くの国では逮捕や起訴を含む公権力行使に関わる情報が開示されている点である。これらに比して日本の場合は、自主規制もそれなりに強力で、司法による名誉・プライバシー侵害の訴訟も一定程度提起しやすく、行政・司法情報の開示は極めて遅れており、さらに法令上でも取材や報道に制約的な制度が組み込まれている。したがって、ややもすると取材や報道が全体として抑制されやすい環境があるだけに、とりわけ警察をはじめとする公的機関が、前面に立って情報コントロールすることには十分な注意が必要で、明確な歯止めを設ける必要がある。

［参照：09年2月／13年2月／16年9月・10月／18年2月／19年6月］

不自由展の「不自由」* *09.12/19*

【一番の被害者　作家と市民】

「あいちトリエンナーレ2019　情の時代」が揺れている。この国際芸術祭の中核の一つである国際現代美術展の出品作品である「表現の不自由展・その後」の展示が、わずか三日間で打ち切りになったからだ。これに抗議する他の作家の作品展示の終了や変更が続いたり、序列でいえばナンバー2の企画アドバイザー東浩紀氏が辞任したりと、話題に事欠かない。

その後、主催者という立場から中止を決めた愛知県知事である大村秀章・実行委員会会長が、職権で「あいちトリエンナーレのあり方検証委員会」を立ち上げた。一方で、同委員会会長代行の河村たかし名古屋市長が公然と展示作品を批判、これに大阪市長や神奈川県知事も同調するなど、歴史認識をめぐっての場外バトルも続いている。さらには菅義偉官房長官が会見で、補助金交付の見直しをほのめかす発言をするなど、芸術と政治の関係にも話は広がった。

公式発表通り脅迫メールや電凸によって継続が不可能と判断したとすれば、表現活動がいわば暴力に屈した典型例ともいえるし、さらにこれに政治的判断がかかわっていたとなれば、公権力による疑似検閲行為であって、より悪質な表現規制ということになるだろう。関連して、中止に至る決定経緯の不透明性や、当事者を含めた関係者への説明の不十分さ、決定権者の不明確性など、展示のキュレーション上の疑問も指摘されている。

芸術監督自身の肝いりで出展が決まったことや、「不自由展」が複数の作品の集合体である、いわば展示会内展示会である二重構造であることによる、出品作家との十分な意思疎通がなかったことも、問題を複雑化している面があるようだ。作家からの作品へのリスペクトが足りない、芸術を創作意図に反して利用するな、との声は重い。

そもそも、問題視されている作品の評価や展示の意味が議論されていないことも残念な点だ。実際、展示終了以後、一般には作品そのものを見る機会が全くなく、一番の被害者は作家であるとしても、同様に、見る機会を逸した一般市民が置き去りにされているのが気になる。通常の美術展とは異なり、公式図録等もなくこのままでは未来永劫、なぜ一部の市民が展示は認められないといったのかも含め（メール送信者や電凸の発信者も、実際には作品を見ていない旨がすでに報じられてはいるが）、議論が空回りしている面は拭えない。ほかにも、危機管理として警備や対応策が十分であったのかなども検証が必要だろう。また、検証委員会自身も、展示の再開を回避するためととられかねない議論内容で、人選の正当性も含め、これ自体も議論の対象だろう。

津田大介芸術監督が書いた、開催概要のコンセプト説明の冒頭は、「政治は可能性の芸術である」で、最後の言葉が「われわれが見失ったアート本来の領域を取り戻す舞台は整った」だ。トリエンナーレが従来の芸術の殻を破る実験の場としての意味をもつことを考えると、彼を起用し、そこにあえて政治を持ち込んだことは、今日の社会の〈忖度〉状況に芸術という風を送り込む意味でも意義があったと考えたい。これまで芸術作品に対しても続いてきた圧搾圧力を跳ね返すためにも、展示再開が強く期待される。

●芸術作品をめぐる最近のトピック●

08・4 中国人監督による映画「靖国　YASUKUNI」が、映画館前での上映反対活動を受け、複数の映画館で上映が中止に。日本芸術文化振興会の助成を受けていたことから、自民党議員が助成金を返還すべきだと国会で発言、一方で文科相は「あってはならないこと」と上映を支持

12・6 新宿ニコンサロンでの安世鴻「重重　中国に残された朝鮮人元日本軍『慰安婦』の女性たち」展に対しサロン側から取りやめ通告。裁判所の仮処分申請が認められ厳重警備のもと予定通り開催（大阪の巡回展は中止）

8 東京都美術館「第18回ＪＡＡＬＡ国際交流展」のキム・ソギョン&キム・ウンソン作の少女像が撤去

14・2　東京都美術館「現代日本彫刻作家展」の中垣克久の作品の撤去要請があり一部を撤去

8　愛知県美術館「これからの写真」展の鷹野隆大の作品がわいせつ罪にあたるとして警察から撤去指導。作品の一部を布等で覆って再開

15・7　東京都現代美術館「おとなもこどもも考える　ここはだれの場所？」展の会田家と会田誠の作品に対しチーフキュレーターから撤去要請

16・3　東京都現代美術館「キセイノセイキ」展で小泉明郎の作品が展示できず付近の私立ギャラリーで展示

18・2　国立新美術館における「東京五美術大学連合卒業・修了制作展」の作品搬入段階で美術館側からの要請で一部作品を撤去

19・1　茅ヶ崎市民文化会館で開催された「湘南教職員美術展」で出展作品の内容を理由に茅ヶ崎市教育委員会が共催を辞退。作品取り下げをうけて復帰

［参照：14年9月・12月／17年5月／19年5月・6月・10月・11月］

表現の不自由展　*10.12/19*

国際芸術祭「あいちトリエンナーレ」が間もなく閉幕を迎える。開幕三日目に中止となった展覧会内展覧会の「表現の不自由展・その後」は、様々な条件付きではあるが、約二カ月ぶりに最後の一週間でかろうじて復活し、同時に全作品展示が実現した。

不自由な状況を図らずも同時進行で見せつけたという意味では、当初の想定以上のインパクトを社会に与えたことにはなるが、表現の自由に深い傷跡も残した。ここでは、中止とそれをめぐる事態がどういう意味を持つのかを、改めて考えておきたい。

【言論への暴力】

主催者は中止の理由を、脅迫によるものと説明している。ガソリンを撒くといった卑劣なメールや電話が多数寄せられ、安全確保が困難になったこと、事務機能が麻痺したことが挙げられているが、まさにこれは暴力に言論が屈したということに他ならない。ただし、こうした言論に対する暴力行為はもちろん今回が初めてではない。

　立会演説中の浅沼稲次郎日本社会党委員長の暗殺事件に始まり、雑誌掲載の論稿が不敬であるとの理由で、社長宅を襲う、嶋中（風流夢譚）事件など、一九六〇年代には思想や言論に対する対抗として表現者に刃が向けられる事例が続いた。その後、八〇年代には記者襲撃事件が起こる。朝日新聞阪神支局に赤報隊を名乗る男が侵入し、記者を殺傷した事件だ。さらには、天皇に戦争責任があるとの発言をした長崎市長が銃で撃たれた。これらは明白に、一定の思想を持った個人（団体）が特定表現者とそれに類した表現を封殺するという構図であった。

　しかし近年は状況が一変している。もちろん、一部に「思想」が介在はしているが、今回のあいトリでもみられたような、電凸と呼ばれる電話・ファクス・メールによる嫌がらせ（この中には、明らかな犯罪行為を含む）によって、関係機関を恐怖や混乱に陥れ、ターゲットにした表現行為を中止に追い込むという手法が頻発しているからだ。ここには、大きく三つの力が働いている。

　第一は、インターネットの普及だ。とりわけ二〇一〇年代に入ってからの（東日本大震災の際はまだ黎明期であった）、SNSの急速な広がりが、ネット攻撃を生みやすい状況を作っている。匿名性に守られた「気軽な脅迫行為」や、脅迫に至らないまでも、表現を押しとどめさせるような、大量のメールやメッセージが、ネット上の呼びかけに呼応して送られ、またはリツイートされ拡散される状況にある。個々の市民が〈主体〉となって、封殺の状況を作り上げているということだ。

【異なる歴史観を排除】

そして第二に、こうした行動の根底にある、異質なものを排斥する空気の広がりだ。より限定的に言えば、歴史修正主義に代表される、異なる歴史観を社会から完全に排除しようという動きが、社会全体に受け入れられている。これは、二〇〇〇年代に入ってから明確になった「教育改革の成果」とも言えるだろう。教科書の検定基準や採択制度の変更の中で、ここ二十年間で、日本国内の社会科をはじめとする教育は大きな変化が続いている。

例えば、慰安婦を扱う教科書はほぼ皆無となった。そして、単に軍が関与したかどうかという観点にとどまらず、強制性自体も否定され、さらには慰安婦の存在自体も触れること自体がタブーの雰囲気が作られつつある。例えば、慰安婦を肯定することが、日本人を愚弄することだという歴史観に、一定の社会的賛同を集める下地が、ここ二十年で形成されてきているということだ。

そして第三に、こうした状況を政治家が積極的に後押ししていることがある。河村たかし名古屋市長に始まり、今回の展示に反対する政治勢力の根底には、自分たちの歴史観に反する表現行為は認めない、という強い意思が働いている。しかもこの異論を認めずの延長には、多少の過激な行為を含めてよしとするというメッセージが見え隠れする。

例えば、今回の脅迫行為に対し、展示に反対する政治家は一様に黙認の姿勢だ。暴力的な言論封殺行為を政治家が容認あるいは黙認することで、する側の閾値はさらに下がり、行為はエスカレートするという悪循環を生んでいる。さらに不幸な事態としては、メディア（しかも新聞等のマスメディア）の中にも、こうした政治家の行動を喧伝することで、妨害行為に消極的加担を行う社がある。このことは、一昔前の暴力事件へのメディアの対応と大きく異なる、まさに今日的な大きな特徴である。

こうしてみると、今回の中止は、突然ではなく必然として起きたことであり、これを機にまたいつでも起こりうるということだ。むしろ「成功体験」として、また同じことをしてくるとすら不安を覚える。

【皮肉】

展示再開は、大きく二つの力があったと思われる。一つは紛れもなく「市民の力」だ。当事者はもちろん、芸術家や学芸員も含めた多くの市民が、今回の突然の中止に憤り、さらに文化庁の対応がそれに拍車を掛ける形で、再開を強く求める世論を形成した。この声は、ある意味では有権者の意思でもあり、主催者である県に大きなプレッシャーになったことは想像に難くない。再開は、市民が獲得した自由と言っても過言ではないと考える。

もう一つの直接的な動きを作ったのが、県が設置した検証委員会であった。同委は、いわば中止を決めた本人が、自ら設置したもので、再開できてもできなくても、主催者には責任がないことを証明するための仕組みを一方的に作り、自己防衛を図ったとの見方も可能だ。しかし結果としては、その組織が再開に向けてのきっかけを作ったというのは皮肉だ。現在は、いわば清濁合

2019

わせ飲む形で再開と無事閉幕に向けて進んでいるだけに、表立って批判の対象にはなっていない。

しかし委員会の活動は、表現の自由への配慮に欠けるとの批判も根強く出されるなど、知事の意向を強く反映した別働隊という色彩を強く滲ませていることを否定し得ないだけに、まさに「検証」の必要がある。表現行為に対する公的サポートのあり方や、検閲とは何を指すのかなど、中止はもちろん、再開に向けた動きの中にも、表現の自由の核心に触れる多くの問題が山積している。私たちはあいトリを通して大きな宿題を負うことになった。

［参照：14年9月・12月／17年5月／19年5月・6月・9月・11月］

放送の独立* *10.10/19*

【日本郵政におもねったNHK】


NHKこそは、受信料でのみ成り立っている放送局として、最も独立性を確保し得るはずであるが、現実は大きく異なっている。

かんぽ生命保険の不正販売を指摘した一八年四月の「クローズアップ現代＋（プラス）」に対し、日本郵政グループ（以下、郵政）から抗議を受け、NHKの上田良一会長が謝罪をした。最も悪いのは郵政である。社長自らが「今となっては全くその通り」と言わざるを得ないほど、悪質な業務をしていた実態を、社を挙げて隠蔽工作したということになる。

郵政は民営化後も政府が筆頭株主であり、政権との関係が近い。NHKの取材態度を「暴力団」と称した鈴木康雄副社長は、放送免許の許諾権限を持つ総務省の事務方ナンバーワンである次官経験者。その他にも同省出身者が少なくない。役人時代からの延長で、ＮＨＫはコントロール下にあるという思いが染みついていると想像できる。

さらに問題なのは抗議内容だ。番組制作者が「会長は番組制作に関与しない」と説明したことに対し、郵政側は「最終責任者は会長だ」とＮＨＫ側に説明の誤りを認めさせ謝罪させた。ただし、この点でいえば、郵政以上に問題なのは、指摘を受け入れたＮＨＫ側である。

ガバナンス（組織統治）の検証を求められたＮＨＫ経営委員会から厳重注意を受けた上田会長は、郵政三社の社長あてに「番組担当者の発言は、放送法の共通理解と異なり、説明が不十分である」との謝罪文を提出、これを放送責任者である総局長が持参したからだ。ここには輻輳《ふくそう》的な問題が存在する。

まずは放送法の解釈である。ＮＨＫは、放送法五一条を根拠に一般的な「編集権」が会長にあるとの見解のようだ。この条文で「会長は、協会を代表し……業務を総理する」と書かれてはいるが、いわゆる編集権が意味する番組内容に関する決定権が会長にあるとは解されない。

当初の番組担当者の郵政への説明は間違いではなく、的外れな抗議を認めたＮＨＫ経営陣の解釈に重大な誤りがある。個々の番組の内容は制作・報道現場に委ねられており、経営者が個別に介入すること自体が好ましくない。日本では、編集権が経営者にあることが定められているが、少なくとも今日では、これはあくまでも対外的な独立性を意味するものだ。

放送法は、ＮＨＫの経営委員が番組編集に干渉することを明確に禁じている。今回、経営委員会が個別の番組内容を巡って会長に注意したことは限りなく違法行為である。しかも、その事実を議事録に「あえて」掲載していない。経営委員会は、現場を守るのではなく、郵政におもねったといえるだろう。

このおもんぱかるNHKの姿勢は一貫している。直近の会長会見でも、かんぽ生命保険の「不適切な販売」という言い方をした。同グループの中間調査報告でも法令や社内ルール違反の可能性が指摘され、世の中一般では明白な「不正」であって、限りなく違法に近い実態が明らかになっている。にもかかわらず、オブラートに包んだ言い方に終始する徹底ぶりだ。

こうした姿勢を一方で示しつつ、上田会長が「自主・自律」を貫いていると繰り返し強調しても、視聴者は信用できないのではないか。

●NHKなどをめぐる放送の独立に関わるトピック●

01・1・30 第2次世界大戦中の日本軍の慰安婦問題を扱ったETV特集シリーズ「戦争をどう裁くか」の「問われる戦時性暴力」を放映。05年1月、朝日新聞が、安倍晋三官房副長官（当時）らによる圧力で番組が改変されたと報道。NHKは番組で朝日の報道を虚偽と批判。政治家の圧力の有無が裁判で争われ、東京高裁では政治家の意向を忖度したとしてNHKの非を認めたが、08年の最高裁は取材対象者が受けた期待や信頼は法的保護にならないと判示。09年の放送倫理・番組向上機構（BPO）放送倫理委は政治との曖昧な分離を厳しく批判

05・9・20 「何人からの圧力や働きかけにも左右されることなく、放送の自主自律を貫」くとの「NHK新生プラン」を発表

06・8・11 TBS「イブニング・ファイブ」で報道とは関係のない人物（安倍官房長官＝当時）が写り込んでいたとして総務省から厳重注意の行政指導

11・10 菅義偉総務相（当時）がNHK短波ラジオ国際放送に対し「拉致」放送を命令

19・9・17 沖縄県石垣市議会が、8月26日放送の「あさイチ」内の自衛隊基地建設に関わる報道が誤りであるとして抗議。番組直後に同市長が抗議し、29日には番組担当者と直接面談、30日にNHKがファクスで見解を回答。議会抗議決議を受け翌18日に「説明が足りなかった」と釈明

［参照：10年12月／17年5月・12月／20年7月］

相次ぐ展示・上映中止　*11.09/19*

国際芸術祭「あいちトリエンナーレ」でいったん中止となった展示の限定再開が実現した矢先、同種の「事件」が相次いでいる。半歩前進のはずが、その踏み出した先は底なし沼の情勢だ。

【補助金不交付】

あいトリでも、文化庁補助金の不交付が公表され、問題を指摘する声が続くなか、日本芸術文化振興会が助成要綱を、「公益性の観点から不適当と認められる場合」は取り消しができるように変更した。そしてこの改定を先取りして、有罪判決を受けたピエール瀧が出演する映画「宮本から君へ」への助成金の交付内定が取り消されていた。さらに三重県伊勢市で開催される市美術展覧会（市展）においては、ポスター作品の「私は誰ですか」が、安全な運営のためという理由で（根拠法令は不明）、主催者である市の判断で展示が不許可になったと伝えられている。

川崎市でも、二十五回目を迎える地域の映画祭である「KAWASAKIしんゆり映画祭」で、事件は発生した。準備段階でラインナップに上がり上映依頼まで進んでいた「主戦場」が、上映見送りになっていた事実が、開幕直前に報道によって明らかになったからだ。大まかな経緯は、主催者である地元ＮＰＯ法人が共催者の一つである川崎市に相談するなかで、市側から「訴訟中の映画を上映することは、一方の肩を持っているように見られる」として「懸念」が伝えられた。

それを、これまでにないことだけに「重大」に受け止め、「市との関係を壊さない」ため、少なくとも表向きは、来場者の「安全を確保するため」に、ラインナップから外す決断をしたということだ。主催者内で、近隣で殺傷事件が起きていることなどから過剰な防衛反応が働き、川崎市の意図以上の対応を示した結果の中止であったとの見方もできるであろう。その後、川崎市長は記者会見で、懸念の伝達を認めた上で、「表現の自由とは関係なく、まったく問題ない」と改めて判断の正当性を表明している。

こうした、いわば行政が表現内容に何らかの関与をするかたちで、結果として表現行為が大きな影響を受けた事例は、今に始まった事ではない。ここ沖縄県内においても、あいトリ「不自由展・その後」に出品された作品の件を始め、県立博物館・美術館における写真展の作品展示不許可など、決して珍しくないといえるであろう。

【弱い部分を浸蝕】

しかしよく観察すると、状況は一層悪くなっているのではなかろうか。その理由は、行政が表現内容の良し悪しを判断することに、社会がより一段、寛容になっていると思われるからだ。行政側はそれを見越して、さらに一歩踏み込んできているともいえる。古来、表現の自由は〈弱いところ〉から浸蝕されてきた歴史を有する。具体的には第一に、「周縁」表現が攻められやすい。例えば、猥褻、広告、最近でいえば差別表現などがその類いであろう。エロ表現は規制されて当たり前、青少年の害悪になるので行政に積極的に取り締まってもらおう、という雰囲気があるわけだ。したがって、実際に表現が規制されても、それを表現の自由の侵害とは受け止められることがなく、結果としてひと回り自由の範囲は狭まるということが繰り返される傾向にある。

第二には、「原始的《プリミティブ》」表現も制限がかけられやすい。デモ・集会、ビラ・チラシ、立て看・ポスターなどがこれに該当するが、実際の日常生活においても、デモ行進の規制は当たり前の状況だ。むしろ、車を運転してデモに遭遇すると、車の運行を妨げないように警察はもっと厳しく制限すればいいのに、などと思ってしまいがちだ。また、ビラを郵便受けにポスティングして逮捕・有罪になるのも近年の傾向だが、自分が捕まることがないことを前提に、勝手にポストに投函することでゴミが増えるだけ、と思いがちで、それを表現の自由の問題という意識で捉えることは一般に難しい。

さらに第三のカテゴリーが「流通」だ。日本の憲法はいうまでもなく「表現の自由」を保障しているが、その中身は「発表」の自由の保障である。その前段階の「収集」については、一段階低い保障として〈尊重〉すると裁判所は決めている。それでも近年は知る権利という言い方が定着するなど、昔に比べると飛躍的に保障の範囲は拡大し、発表段階とほぼ同等の地位を占めつつある。しかし残念ながら、最後の受け手に届けるという頒布・流通段階はそうではない。むしろ、

「コンビニでは成人雑誌を売らせないのは当たり前」という議論が一般的で、販売制限については、社会も寛容で、むしろ積極的に行政の介入を求めてきたとも言える。

【良し悪しの判断】

このように、私たちはある意味では一貫して、行政に表現内容への口出し、お節介を認め、時には積極的に要請してきたということがわかる。そうした中で、さらに第四のカテゴリーとして、「安心安全」あるいは「平穏の維持」を理由とした行政の介入が、現代的特徴と言えるだろう。観客の安全はオールマイティーであって、それが害されるという理由づけは絶対的な力を発揮し、この反論は事実上不可能になっているからだ。

先に挙げたあいトリも、伊勢市も、この理由づけが「利用」されている。補助金不交付の場合は、出演者の行状や係争中といった「公益性」判断だが、これもまた「何ごともないことをよしとする」という平穏・安全路線であるとみなすことが可能だ。こうした状況を変えるために一番シンプルな方法は、表現の自由の原則に戻ることである。それは「行政は表現内容による良し悪しの判断（観点規制）はしない」ということに他ならない。

そのためには私たち自身に、行政に内容判断を伴う行政執行を求めないことが求められる。補助金支給に際して行政が内容審査をするのがダメなのと同様に、ヘイトかどうかを行政が判断して、会場を貸さなかったり、罰則を適用したりすることを、市民から求めることも、やっぱりダメなのである。それを場合分けをして、行政が口出しをしても良い領域を作ることは、結局、表現の領域を狭めていくことを、私たち自身が重く受け止める必要がある。

[参照：14年9月・12月／17年5月／19年5月・6月・9月・10月]

政府助成* *11.14/19*

【カネは出すがクチは出さず】

国家と芸術あるいは文化との関係は複雑だ。時の権力は芸術を傘下に収め、自身への支持を絶対化してきた。たとえば、中世ヨーロッパにおけるキリスト教会は、絢爛豪華な建築やステンドグラスなどの装飾、数多くの宗教画と音楽によって、大衆に神の偉大さを理解させた。

近現代に入ってナチス・ドイツは、芸術をプロパガンダに最大限活用、国民統合の道具としたことは有名だ。一方で同じ時代、前衛的な美術やジャズなどの黒人音楽は、ヒトラーによって厳しい弾圧を受けた。押収された近代美術を展示した「退（頽）廃芸術展」はその象徴でもある。同じことは日本でも行われ、時局にふさわしくないとの理由で、文学・絵画等は検閲の対象となり、一方で戦争礼賛の芸術が「報国会」などを中心に推進されることになる。その過程で、多くの作家や編集者たちが命を落とした。

こうした歴史的背景にたって、戦後の日本では憲法で保障された表現の自由は、検閲を禁止するなど国家が直接、表現内容に立ち入ることを厳しく戒めてきた。いわゆる「国家からの自由」の実現である。そうはいっても時にその関係性が表面化し、政府が君が代を国歌として教育現場で強制することや、教科書の中身を厳しくチェックする検定制度が、問題視されてきた経緯がある。

また、パブリックな場（公共空間）での表現行為をどこまで認めるかも、戦後一貫して争われてきた領域だ。公道や公園におけるデモや集会がこれにあたる。最近では、公共施設の貸し出しを特定の者に禁止できるか議論されている。ヘイトスピーチをする可能性がある団体・個人に対する禁止や、施設や来館者の安全管理を理由とした論争の渦中にあるような催しの制限だ。

日本の場合、街の図書館・集会所の代名詞である公共図書館や公民館は、すべて「官」の管理下にある。博物館（美術館や水族館なども含む）の多くもやはり「官」の持ち物である。話題になったあいちトリエンナーレほか、大掛かりな美術展や映画祭もその責任者や共催者に自治体がかかわることが少なくない。

さらにいえば、文化・芸術・研究の幅広い分野において、公的な補助が実施されている。いわゆる国家助成で、多くの国で一般的に行われている文化政策の一つだ。これはいわば「国家による自由」の保障という側面を有し、市民にスペース＝空間、チャンス＝機会、ファイナンス＝資金といった「場」を提供することで、社会全体の表現の自由を保障するという役割を担っている。

ここでは、（1）場を提供するかどうかは政策であって、この是非は選挙を通じて有権者である市民が判断をし、（2）いったん場を提供することを決めた公的機関は、それを維持する義務が生じ、（3）その内容については専門職の判断に委ね口出しをしない、ことが求められている。その専門職の代表格が、博物館の学芸員であり図書館の司書だ。こうした、表現の自由ルールが

2019

忘れられている事件が、あまりに多すぎる。

●公的助成をめぐる最近のトピック●

19・7　出演者の有罪判決を受け、映画「宮本から君へ」の文化芸術振興費補助金内定（3月）を取り消し

8・1　和田政宗参議院議員が「あいちトリエンナーレ」について「しっかりと情報確認を行い、適切な対応とる」とツイート　小坪しんや行橋市議会議員が自身のウェブページで「電凸」をあおるコメントを繰り返し掲載

8・2　河村たかし名古屋市長が、トリエンナーレの「表現の不自由展」中止を求める。以後、松井一郎大阪市長、吉村洋文大阪府知事、黒岩祐治神奈川県知事も同様の発言
同日　菅義偉官房長官、柴山昌彦文部科学相が会見で、補助金交付決定に関し「事実関係を確認した上で適切に対応」と発言

8・3　あいトレ実行委員会会長の大村秀章愛知県知事が表現の不自由展の展示中止発表

9・26　文化庁が、補助金適正化法第6条等に基づき、あいトレ補助金の全額不交付を決定

9・27　日本芸術文化振興会が、交付要綱8条を変更し「その他公益性の観点から助成金の交付（内定）が不適当と認められる場合」を取り消し条件に追加

10・27　川崎市で開催の「KAWASAKIしんゆり映画祭」で、市からの「懸念」伝達をきっかけに映画「主戦場」の上映取り下げ。会期の最終日に無料上映

10・29　三重県伊勢市・市美術展覧会で、市の意向で「安全な運営のため」作品の展示が不許可に

10・30　ウィーンで開催中の日本とオーストリアの国交樹立１５０年を記念する芸術展の公認を、事業要件を満たしていないとして外務省が取り消し
［参照：14年9月・12月／17年5月／19年5月・6月・9月・10月］

表現の自由　危険水域に　*12.14/19*

この連載は足掛け十二年百四十回になる。この間、年末に回顧をしたことがなかったが、今年はしなくてはいけない切迫感にかられる。それほどまでに、「自由」や「ジャーナリズム」が確実そして連続的に、しかも輻輳《ふくそう》的に弱められていると考えるからだ。順位付けには意味がないが、まず十大ニュース風に項目を挙げ、テーマ別に課題を考えたい。

- 桜を見る会でも公文書軽視なお一層明らかに
- あいちトリエンナーレで芸術の自由揺らぐ
- 官邸記者会見で菅語の壁厚く
- 川崎でヘイトスピーチに刑事罰
- 京都アニメーション事件で被害者実名報道賛同なし
- ドローン禁止法改正で事実上取材制限

・天皇代替わりで祝賀報道続く
・N国党議席獲得など公共メディアの存在揺らぐ
・相次ぐ大規模自然災害で情報空白問題に
・コンビニエンスストアから成人雑誌ほぼ消滅

【政治とメディア】

二〇一九年十二月は特定秘密保護法施行五年の区切りの年だ。法規定上、見直しが定められているが、現在予定されているのは対象機関の大幅削減程度である。これは、立法時の検討がいかに不十分であったかの証左とみた方がいい。対象機関を絞り込んで素晴らしい、のではなく、その程度のいい加減な検討しかしなかった法は、抜本的な見直しが求められている、と考えるべきだ。そしてちょうどこの五年間は、不幸にも情報公開のバックラッシュ期間でもある。

自衛隊南スーダン日報問題に始まり、森友・加計学園、そして今回の桜を見る会に至る、公文書の改竄・破棄・隠蔽は、国家運営の基本を完全に崩壊させる事態である。しかも首相の意向を勘案して、省庁総がかりで証拠の隠滅を謀るさまは、すでに真っ当な官僚制度すら崩壊しているのではないかと疑う。

メディアとの関係でいえば、それ以前の問題は新聞等のメディア報道が一矢を報いてきたが、今回の観桜会では現段階まで、週刊文春がわずかに新証拠を提示する以外、マスメディア発の情報はないといってもよい寂しい状況だ。さすがに報道界側も、こうした危機感はあるのか当該事件が表面化して以降、官房長官記者会見も厳しい質問が飛ぶようになり、予定調和が崩れているようにも見える。

しかしそれ以前は、本来は共同で主催しているはずの会見は完全に官邸に主導権を握られていたし、さらに言えば、官邸にある記者クラブ（大手報道機関の常駐記者の集まり）が官邸と一体になって異分子を排除する空気すらあったように伝えられている。それが、二月に官邸から記者クラブへの申入書が公表されたことを機に、世の中は動き始めたといってよかろう。

【期待と失望】

たとえば、その官邸記者会見の「当事者」となった東京新聞記者を描いた映画が、一年に二本も封切られ、しかもそのいずれもが一定の興行成績を上げている。劇場では終演後に拍手が起きるほどの盛り上がりだ。これは、官邸の理不尽さに対する共感が社会に広がっていることの表れだろう。一方で報道界に対しては、当該記者への期待に反比例するように、「その他記者」に対する失望や怒りが高まっているともいえよう。これはまさに、権力監視というジャーナリズムの重要な役割に対する信頼感の失墜であって、極めて重大な事項だ。

さらにいえば、あいトリ事件も政治との関係で語ることができよう。とりわけ助成カットの問題は、国や自治体が表現内容に対し、何の遠慮もなく正面から介入してきた事例だ。しかもこうした状況に、報道界は二分され、国益に反するような芸術には助成する必要はないといった言動がなされた。まさに、文化行政においては内容審査があって当然という論理である。これまで日本はメディアに対して財政的にも手厚い助成を行ってきたわけだが、その最も恩恵を受けてきた新聞自身が行政による内容判断を受け入れる論調を張ったことは、今後に大きな影響を与えることになるだろう。

こうした「国益」を必要以上に慮ることの象徴が天皇・皇室報道で、三十年前の昭和天皇死去時の報道に比べるとましということで済ませることなく、憲法制度としての天皇がどうあるべきかは、他の憲法上の制度（例えば自衛隊）と同様、厳しい議論を積み重ねる必要がある。もちろん、その役割はメディアにあるわけだ。

【市民とメディア】

一方で市民との関係も揺れている。京アニ事件での被害者実名報道には、報道界に厳しい批判が寄せられた。その前の伏線としては、東京・池袋で発生した高齢者の運転する自動車暴走事故に際し、特別扱いをしているかに映った加害者に対し「上級国民」とレッテルが貼られ、あわせて新聞等が擁護しているとのネット世論が巻き起った。京アニでは、電子版に関しては最初から匿名、あるいは四十八時間後に匿名化など、新聞各社もこれまで以上の配慮を示したものの、そうした個別対応では納得を得られるレベルを超えたということになる。マスメディアは不要と言われて久しいが、今回の事件は、まさにメディアは黙っていろ、と読者・視聴者から刃を突き付けられたわけで、事件報道の抜本的な見直しが新聞・テレビには迫られている。

ヘイトスピーチ規制の問題を市民との関係で考えるならば、市民の声に押されて行政が表現内

2019

容に介入する糸口を作った点で、これも時代の転換点を象徴する大きな出来事だろう。行政が文化に介入することをよくないと主張しつつ、弱者救済のためには行政介入が必要で、内容に踏み込んで積極的に表現規制をすべきという論理が、ヘイト問題では起きている。こうした、立場によって理屈を変えてしまう事の危険性を、今後は運用の中で痛感することになるだろう。一度与えられた力を行政は手離さないし、より強力なものに育てようとするだけに、表現の自由にとっては厳しい時代だ。

NHKの郵政への腰砕けというより諂《へつら》いの姿勢には、もう誰も驚かない状況ではあるが、それが当たり前化していること自体が深刻だ。とりわけ今回のゆうちょをめぐる、NHKトップの郵政に対するお詫びは、トップ間だけで一年以上も隠蔽されていたことからも、一私企業ではなく政府の見えない力の反映と考えるのが正当だろう。こうしたことでNHKは自分の首を絞め、その結果がN国党の躍進であり、さらに公共放送の存在を危うくするという悪循環を生んでいる。

【危険水域に】

これらを含め、表現活動にのりしろを認める空気が極端に減少している。この何年かは表現の自由を脅かすものは「忖度」だった。しかし今年は一段と深刻度が増し、市民の「義侠心」や「正義感」が結果的に自由を奪う危険性を高め、実際に奪ってきている。コンビニからのエロ雑誌の排斥もその一つだ。これ自体は、見た目は大した問題ではないのかもしれない、あるいは多くの市民にとっては好ましいことだろう。

しかしこうして、周縁の表現行為から少しずつ確実に、自由の領域は狭められ、しかもそれはほぼ決して元には戻らない。だからこそ、自由の領域のトライ&エラーは許されないのであって、執行には慎重さが求められる。正義の声にかき消されて、メディア自身がその議論の機会を奪って全会一致をめざす例をみると、危ない時代にきているとの思いを深める一年であった。

［参照：08年5月／09年9月／12年3月／13年1月／14年2月・11月・12月／17年5月／18年2月／19年1月・8月］

情報公開半世紀＊　*12.12/19*

【混迷の十年どう乗り越えるか】

二〇一九年が暮れようとしているが、今年は例年以上に、官邸記者会見に代表されるジャーナリズムの話題や、あいちトリエンナーレなど芸術作品・イベントを巡っての表現の自由の問題が、社会をにぎわせた一年だった。そうしたなか、一層深刻度を増したのが、残念ながら「情報公開」の問題であった。昨今の首相主催の観桜会における政府答弁を、おそらく当事者自身も本心は「不十分」と感じているであろうものの、政治日程は淡々と進み忘れ去られようとしているからだ。秘密保護法が施行されてちょうど五年が経つが、偶然にもこの間に文書隠しが相次ぎ、政府の見える化は大きく後退してきている。

元来、役人は自己正当性が強いだろうし、その意味では組織や自身に不利な記録は残したくないという気持ちがあるにはあろう。しかしそれを超えた公的責務があったのではなかろうか。にもかかわらず近年の状況は、極めて近視眼的な自己保身が行動原理になっているかに思われる。少し長いレンジで見るならば、こうした状況がここ十年続いていることになる。その結果、情報公開制度はどんどん骨抜きになってきた。改めて半世紀を十年区切りで見ることにしよう。

〈一九七〇年代＝萌芽・運動の時代〉深刻な公害問題や消費者運動、さらには環境保護運動など、自らの命や健康のために、真実を求め情報を自分たちの手に入れることが切実な課題としてまとまり、理論化され運動として高まっていった。

〈一九八〇年代＝実践・地方の時代〉八一年の情報公開権利宣言、そしてこの具体化であるモデル条例案が作られ、住民にもっとも身近な地方自治体を動かし条例が制定されていった。

〈一九九〇年代＝制定・法制の時代〉九三年の細川政権誕生を機に一気に具体化し九九年に国会を通過、日本にも行政分野に限定されてはいるものの情報公開法が制定された。

〈二〇〇〇年代＝定着・運用の時代〉行政救済の情報公開審査会や司法救済である情報公開訴訟によって、具体的な制度の輪郭が固まり、報道界でも情報公開制度を活用した調査報道が本格的に始まった。

〈二〇一〇年代＝整備：混迷の時代〉一一年に公文書管理法ができ車の両輪がそろったものの、一三年に特定秘密保護法が制定されるとともに、公文書の改竄・隠蔽・廃棄が相次いだ。

将来公開されるかどうかは別として「とにかく残す」のか、開示される可能性を勘案して「残してもよい」ものだけを文書にするのかは、似て非なるものだ。日本の場合は、記録を残す文化やルールがないなかで、先に情報公開制度ができたことが影響しているのか、結果的に時の政府にとって情報開示されることが好ましくないものは最初から残さない、あるいはあったとしても可及的速やかに破棄するという悪しき行政文化が定着しつつある。

次の十年を「飛躍の時代」にするためにも、政府は当然のこと社会全体が初心に帰り、「国が業務で作成する記録はすべからく国民の共有財産である」という原理原則を大切にしていくことを求めたい。

●文書管理・情報公開をめぐる近年のトピック●

10・9　大阪地検で証拠改ざん発覚
13・12　特定秘密保護法成立
17・2　南スーダン自衛隊日報に関し、防衛省が廃棄したと発表した文書が存在することが判明
5　加計学園グループの岡山理科大学獣医学部設立をめぐる官邸の関与をうかがわせる文書の存在を、政府・官邸は一貫して否定
12　政府は皇室会議の議事録を作成しない方針を発表。ほかに閣議や国家安全保障会議など、重要な意思決定がなされる会議ほど、詳細記録は残さない方針が明らかに
18・3　森友学園の土地取引をめぐる文書の改竄が判明。かかわったとされる近畿財務局職員が自殺
19・2　沖縄・辺野古の米軍基地建設をめぐり、工法・工期・工費がいずれも非公表のまま工事続行

19・6　日米合同委員会議事録開示請求訴訟で外務省が認諾（敗訴）を選択し、裁判所のメール提出命令を拒否

8　司法記録の保存状況が明らかになる中で、重要な憲法判例のほとんどがすでに廃棄済みであることが判明

8　日本オリンピック委員会（JOC）は理事会の会議を一切非公開とし、さらに議事録公開も概要にとどめることに方針を転換

11　首相主催の「桜を見る会」で参加者名簿が不自然に廃棄されていることなどが判明
【参照：08年11月／10年4月／13年11月・12月／17年4月・11月／18年8月】

2020

閣議決定の罪　*01.11/20*

安倍政権の特徴の一つに「閣議決定」が挙げられる。量と質の両面から、歴代の政権との際立った違いがみられるからだ。それは「決める政治」として実行力がある証しでもあろうが、一方で中身をみると疑問符がつくものも少なくない。後者の多くは、主として国会内での口頭質問の機会が少ない野党側からの質問主意書に対する答弁書で、かつては年間百から二百本だったものが、二〇〇六年以降急増し、現在は千本前後で推移している。「(公邸に幽霊が出るという噂は)承知していない」(二〇一三年五月二十四日)といった、わざわざ閣議決定する意味を疑うものまであるが、いったい何が従来と違い、どこに問題があるのかを見ていきたい。

【閣議案件】

政府の重要な意思決定は「閣議」で決せられる。日本の場合、法律のほとんどは閣法と呼ばれる政府提出の法案で、これらは各省庁が起案し、最終的に閣議で了承され国会に提出される運びとなる。もちろん予算案や条例案、政令（内閣の制定する命令）の決定もそうだし、そのほか政府方針は原則「閣議決定」というかたちで正式に確定するわけだ。

この閣議については内閣法四条一項で規定されているが、会議の手続きまでは明文での定めはなく、慣行によって行われている。なお、本来は主務大臣の権限で決定できる事案でも、国際社会全体への影響が大きいものなどは、閣議に諮って内閣全体の了解をとることになっており、これは「閣議了解」と呼ばれている。

閣議案件としては、一般に以下の区分がある（官邸ウェブサイト参考）。

〈一般案件〉国政に関する基本的重要事項で、内閣としての意思決定が必要であるもの。高級官僚人事を含む。

〈国会提出案件〉法律に基づき内閣として国会に提出・報告するもの。質問主意書（国会法七四・七五条）に対する答弁書を含む。

〈法律・条約の公布、法律案、政令〉国会で成立した法律・条約の公布や、政令を決定し、天皇に対する内閣の助言と承認を行うもの（憲法七条）や、閣法を立案し国会に提出するもの。

〈報告〉国政に関する調査結果、審議会答申などを報告するもの。

〈配布〉閣議席上に資料を配付するもの。

これら閣議の内容は議事録が公開されているが、たとえば一年前の一九年一月二十五日の閣議配布資料として「『桜を見る会』開催要領」とあるものの、項目があるのみで実際の資料が見られるわけではない。あるいは、官邸サイトにおいて主な閣議決定として掲出されているものは、

2020

昨一九年では五十六件であるが、むしろ新聞報道などで話題になるのは、ここに挙げられたもの以外の決定事項だ。

【「珍」決定】

報道やネット上で話題となっている、「珍」決定の中身を新しいものから少し拾ってみる。答弁自体は論評の価値がないものが多いが、そうした答弁が出される背景は相当に深刻だ。なぜなら、昨今の政治の特徴である「隠蔽・封殺・強弁」を如実に表すものだからだ。

・反社会的勢力の定義はできない（一九年十二月十日）「あらかじめ限定的かつ統一的に定義することは困難である」と、従来の一般的定義を否定することで、首相主催の桜を見る会の追及逃れを意図したとみられる。

・報告書を踏まえた質問への回答は控える（一九年六月十八日）老後の資産形成で二千万円が必要になるとした金融庁の審議会報告書について、なかったことにしたい政府は、諮問した大臣自身が報告書を受け取らないうえに、報告書自体を撤回させたが、さらに関連質問には一切答えない姿勢を示すことで、当該問題の追及をシャットアウトする意思を示した。

・面会の確認は困難（一八年五月十八日）加計学園問題で首相秘書官と愛媛県関係者の官邸での面談内容を問われた政府が、事実確認に応じることなく、面会自体の有無も調査しないことを決め、幕引きを図ったものだ。

・首相夫人は私人（一七年二月二十七日）森友学園問題に関連し、安倍明恵総理夫人の行動・発言の確認を求めたことに対し「お尋ねは、特定の個人が行った私的な行為に関するものであり、政府としてお答えする立場にない」と回答した。同じ答弁書で「総理公務補助」として公務員が勤務する一方で、一方的に私人宣言をすることにより一切の責任を回避させる意図が見える。

【言い繕い】

こうした強弁で、首相や主要閣僚の失言や無知をことごとく言い繕う傾向も強い。それ自体は大した問題ではないものも含まれるが、これらはまさに「批判や異論の封殺」の体質そのものである。

・セクシーには考え方が魅力的との意味がある（一九年十月十五日）小泉進次郎環境相の国際会議でのセクシー発言への批判に対する擁護。

・現行法令においてセクハラ罪という罪は存在しない（一八年五月十八日）麻生太郎財務大臣のセクハラ軽視発言を追認することで擁護。

・そもそもには「どだい」という意味がある（一七年五月十二日）首相の口癖でもある「そもそも」について、国会で「基本的に」の意味があると発言したことに対し擁護。

・島尻氏は詰まっただけ（一六年二月十九日）島尻安伊子沖縄北方担当相が記者会見で歯舞を読めなかったことに関し、「発言に詰まっただけで読み方を知らないという事実はない」と擁護。

・首相はポツダム宣言を当然読んでいる（一五年六月二日）五月国会で「宣言をつまびらかに読んでいない」と答弁して非難を浴びたことから、わざわざ「読んでいる」ことを確認し擁護。

【憲法解釈変更】

これらは、もっぱら官邸内では高度な政治的判断のもと、何らかの整合性が取れているのであろうが、社会一般的にはわざわざ擁護する意味は不明だ。ただし、あえて言えば実害の少ない〝笑い話〟で済むレベルともいえる。むしろより重大な問題を孕むのが「権限外」の決定だ。憲法解釈を閣議決定することも少なくない。集団的自衛権を政府として初めて容認したのも閣議決定だし、今般の中東への自衛隊派遣も、国会審議は全く経ていない。さらに憲法改正や教育問題でも、憲法解釈を一方的に示すことが続いている。

・集団的自衛権は憲法九条の下で許容される自衛の措置（一四年七月一日）
・自衛隊は国際法上、一般的には軍隊と扱われる（一五年四月三日）首相が自衛隊を「わが軍」と発言したことを受けての決定。
・憲法九条は一切の核兵器の保有および使用を禁止しているわけではない（一六年四月一日）
・中東地域へ「情報収集活動」のため自衛隊派遣（一九年十二月二十七日）
・教育勅語は憲法や教育基本法に反しない形で教材として用いることまで否定されることではない（一七年三月三十一日）
・改憲発言は自民党総裁としての発言であって、総理の職務としておこなわれたものではなく、立法府の軽視に当たらない（一七年五月十六日）

昨一九年末、毎日新聞の首相番記者のネット投稿が一部で話題になった。首相と担当記者の懇談会に、毎日新聞が社の方針として連続して欠席していることについてである。政府が一方的見解を表明し、それがすんなりと受け入れられてしまう空気に抗う力は、こうしたことから始まると、年の初めに期待したい。

［参照：14年5月］

マイナンバーカード* *01.09/20*

【実態は「自由の縮減」】

二〇二〇年は「マイナンバーカード」が社会に普及・定着するかどうかのポイントとなる年になりそうだ。一三年に制定され、五年後の一八年に完全施行されたのがマイナンバー（社会保障・税共通番号制度）法だ。政府はあと三年で全住民（国民）がカードを保持することを想定しているが、公布開始から三年でまだ一割強しか普及していない。成立前から「国民総背番号制」で監視社会につながるなど、議論が続く同制度については、違憲訴訟が提起されていて、神奈川に続き名古屋でも合憲判決があったところだ。

検討過程では、消費税引き上げによってしわ寄せを受ける社会的弱者を守るために、必要な給付を実施する必要があり、そのためには基準となる全国民の所得情報を正確に把握する必要があるからだとされた。しかし、市民レベルでどのようなメリットが生まれたのかを実感することは、ほぼない。むしろ、世界的に見て「壮大な実験」とさえ言われる、集中管理型の全国民の個人情報を一括管理する方式に対しては、常に漏洩の危険性と隣り合わせであることは間違いない。

それを防ぐ意味でも「マイナポータル」で、自己情報の管理を行えるシステムを導入し「権利の拡大」を謳っていたものの、ビッグデータ利用などは対象外で、自己情報コントロールが実現しているとは言い難く、実態は「自由の縮減」であることは明らかだろう。さらにいえば、立法時において「大災害における真に手を差し伸べるべきものに対する積極的な支援」のために番号制度が有効であるとされたが、昨今の自然災害においてこのマイナンバーが有効利用され、迅速確実な被害者支援が実現したという話は全く聞かない。

そうした中で政府は、公務員に対する強制取得とともに、普及率向上のためにさらに大きなコストをかけることを明らかにしている。その一つが健康保険証との一体化で、カードを保険証として利用可能とする「オンライン資格確認」が予定されている。マイナンバーと医療健康情報を結合することはないと説明されているが、制度上連結が予定されており、そもそも機微情報の集中管理でビッグデータ利用をすることが許されるのかについて、社会的な議論が十分とは言えまい。

先の個人情報保護法の改正に合わせて、匿名化された個人情報のビッグデータ利用がほぼ無制限に認められることになった。マイナンバーもその例外ではなく、さらに民間利用への拡大も視野に入っており、高まる漏洩や悪用の危険性を、「利活用」によるビジネスチャンスの拡大と引き換えにしてよいかは疑問だ。しかも、導入・維持のためにすでに一兆円を超えるコストがかけられているうえ、システムの拡張によって経費はさらに膨らむ見込みだ。むしろ経済振興策としての側面ばかりが強まっているのが現状だろう。一つの固有番号に紐付けされるのが、強制的かつ自動的に収集される膨大な要配慮個人情報であるという性格が、忘れ去られてはいないか。

●マイナンバーをめぐる最近のトピック●

13・5・31　行政手続における特定の個人を識別するための番号の利用等に関する法律（共通番号法）制定

14・1　内閣府に特定個人情報保護委員会設置（12・18　特定個人情報の適正な取扱いに関するガイドライン制定）

16・1　マイナンバーカードの交付開始

17・1　マイナポータル一部稼働（11・13　本格運用）

19・5　改正健康保険法が成立　医療機関・薬局にカードリーダーを順次設置　21・3から マイナンバーカードを健康保険証として利用予定

6　「マイナンバーカードの普及とマイナンバーの利活用の促進に関する方針」を決定。地方自治体に普及の進捗状況の月次報告を求める通達

9　横浜地裁で、憲法13条で保障されたプライバシー権（自己情報コントロール権）が侵害されるとした一連の違憲訴訟で、「マイナンバー自体はプライバシーに属する情報を含まず、紐づけられる個人情報は制度の運用前から行政機関で利用されていたもので、行政の効率化など公共の利益にかなう」として、住民基本台帳ネット

ワーク（住基ネット）訴訟に沿い、「具体的危険」がないと判示　12月には名古屋地裁でも判決（東京地裁、新潟地裁、大阪地裁、金沢地裁、福岡地裁、仙台地裁で係争中）

［参照：11年1月・8月／15年10月／18年7月／20年5月］

新型コロナウイルス　対応のリスク　*02.08/20*

冬から春にかけて東京はマスクの季節だ。インフルエンザに花粉症、それに最近では若者の顔隠しのためもあって、街中にマスク姿が氾濫する。今年はそれに新型コロナウイルスへの感染防止で、店頭ではマスクも消毒薬も軒並み売り切れの状況が続いている。「正しく怖がる」は、二〇一一年の東京電力福島第一原子力発電所爆発事故後の流行りフレーズだが、社会全体が軽いパニックに陥っていると言っていい。テレビでも久しぶりに朝から晩までコメンテーターが入れ替わり登場し、同じ話が繰り返されるし、新聞でも連日、大きな扱いだ。そこでは、政府の対応が後手であるとか生ぬるいという方向に話が進みがちだが、私権を時に大幅に制限する措置を伴うだけに、冷静な判断が必要なことはいうまでもない。その視点のいくつかを、確認しておきたい。

【緊急事態法制】

今回の特徴の一つは、政府に「迅速」「特別」な対応を求める声が強いことだ。これらはいわば「緊急事態」であることを前提としている。そうはいっても、こうした行政処分や措置といった政府や自治体の対応には根拠法が必要である。現在、日本における緊急事態法制としては以下のものが挙げられる。

もっとも古いものとしては、伊勢湾台風の甚大な被害を受けて一九六一年に立法化された災害対策基本法がある（同種のものとして大規模地震対策特別措置法＝以下、特措法、七八年。関連して、地震防災対策特措法、南海トラフ地震に係る地震防災対策の推進に関する特措法、日本海溝・千島海溝周辺海溝型地震に係る地震防災対策の推進に関する特措法）。そのベースは、戦後すぐにできた気象業務法だ（五二年制定）。ただし二〇〇〇年前後に、大きくフレーズが変わる。それまでの、まさかの「天災」に対応するための緊急対応のための法から、「人災」に対処するための法ができ始めるからだ。

一九九九年の原子力災害対策特措法をはじめ、石油コンビナート等災害防止法などである。そのいわば集大成ともいえる法が、二〇〇三年の武力攻撃事態等及び存立危機事態における我が国の平和と独立並びに国及び国民の安全の確保に関する法律であり、翌〇四年の武力攻撃事態等における国民の保護のための措置に関する法律である（関連して、特定公共施設等の利用に関する法律）。これらは表現の自由との関係で、大きく二つの制限を課す法律群だ。

第一が、市民的自由としての移動や居住の自由などの制約だ。いわゆる「私権の制限」と呼ばれるもので、緊急事態法制の普遍的な特徴の一つである。これにはもう一つの特徴である「権限の集中」も、もれなくついてくるといってよかろう。首相もしくは都道府県の長による「緊急事態宣言」と、それに伴って議会の手続きを省略した強力な権限が行政のトップに付与される仕組みが用意されているわけだ。

第二が、指定公共機関の制度を通じての、取材・報道の自由に対する制限が行われることだ。法によって多少異なるものの、ＮＨＫをはじめとするテレビ・ラジオ放送局や、新聞社がその対象だ。具体的な制約としては、取材で収集した情報の政府への伝達や、職員や機材の提供が求められる。強制力はないが、実際に要請があった際に断ることは難しかろう。

【パンデミック対策法】

そして、これらをより強力に制度化したものが、パンデミック対策法だ。一九五一年にできた出入国管理法や検疫法が基本となる法制度で、まさにいまコロナウイルス対策として適用されている。検疫感染症として指定することで、入国・入港禁止や隔離措置が可能になる。現在、空港の入管で日本への入国を拒否したり、横浜港沖でクルーズ船を留め置き検疫を行っているのは、これらを法根拠とした行政措置・処分である。

さらにもう一つの根拠法が一九九八年の感染症法だ。伝染病予防法、エイズ予防法、性病予防法を統合した法律である。これによって指定感染症に指定されると、就業制限や強制入院措置が可能になる。いずれにせよ、通常の生活においては、全く想像だにしない移動の自由が全面的に規制を受けることになる。しかも、その期限は行政権限に委ねられている。

さらに強力な伝染力を有する感染症を想定したのが、二〇一二年当時、実質わずか五時間の国会審議で成立した新型インフルエンザ等対策特措法である。中身は、予防接種の実質強制接種から始まり、緊急事態宣言による外出禁止、さらには最大二年の施設利用・催事の制限・停止と極めて強力な私権制限が続く。先に挙げた指定公共機関制度を通じての報道機関への縛りも存在する。

強力な制限規定があるゆえ、「国民の自由と権利が尊重されるべきことに鑑み、新型インフルエンザ等対策を実施する場合において、国民の自由と権利に制限が加えられるときであっても、その制限は当該新型インフルエンザ等対策を実施するため必要最小限のものでなければならない」との配慮条項が置かれている（五条）。表現行為を対象とした権利制限に伴う同種の条項のある法律は、先に挙げた武力攻撃事態対処法三条(5)（安保関連法、〇三年・一五年修正）、憲法改正手続法一〇〇条（国民投票法、〇七年）、特定秘密保護法二二条(1)（一三年）、組織的犯罪処罰（共謀罪）法六条(4)（一七年）と、国会審議で問題となった近年の法律群と共通の特徴でもある。

しかも、全面的な政令委任によって、実際の運用はほとんどすべて閣議決定で施行可能となっている。それゆえに、事後検証を可能とし将来の対策に生かすためにも、政府内の意思決定過程の詳細な記録と迅速な公開は必須だ。

ただでさえ、感染症の蔓延防止を理由に非日常の権利制限が許される雰囲気にある中、より強力な法の適用や運用には大きなリスクが伴うことを、予め十分理解しておく必要がある。

［参照：12年4月／16年3月／20年3月・4月・5月］

移動の自由＊　*02.13/20*

【続く旅券発給拒否】

日本国籍を有する者が普段、日本の出入国ができるかどうかを心配することはまずない。しかしいま、海外渡航をした場合、帰国時に空港等で留め置かれ、予定通り帰ってこられない可能性があるとの理由から、出国自体を自制する人が出始めている。まさに新型コロナウイルスの感染の広がりを受けての自己防衛というわけだ。しかし少し視点を変えれば、日本国は出入国に関しそれなりに剛腕を発揮してきた国でもある。海外での取材を希望するジャーナリストが、この間、少なくとも二人、パスポート（旅券）の発給が認められなかった（ほかにも、発給拒否処分を争う事件は少なくない）。

両者とも戦争取材を積極的に行ってきたフリージャーナリストで、うち一人はまだ記憶に新しいシリア取材中に拘束された安田純平さんである。もう一人は、強制返納させられた旅券に代わり、その後、渡航国の制限がかかった新券が発行されている。こうした渡航の自由を一方的に制限する行為は、旅券法の「著しく、かつ、直接に日本国の利益又は公安を害する行為を行うおそれがあると認めるに足りる相当の理由がある者」（一三条一項七号）との条件に該当するとして、外務大臣の裁量で可能だ（法務大臣との協議が必要）。一九五八年の最高裁判決がいまだ踏襲され、公共の福祉のための合理的な制限に服すとされている。

古典的なテーマであるが、憲法二二条の「居住・移転の自由」は、住所を定め変更する自由のみならず、より日常的一般的な人身の移動の自由を含むと考えられ、一時的な海外渡航の自由もこれに含まれると解される。そしてこの自由を制約するのに、抽象的な公共の福祉とか、国益というのではなく、より個別具体的な理由が求められてしかるべきだ。なぜなら取材の自由を含め、精神的自由の制約に直結する効果を、発給禁止がはらんでいるからである。

一方で、今回のコロナウイルス関係での入国制限騒ぎで脚光を浴びている入管難民法に関しては、昨今問題となるのはむしろ、「不法滞在」外国人や難民申請者に対する、厳しい出入国在留管理庁の対応についてである。施設での長期収容や処遇の悪さに関し、すでにハンガーストライキによる餓死者が出るほどの大きな問題になっているものの、残念ながら国民的関心を呼ぶには至っていない。こうしてみても日本国は、入出国に関し国籍にかかわらず、行政裁量が広く理由も曖昧ななかで、本人意思に反した事態が発生しているということになる。

そうしたなかで、入管難民法や検疫法、あるいは感染症法の拡大適用や強制性の強化を求める声が強まっている。これらは、行政の裁量いわば恣意的な運用枠を広げることと同義だ。そのうえ、政府も国会審議を飛び越えて、お得意の閣議決定で対応を決める事態が続いている。次に控える新型インフルエンザ特措法は、さらに強力な私権制限条項が多く含まれているだけに、必要なのは行政裁量に委ねることではなく、憲法原則を大切にした謙抑的な行政対応だ。それからすると、本人意思を尊重した柔軟な扱いをすべき優先順位は、ほかにあるということになる。

●移動の自由をめぐる最近のトピック●

12・5・11　新型インフルエンザ等対策特別措置法制定　緊急事態宣言のもと、事実上の強制予防接種、集会や催事の最大2年の禁止措置。指定公共機関としての報道機関の行政への協力義務などの定め

15・2　杉本祐一さんの旅券強制返納　3月に新規申請。4月に外務省はシリアとイラクへの渡航を制限した旅券を発給

19・10・1　出入国在留管理庁が報告書を発表　6月の入管施設収容中の死亡はハンガーストライキが原因と公表

20・1・9　旅券発給拒否は違憲として安田純平さんが国を提訴

1・28　新型コロナウイルス感染症を指定感染症および検疫感染症と定める政令を閣議決定（施行日を改めて前倒し実施）

1・29　政府チャーター機で希望者が中国・武漢市から帰国（その後、第4便まで運航）

1・31　出入国管理及び難民認定法（入管難民法）に規定する上陸拒否事由に該当するとして、中国滞在歴がある一部の外国人、中国旅券を有する者の一部を、症状の有無にかかわらず入国拒否の通知

1・31　自衛隊法83条2項ただし書きに規定する災害派遣（自主派遣）の実施を下令

［参照：18年11月／20年4月］

新型コロナウイルス報道　*03.07/20*

戦争になると新聞が売れた時代があった。日本での典型例は日清・日露戦争時とされる。戦争でなくても大事件・事故が起きれば人はニュースを欲する。震災やテロなどの深刻な事件・事故がそれにあたり、確実に新聞やテレビ報道番組の接触時間が増えることが証明されている。多くの人が、少しでも早くより正確な「事実」を知りたいからだ。

今回の新型コロナウイルス感染症に関しても、「本当のこと」を求めて携帯のニュースサイト閲覧数が増えているという。それは、時に株価動向などの経済の先行きを心配しての場合もあるが、それも含め、まぎれもなく「不安」の解消を期待してのことだ。逆に言えば、この問題に関し最大の情報を保有するはずの政府は、可能な限りの情報を迅速に公開し、この不安を解消することが求められる。

首相は今週に入って、さらなる緊急事態対処の法整備を求めている。しかも、学校閉鎖も専門家の知見ではなく、自分の政治判断であることを積極的にアピールしている。エビデンスの裏打ちがない恣意的な判断で個人の権利が一方的に制約されることへの躊躇がないことをあらわすものだ。

さらにいえば、政府の専門家会議は議事録がないことが判明し、その理由は土日のため速記者の手当てがつかなかったためという。こういう言い訳が通じると思っていること自体、報道機関も含め社会のチェック機能を完全に無視している証拠だ。こうした政府に、いま以上のノーチェックの強権を与えることはあまりに危険である。

【空疎な首相会見】

二月二十九日に開かれた首相の緊急会見でも同様に、情報の開示は事実上ゼロだった。従来の情報発表内容の繰り返しの上、精神論が語られただけで具体的な政策は提示されなかった。それでも、NHKほか民放の報道番組、あるいは一部の新聞では、「強いリーダーシップが示された」「これで国民は安心できる」との評価がなされているが、本当にそうだろうか。むしろ、昨今の国会運営における真相隠しなどによる不誠実さを見るにつけ、言葉の空虚さのみが感じられたといってもよい状況だ。

不安が解消されないため、パニックが起こる余地が高まる。その典型例の一つが、買い占め行動だ。マスクや消毒液の市場からの品切れ状況はまだしばらく続くだろう。会見で月六億枚と言われても、その根拠は一切示されず、厚労省と経産省の特設サイトでも、生産見通しについては多少触れられているものの、市場に供給される具体的な数字は示されないまま、「不要不急の買いだめは控えてほしい」との呼びかけがあるだけだ。

生産量を、どのように供給コントロールしているのか、備蓄がどのくらいあるのかなどを、きちんと公開することがあれば、品薄は続いても不安は一定程度解消されるにもかかわらずだ。具体的な数字を挙げずに、冷静な行動を呼びかけても、その実効性はほぼゼロといえる。

同じことは、PCR検査にも言える。事の始まりは、政府が「真相」を隠していることにある。なぜ公的機関（とりわけ国立感染症研究所）が、絶対的に検査を仕切り続けなければならないのか、「行政検査」にとことんこだわらなければならないのかの説明がいまだになされていない。自明のとおり、行政検査はあくまでも「調査」のためのものであって、直接的には治療のためでも、ましてや患者の命を救うためのものでもない。医療行為としての検査は、民間が担うことで初めて実現するにもかかわらず、政府は一貫してそれを拒み続けている。

しかも検査数についても、長く隠し通していて、ようやく一日の検査実数が公表数の三分の一以下である千件未満であることを認めたばかりだ。識者からは、感染症研が自分たちの研究論文を書くためにデータを独占していると指摘されたものの、国会ですらこの件については質問されず曖昧のままだ。いわば、政官ぐるみでの情報隠蔽が行われていることになる。

【広がる自粛のわな】

もう一つ、不安が引き起こしているのが各種イベント等の一斉自粛だ。確かに、人が集まれば感染リスクは高まる。しかしゼロリスクを求めては社会が崩壊することも明白だ。むしろ、社会的隔離が差別を生んだり、今回の一斉休校もそうだが、社会の停滞が社会的・経済的弱者に大きなしわ寄せを生むことになる。

こうした社会的マイナスを「国難」だからという理由で封じ込め、ゼロリスクを追求し続けることは避ける必要がある。危機感の煽動を抑えるのが政治の仕事であるが、現在の政府はむしろ、こうした雰囲気を煽っているとも言える。命にかかわることだけに、昭和天皇死去の際の自粛とは同列に語れない部分も多いが、その影響は歌舞音曲に限定されないだけに、その時以上とも言える。

家族の多様化が進んでいることや、労働実態として非正規雇用者が当時に比して急増していることからも、弱者へのしわ寄せを生みやすい社会構造になっている点も考慮する必要がある。三十年前より、自粛ダメージを受けやすい社会になっているとも言えるわけだ。

マスクや消毒液もない、検査体制も整っていない、さらに感染実態も不明で、自己防御の簡易的な方法も取れないなか、政府は自己責任回避のため、イベント中止や学校閉鎖を要請しているように思える状況だ。こうしたなかで、実態としては、情報不足による不安感から、自粛が雪崩を打つように広がっている側面が強い。

野田秀樹は三月一日、公演自粛による劇場閉鎖は「演劇の死」に繋がるとの意見書を公表した。まさに、継続・実施のために最善を尽くすことが求められていると言えるし、政府は中止や延期を求める前にまず、実施ができるための環境整備を進める必要がある。いわゆる社会・経済活動を継続させるための努力だ。その大事な一つが、適切な情報の供給・提供であるということにな

2020

る。

同時に報道機関の役割としては、いかに政府の情報隠しを許さず監視し、冷静な報道を続けるかだ。自粛イベントを列挙することは不安を煽り、同調圧力を強めることにのみ作用する。検査体制や防御用品の整備の状況を過不足なく伝え、問題点と改善策を提示し続けることが、不安感を払拭するだけではなく、イベント中止を議論する際の適切な素材にもなるだろう。

［参照：11年5月／19年11月］

庁舎執務室の閉鎖* *03.12/20*

【行政による情報遮断】

目の前で民主主義が壊れていくのを見るのはつらい。行政は、保有する情報を可能な限り開示し社会全体で共有することにより、実施する政策の正統性を担保し、市民は自らのコミュニティーの一員として参画することで、ともに社会を支えていくことができる。政治は、真摯に討議をすることで最善の選択肢を探り出し、同時に有権者の声にきちんと耳を傾けることで自らのたたずまいの正当性を確認することができるものだ。

たとえば横浜市を見てみよう。三年前の四月、職員用と記者用のトイレを別にすることで、情報漏洩の危険性をなくすことを予定した。計画が表面化することで批判が起き撤回したものの、この一月に新庁舎が完成し移転するのを機に、さらに強力な情報遮断策を講じてきた。全執務室に施錠をし、職員への自由なアクセスを禁じるというのだ（神奈川新聞三月一日付）。理由は「セキュリティー対策などの危機管理機能の強化」とされているが、開かれた政府からの決定的な後退であることは否定しえない事実だ。

これと同じ事態は、まさに同じ三年前に中央省庁でも起きている。経産省が全室施錠を実施し、その後の度重なる抗議・要望にもかかわらず、事態は一向に改善しないばかりか、運用上さらなる危機的な事態が報告されている。行政側が、取材を受けたくない場合に「居留守」を使ったり、部下が上司を忖度して取材依頼があったことすら伝言しないといった状況が生まれているとされるからだ。

確かに役所の側には庁舎管理権があり、安全上等の理由から一定の入構制限が実施されることはありえよう。しかし、少なくとも一定の報道機関に対しては可能な限りの自由なアクセスを担保することが、法律上も社会慣習上も積極的に認められてきた。それは、社会における行政監視の機能として、ジャーナリズム活動を認めてきたからである。さらに行政透明化のための情報公開制度を、実質的に後押しする情報提供の対象として、一般市民の知る権利の代行者としてジャーナリストを認めてきたからである。

逆に言えば、こうした記者活動を否定するということは、今まで認めてきたジャーナリズムの公益性・公共性そのものを否定することにほかならない。実際、閉鎖が続く経産省の若手官僚のなかには、記者の取材を受けることが「特別」であって、受けたくなければ受けなくてもよいという風潮が広がっているといわれる。

蟻の一穴ではないが、こうした事例はいったん一般化すると、どんどん広がりかねない。まずは、横浜市や経産省が閉じるのではなく開く姿勢を堅持するよう、方針を撤回することを求めたい。同時に報道機関はより一致団結して、行政側に力関係で負けるようなことはあってはならない。民主主義を守る義務は公権力側にあるとともに、ジャーナリズムも重大な責任を担っている。

●首相周辺の情報の遮断をめぐる動き●

19・7・15　安倍晋三首相の街頭演説会の際に、北海道警はヤジを飛ばし、プラカードを掲げた市民を排除し職務質問。市民は12月に国家賠償を求め提訴。翌年2月に道警は法的根拠が警察官職務執行法4、5条であると初めて表明

11・6　衆院予算委員会で加計学園問題に関する文部科学省文書に関わる質問に対し、安倍首相は「あなたが作ったんじゃないの」と発言し審議が中断。首相は「座席から発言したことは申し訳なかった」と謝罪。報道によると19年中だけで安倍首相の閣僚席からの「不規則発言」は20回を超えるとされる

20・1・22　官房長官の記者会見で、東京新聞記者が「非常に不当な扱いを受けている」と抗議

2・4　桜疑惑の追及に対し、安倍首相は「うそつき」と反論

2・17　12日の衆院予算委員会で閣僚席からの「意味のない質問だよ」などのヤジにつき、安倍首相が委員会で謝罪

2・25　安倍首相が、過去に政治系サイトへの政権支持投稿依頼を出し話題となった、ラン

サーズ社長ほか大手ＩＴ企業と会食

2・28 麻生財務相が毎日新聞記者の質問に対し正面から答えることなく、「つまんないこと聞くねぇ。上から言われてるわけ、かわいそうだねぇ」などと発言

2・29 新型コロナウイルス対応に関する記者会見で、安倍首相は当初からの約束として、質問の挙手が多数ある中、５問、約15分で質疑応答を打ち切り帰宅

［参照：17年8月］

新型コロナ緊急事態宣言　*04.11/20*

今から百四十年前は、廃藩置県で琉球藩から沖縄県にかわった時だ。新聞でいえば、ちょうど朝日新聞が誕生したのもこのころである。国内ではコレラが全国に蔓延、一方で自由民権運動の高まりを受けて厳しい言論弾圧が行われた。名誉毀損法制である讒謗《ざんぼう》律、新聞紙条例、集会条例などが矢継ぎ早に制定されていった時期でもある。当時の人気風刺新聞「團團珍聞《まるまるちんぶん》」の挿絵（明治十二年四月二十六日、第百五号）をみても、皆、黒いマスクをしているが、ちょうどこの感染症の広まりにひっかけて、口封じの社会状況を批判している。

【政府の自覚】

国難、国家的危機、想定外、苦渋の選択…言い方はいろいろだが、結果として目の前に広がる光景は、超法規的措置として進む、自由や権利の制限だ。

ドイツのメルケル首相は三月十八日の国民向けメッセージの中で外出規制などの権利制限につ

いて、「苦労して勝ち取ってきた自由を制限することは、この国ではありえないことであったし、その制限は絶対に必要な場合にのみ正当化される」としたうえで、「民主主義国家においては、これら制限は簡単に行われるべきではなく、一時的なものでなくてはならない」とした。そしてこれらの「政治的決定は透明性が担保され、きちんと説明が果たされなければならない」と述べている。

どうしても隣の芝生は青く見えるものではあるが、やはり基本を押さえること、筋を通すことは大切だ。緊急事態だからといってやっていいことと、いけないことをきちんと峻別し、どうしても実施する場合には、十分に説明をすることが必要ということになる。こうした「躊躇」がまるでないかのごとく、これまで積み重ねてきたものを簡単に手放す状況が、今の日本では続いてはいまいか。

たとえば三月三十一日には、「新型コロナウイルス感染症の拡大防止に関する統計データ等の提供の要請について」が発表され、プラットフォーム事業者・移動通信事業者等に対し、地域の人流把握やクラスター早期発見のため、ユーザーの移動やサービス利用履歴等の提供を受けるという。これまで、個人情報の外部提供やビックデータ利用については、さまざまな歯止めを講じてきたものが、一瞬にして崩れてしまう可能性を含む。

【議会の封鎖】

また、日本中の議会でも、これまでにないことが同時進行している。沖縄県下でも少なくない議会が「短縮議会」を実施、傍聴も「自粛要請」措置をとっている。可能な限り、議事は省略し一般住民は議場に来ないでください、ということだ。その結果、一般質問を取りやめたり、特定の部局（新型コロナ対策関係部局）への質問を制限することが起きている。

また傍聴に関しても、自粛ではなく傍聴自体を禁止しようとする自治体も現れた。傍聴できなくても議事録や放送・インターネットによる中継で代替されるという説明がなされているようだ。しかし、議事の公開（傍聴）と議事の記録（議事録の作成・閲覧）は別物だし、ネット中継は公開（傍聴）の補完にすぎないことも確認が必要だろう。

立法府における議論の公開は、憲法で国会審議の公開が保障されている、重要な権利だ（五七条）。さらに国会法によって、一般には傍聴が認められないことが多い委員会においても、報道機関の取材は認めることが定められている（国会法五二条）。地方議会においても、同様の権利保障がなされるべきであって、傍聴の禁止は許されないということだ（地方自治法一一五条）。同時に、報道機関の取材は、仮に一般傍聴が制限される場合においても、その適用外として認められてしかるべきだ。

審議時間の短縮を図る工夫は日常的にもあってもよいかもしれないが、質問中止や会期短縮を軽々に行ってしまっては、自身の存在意義を揺るがすばかりか、憲法的価値の否定にもつながる行為といえるだろう。議会によっては、報道機関の取材に対しても自粛要請や禁止措置をとったところもあったようだ。これは、緊急事態だからといって奪ってはいけない範疇のものだ。

【自粛の要請】

一連の自粛要請は、今や社会の中で当たり前のこととして受け入れられ、さらに緊急事態宣言の発動によって事実上の強制力をもって広がりつつある。外出、営業、催事等、さまざまな市民・団体の活動に対し、一律に制限がかけられることになった。これまで、あれだけ忖度を問題視していた社会も、さらにステップアップさせた、忖度の命令ともいうべき自粛の要請をすんなりと受け入れてしまっている。

当たり前のことをあえて確認しておくが、市民的自由を個別の法律によって制約する場合であっても、憲法原則を超えることは許されない。これにプラスして、社会にはいわゆる社会的勢力による権利制限のパターンが存在する。たとえば、業界団体による縛りは一般的だ。さらに、自主規制と呼ばれるもので、団体・企業そして個人が、それぞれの自律的な判断で、自己の行動を差し控える場合がある。今回の法に基づく自粛の要請は、自主規制を政府が命じるものであって、官製自主規制といえよう。

日本国内では、市民の自制的行動などの結果、かろうじて感染者の数が抑制されている。一方で、沖縄県下では在日米軍基地内での感染が発表されたものの、米兵が入国制限の対象外であるほか、基地内外の行き来も自由だし、感染者の居住地も未発表だ。まずは足もとを固める必要を感じさせる一例である。それなしに一足飛びに市民的自由に手を付けることは、かろうじて守ってきた「大切なもの」を失うことになりかねない。

車に例えれば、コロナ特措法という強力なエンジンを積み、緊急事態宣言という形で強くアク

2020

セルを踏み込んだのがいまの状態だ。性能がいいブレーキがないと車は暴走する。そのブレーキ役に私たち一人ひとりが意識的にならなければならないと思う。もちろん、報道機関の役割もいつも以上に重要だ。

［参照：12年4月／20年2月・3月・5月］

新型コロナと報道の自由* 04.09/20

【命も自由も守る】

新型コロナウイルス封じ込めのため、世の中全体が、政府や自治体により強い措置を期待する状況が生まれている。そうしたなか、早くも報道の自由に大きな影響が出始めた。

一部の地方議会において、一般市民の傍聴を制限するだけでなく、取材のための傍聴も禁止したり自粛を求めたりする事例が発生しているからだ。さらに宣言発令後の七日の首相記者会見では、取材できる記者を大幅に制限した。一社につき記者一人にしたほか、抽選制の導入ということでフリーランスや雑誌協会加盟社などに大幅なしわ寄せが及んだと伝えられている。

パニックを防ぐ最良の方法は、的確・迅速で正確な情報の伝達だ。その役割を担うのは政治家ではなく報道機関であるべきだ。少なくとも、政府発表の情報だけが流れる、あるいは政府方針と異なる意見が排除されるという状況は、「有事」において起きがちであって、民主主義社会にとって最も危険なことである。

特措法の規定は、宣言後は報道機関に「総合調整」を求めることができるとある（二〇条ほか）。調整の結果が、政府の都合のよい情報のみを伝達することであってはならない。そのためには、報道機関の側が「ＮＯ」といえるかどうかが問われるということだ。

国難あるいは感染予防を理由とした制限を当然視することは、原則と例外の逆転であって、本来は例外でなければならない制約が、国家の都合で原則になることを意味する。こうした主張に対してはすぐに、「国難の折に筋論は言っている暇はない」という批判が寄せられる。しかし、自粛の要請やその延長線上の緊急事態宣言が、私たちが長年積み重ねてきたものを、一気に失う危険性をはらんでいる極めて危険な一歩であることを、十分に認識すべきだ。

言論報道活動に限らず、教育・文化・芸術を含む広く表現活動は、私たち自身の成長や社会全体を豊かにするために、生活必需品同様、必要欠くべからざるものである。だからこそ、これらはいずれも法に基づき、極めて限定的に制限を受けることが、例外的に許されるにすぎない。

今回の一時的な活動停止が、経済的なダメージを含め、芸術インフラが回復困難な状況に陥る危機にあるとともに、する方もされる方も超法規的措置に慣れることとの危機がある。国の言うことを聞くのが当然の雰囲気の醸成だ。これまでも忖度が問題になってきたが、自粛要請は「忖度の命令」のようなものである。

丸裸になった後で、あの時手放した自由や権利を取り戻したいと思っても返ってはこない。不安感から前のめりになりがちな時だけに、自粛や宣言を受け入れる前に、もう一度その「重さ」を再確認することが、政治家だけでなく私たち一人一人に求められる。命も自由も、守らねばならない。

●新型コロナ感染症をめぐる表現の自由関連のトピック●

2・20 政府がイベントの開催必要性の検討を要請
2・26 政府がイベントの自粛、博物館・美術館の閉鎖、公演等の中止・延期を要請
2・28 政府が全国小中高校などの一斉休校を要請。北海道が法に基づかない緊急事態宣言として、外出自粛を要請
2・29 安倍晋三首相が記者会見（3・14、28にも）。このころから図書館の閲覧室閉鎖が一般化
3・1 劇作家の野田秀樹氏が「劇場閉鎖は演劇の死」との意見書を発表
3・9 政府が中国・韓国からの入国を制限。その後順次、対象国を拡大。同時に出国も自粛要請
3・13 改正新型インフルエンザ等対策特別措置法が成立
3・19 大阪府が兵庫県との往来などの自粛を要請
3・20 政府が3密となる行動の制約を要請
3・25 東京都が不要不急の外出自粛を要請
3・26 特措法に基づく政府対策本部を設置。1都4県知事が共同メッセージで外出自粛を要請。他県も東京への往来自粛を要請
3・27 文化庁が長官声明「文化芸術に関わる全ての皆様へ」を発表。助成金交付を求める芸術関係者の署名運動が活発化

3・28　特措法に基づく基本的対処方針を発表
3・30　日本医師会幹部が緊急事態宣言発令について言及
3・31　小池百合子都知事が首相と会談し特措法の運用を協議
4・7　緊急事態宣言を発令。その後の記者会見で出席できる記者数の制限を実施
［参照：12年4月／16年3月／20年2月・3月・5月］

感染追跡と自粛警察　*05.09/20*

「自粛警察」という言葉が一部で使われる。他人の行動を監視する行為をさし、営業している（と勝手に思い込んだ）店舗に脅迫まがいの張り紙や電凸を行う事例もあるようだ。沖縄県下でも感染者の実名や住所を暴いてその行動を非難するばかりか人格攻撃をするに至っている。そうした違法もしくは不当な行為自体が許し難いことはもちろんだが、用語としても嫌な使われ方だ。

さらには、医療関係者やエッセンシャル・ワーカーと呼ばれる人々やその家族への差別行為も、残念ながらいまだに続いている。この間連続でコロナ禍を扱ってきたが、今月も続くことをご容赦願いつつ、背景にある「隔離」の問題を考えたい。

【「非国民」扱い】

自分が絶対に安全な立場にいる、あるいは正しいという思い込みのもとで、自分からみて少しでも考えが異なる、あるいは自分の安全を少しでも脅かすと勝手に認定した対象を、徹底的に排除するという行為が、先に挙げた「自粛警察」の特徴だ。いわば私刑《リンチ》であるわけだが、その起因するところはなかなか厄介で、今回に限った話ではない。

一つには、国を挙げての炙り出し政策（クラスター潰しと社会的隔離政策）のまっただ中にあって、いわば「お墨付き」を得ての行為であると見えてしまう点である。二つ目には、現在は有事であって、心を一つにして頑張るときに、その団結を乱すのは「非国民」というレッテル貼りが正当化されやすい状況にある。そして第三には、ずるいやつを懲らしめてやるといった「義侠心」（正義感）の現れである場合も少なくないかもしれない。

さらにこうした基盤には、この場に及んでお上に逆らうのかという権威に頼りがちな社会風土があろう。スタンピード現象と呼ばれるように、いったん決まった目標に対し、全体として一気呵成に流れやすいといった国民性もある。さらには、国民の潔癖性も関係しているかもしれない（これは、手洗いやうがいの遂行という形で、今回は感染防止に大きな役割を果たしてもいる）。

【不安感の蔓延】

しかしこうした行動の直接の要因は、社会全体に蔓延する「不安感」ではないか。残念ながらこうした感情を日本国内で引き起こしているのは、政府を代表とする公権力の姿勢だ。節目で行われる首相記者会見でも、美辞麗句は並べられるが具体的な説明が決定的に欠如している。当初の一斉休校の時、緊急事態宣言の際も、そして今回の延長時に至っても、六度の会見において科学的根拠や数値目標が明確にされることはなかった。同じことは、事実上の政策決定機関である専門家会議についても言える。

いつまで続くかわからない自粛要請、しかも金銭補償はなかなか支払われず、生活は困窮するといった、欲求不満や不安のはけ口に、社会的弱者が選ばれるという構図だ。当初は中国人だったし、次に若者、そして感染者さらには自粛を守らない(守っていない、さまざまな理由で守れない)人と、次々と対象を変え、「異端者潰し」が続いている。このままでは終わりがなく、次々とターゲットを変えて、自分より弱い立場の者を攻撃し続けることになるだろう。

こうした状況は、これまでもあったことに気づく。それが「沖縄ヘイト」であり、昨年の大きな社会的事象となったあいちトリエンナーレをめぐる作家や主催者バッシングであったわけだ。先に挙げた条件がいくつも重なっており、同じ構図で起きていることがわかるだろう。

【危うい追跡アプリ】

ここまでの話はいわば、政府に透明性が欠如しているということであるが、これは同時に信頼性の低下にもつながっている。公権力が頼りにならないからリンチが流行るということだ。こうした状況が、発生の当初に起こる場合は、準備不足という判断がなされよう。しかし、それから三カ月以上経過しても、いまだにPCR検査の数は一向に増えず、感染者数等の統計データさえきちんと示しえていない。

そうした中で政府は、自らのクラスター潰しの限界をカバーするために、民間の力を借りる形で「接触追跡アプリ」の導入を予定している。感染者と一定程度一緒にいた濃厚接触者を、その人の携帯に保管されている感染者との接触データを遡って割り出し、通知をするというアプリだ。今月中に実証実験が開始される見込みである。

個人を特定できる情報は扱わないとか、政府が直接データ収集・保管は行わないとか、本人が了解した場合だけだとか、さまざまな歯止めが用意されている。その結果、法律家からは個人情報保護法の枠内だし、国際基準のGDPR（一般データ保護規則）にも反していないので問題ないとのお墨付きをもらった形だ。

しかし問題は、こうした法枠組みの問題というより、これまでのコロナ禍に対する政府の情報の扱いが、あまりにいい加減で不透明なことに対する、決定的な不安と不信感が拭えない中で、あえて強行することが許されるかという点である。法律解釈上正しいのと、前提となる社会状況や運用主体の実態も含め、当該社会に導入することが許されるかは別問題だろう。

今の政府の個人情報の扱いは、すでに警察が運用中の車の追跡のためのNシステムや監視カメラにしても、その運用実態は公開されていない。日本国内でも米国同様に、携帯情報を全て吸い上げ全利用者の行動履歴を把握していると、エドワード・スノーデンは指摘している。

こうした「非公式な」個人情報の収集、そして個人監視が進んでいる中で、さらなる手段を「公式」に認めることは、明らかに次のステップに向かうことを意味する。開かれた政府の実現は、この間、平時においても繰り返し言われてきたことであるが、緊急事態にこそ民主主義を機能させる必要がある。緊急事態だから自由を制限することも、権力分立を制限することもやむを得ないという議論は、まったく逆である。

こうした中で、メディアは「ポジティブ・ジャーナリズム」を心掛けてほしい。次のステージを考えながら、内向きになりがちな市民一人ひとりの背中を押す報道だ。それが他者への攻撃を抑えることにもつながることだろう。これまでは、感染者数や経路といった「行政広報」がコロナ報道の中心になりがちだ。専門家がオーバーシュート（医療崩壊）というと、それを伝えてきた。福島原発事故の教訓からすると、科学を疑うこと、政官財学のムラ社会を突破することも求められている。それもまた積極的で実証的《ポジティブ》な報道の実践だ。

［参照：11年4月／14年11月／18年7月・8月／20年2月・3月・4月・7月］

コロナ感染防止のデータ活用＊ *05.19/20*

【欠ける透明性と信頼感】

コロナ感染防止対策として脚光を浴びているデータ活用を巡り議論が続いている。現時点では、携帯電話やプラットフォーム企業が、統計データ化したかたちで提供している「人流データ」などを自社サイトに掲載するほか、メディアを通じて広く公開している。そうしたなか、政府は「接触通知アプリ」の実証実験を近日中に開始する予定だ。

運用上のキーワードは「透明性」と「信頼感」ではないか。日本においては、法枠組みの中で運用するとされても、その実態がブラックボックスで十分に公開されていない。また、民間からの提供プロセスの公開性も不十分だ。しかもその運用をしているのが情報隠しを続ける政府となれば、さらに怪しい感が高まるばかりというのが現状である。まずは、追跡アプリに限らず、死亡者情報などコロナ禍で収集し利活用している個人データに関して、可能な限り開示することが求められよう。

一方で、情報管理をめぐる信頼感の回復の道は遠い。実質的に重要な対策決定の場とみられている、厚生労働省のクラスター対策専門チームや、政府の公的な専門家会議の「非公式会合」も、まったく議事録がない。

政府は「歴史的緊急事態」として記録の作成を約束し、事態収束後の検証会議の開催も発表している。しかし、実際の政策決定は、完全な密室で行われていて、その記録は一切公的には存在せず、将来の検証を阻んでいるということになる。この改善はすぐにでも可能なはずだ。

●感染症防止のためのデータ活用のトピック●

3・31 内閣官房情報通信技術（IT）総合戦略室が取りまとめ、総務・厚生労働・経済産業省連携でプラットフォーム事業者や携帯電話事業者に統計データ等の提供を要請

4・1 欧州連合（EU）一般データ保護規則にのっとった接触追跡システム（PEPP‐PT）を研究者グループが発表。8日に欧州評議会も大筋で追認。日本では、新型コロナウイルス対策専門家会議でパーソナルデータの活用やアプリ等を利用した健康管理が議題に

4・2 電子フロンティア財団ほかNPOが連名で電子的監視テクノロジーの使用に関する声明発表

2020

4・6 内閣官房に新型コロナウイルス感染症対策テックチームを設置。民間と協力し濃厚接触者割り出しアプリの実装を検討すると表明

4・10 アップル社とグーグル社が協力して濃厚接触可能性の検出（Exposure Notification ＝暴露通知）プラットフォームとしてAPI（アプリケーション・プログラミング・インターフェース）の5月リリースを公表（技術文書案を発表）、ユーザーがアプリストアからダウンロードすることで各自の携帯電話に実装可能

4・13 ヤフーが、厚労省新型コロナウイルス感染症クラスター対策に資する情報提供に関する協定を締結と公表

4・15 一般社団法人コード・フォー・ジャパンがコンタクト・トレーシング・アプリの開発概要・5月提供目途を公表

5・8 内閣官房は米国仕様に一本化することを発表。厚労省が取りまとめ役
［参照：18年7月・8月／20年1月・8月］

賭けマージャンと取材の自由　*06.13/20*

東京高検検事長と在京紙（元）記者の賭けマージャンは社会の耳目を集め、さらにメディアへの大きな批判を呼んだ。当該朝日・産経両新聞社が、すぐに当該社員を停職等の比較的重い処分にしたことからも、「一線を越えた」との判断があったと推測される。では、いったい何がいけなかったのか、主として法的観点から改めて整理しておきたい。なぜなら、もしこれが「不当な取材」であるとすると、今後の取材態様にも様々な影響を与えかねないからだ。それは当然、私たちの知る権利の問題でもある。

事件の概要は、ここでは繰り返さないが、ポイントとして、⑴報道関係者が公権力のトップ級と、⑵当該人物が焦点の国会審議中に、⑶しかも緊急事態下で、⑷違法な賭けマージャンを、⑸自宅にわざわざ集まって行った、ということにある。

【取材先との距離】

2020

なぜ、情報を入手するために一緒にマージャンをしなくてはいけないのか――多くの読者の素朴な疑問だろう。しかし現実には、日本社会における付き合い慣習と同様、少なくとも取材先と飲みに行くなど、密接密着な関係を築くことは日常的な風景であろう。

一方で日本社会の状況から考えると、こうした「取材先に食い込む」ことに、多大な労力を使わざるを得ない状況がある。その理由は情報公開の後進性、公権力の情報隠し体質にある。海外であれば法的に開示されるべき情報が、オープンにならない現実がある。さらに言えば、本来あるべき公文書が、こっそりと廃棄され改竄される事態が続いている。

それはいま現在のコロナ禍においても、平然と行われており、しかも誤った法解釈を閣議決定までして、押し通そうとする政府がある。そうなると、正面からの情報入手ではない「非公式」さらに言えば「非正規」の情報入手方法に頼らざるを得ないことになりがちだ。

しかもその時の切り札は、もっぱら「人情」の世界とされる。形のうえでは「信頼関係」と表現されるが、現実には取材先との人間的つながりのなかで、取材先が情に絆《ほだ》されて口を割る、という状態をいかに作れるかにかかっているとすらいわれている。あるいは、賭けマージャンがそういう状況かはさだかではないが、いわば一蓮托生の共同体意識を持ちうるかということだともいわれることがある。

もちろん、双方の利害が一致してのビジネスライクでドライな関係もあろうし、ともに社会正義のために闘うという連帯感や共感が存在する場合もあるだろう。しかしこれらも含め、根底には決定的な開示情報の欠如という問題が付いて回っている。

これは極めて不幸だ。もちろん、記者にとってもだが、当然、社会全体にとっても、時間と労力の無駄が発生しているからだ。さらにいえば、取材源となる官僚や政治家にとっても、よけいな守秘義務違反の可能性を負うことになるわけで無駄である。こうした誰にとっても無駄で不幸な状況は、早く変えねばならない。それがこうした取材方法を大幅に軽減する、もっとも早道であることは言うまでもない。

その第一歩は、公文書管理法の誠実な履行を政府に実行させることだ。報道界が一致して、記者会見等でしつこく執拗に同じことを、どんなにめんどくさがられても何度でも、確認し続けることを実行するしかない。あるいは、専門家会議をはじめとして会議体構成者に、違法行為に加担していることを追及し続ける必要がある。

【正当な取材行為】

記者批判にはさらに、違法行為である賭けマージャンを行ったという点がある。記者の取材には形式的な違法行為を伴う可能性もある。政治家や警察から情報をとる行為自体、その多くは公務員の職務上知り得た秘密を「そそのかし」て聞き出す行為と捉えることが可能だからだ。しかしそれは通常、「正当な」取材行為として違法性が阻却されると理解され、裁判所も認めてきている。

一般には許されない、本人に知られないよう、こっそり当該個人情報を収集したり、追尾したりする行為も、記者の取材行為である場合は、法律の適用外として特別に許されている。また、裁判所で取材源が特定されるような証言を拒否することは、記者の最高倫理として事実上認められてきた。あるいは本人を許可なく撮影した映像や写真を報じることも、逮捕後であれば公共性があるとして容認されている。米軍や警察が（勝手に）引いた規制線を越えて事故現場を取材するのも、県民の知る権利に適うことであって支持されるであろう。

しかし一方で、目的が正しくても取材先から法的手段をとられた場合など、その違法性がゆえに逆に将来にわたって取材の枠が狭まることも起きてきた。たとえば談合事件でその証拠をつかむために会議室にレコーダーを仕掛けた行為や、証拠写真を撮るためにホテルの宴会場に名前を偽って侵入する行為は、許されないとされた。その結果、「無断録音はしてはいけない」という取材ルールができ、その後、政治家の問題発言があって、例えば非公式に録音データがあっても、証拠がないと正面突破される事態も生まれている。

さらには、この正当性をだれが判断するかも大きな問題だ。沖縄返還をめぐる密約問題では、毎日新聞記者が男女関係を利用して情報を入手したのは「不当な取材行為」であるとして、刑事罰を課されている。そしてこの最高裁判例はその後四十年を経て、特定秘密保護法のなかに条文として組み込まれてしまった。いわばいかなる取材行為も、政府の判断次第で「不当だから違法」と認定される可能性が高まっている。

【取材の可動域を狭めない】

もちろん、「ジャーナリズム倫理」としてやっていいことと悪いことがある。一昔前までは「殺し以外なら何やってもネタをとってこい」という言い方すらあったほどだが、時代の変遷のなかで、この許容範囲は極端に狭くなった。この点は十分に、報道機関側も認識をすべきだ。しかし、こうした取材の態様（方法）をもって、恣意的に情報へのアクセスを制限される危険性を、常に認識をしておく必要がある。しかもこうした公権力圧力は、社会のメディア批判の声にのって報道機関側が抗えない状況で押し寄せてくるところが厄介だ。

少しでも法に引っかかることはしてはいけないとなると、たとえば取材の一環で、記者が反社会勢力の集りに出ることもできなくなる。それは取材の可動域を狭め、真実追及の可能性を押し下げることになるだろう。こうした事態を招かないためには、私たち自身、社会全体の行き過ぎた潔癖性についての自戒が必要だ。

一方で、根底には圧倒的なジャーナリズム活動に対する信頼感の低下があることを、報道機関自身が強く自覚しなくてはなるまい。正当性を証明できるよう取材過程の透明性を高め、取材で得た内容をきちんと紙面化していくことが求められる。

［参照：11年12月／16年8月・9月／17年8月／19年3月・8月］

メディアの公共性　*07.11/20*

最近も、コロナ感染症の報道や賭け麻雀をはじめ、テラスハウスのやらせ疑惑や世論調査不正など、多くの課題がメディアに突きつけられている。これらに通底するのは、メディアの社会的な存在意義あるいは信頼感の揺らぎや喪失だ。そしてあまり一般には知られていないが、自他ともに認める公共的なメディアといえるＮＨＫが、いまその中核的概念である公共性を、自ら放棄するかの姿勢を見せている。ここでは、その構図と問題点を改めて確認しておきたい。

【それぞれの公共性】

メディアの公共性を考えるうえで、最も広義なものとして、言論報道活動たる〈ジャーナリズム〉にとっての公共性がある。いわゆるニュース報道だけではなく、娯楽も含め様々なジャンルの情報発信が、各種メディアを通して行われている。もちろん、その中にはインターネットを経由したもの、そこでは個人発信のものも少なくない。

そうしたなかで、公共的な活動とみなされるのは、みんなのため（公益性）に、みんなの知りたい大切な事（社会的関心）に対し、知る権利を行使するものである。さらにもう少し別の意味づけを行うならば、自由で、独立していて、多様な価値を、地域性豊かに伝えることが、ジャーナリズムの公共性には期待されている。

次の少し狭いカテゴリーは〈マスメディア〉の公共性だ。日本で言えば、一般日刊新聞、地上波放送、さらには総体としての出版活動が該当する。海外と少し事情が異なり、さまざまな法あるいは社会的制度に守られ、全国津々浦々に普及した特別なメディアであるわけだ。その特別な地位の裏返しとして、だれでも・どこでも・簡単に情報摂取が可能な、アクセス平等性が担保されている。新聞がどこでも同じ値段で買えるし、受像機があればだれでもテレビやラジオを聴くことができるし、町々には本屋があり、多様な本や雑誌を手に取ることができる環境があるということだ。

そして三つめのカテゴリーは〈放送〉の公共性だ。放送は、少なくとも日本の（実際は多くの国において）、表現活動を出版・通信・放送と区分されるメディア法制のなかで唯一、コンテンツ（内容）の規律が求められているメディアである。それを定めるのが放送法だ。そこでは、社会的責任（放送人の責務）として、事実報道や、公序良俗の維持、政治的公平さ、そして多角的論点の提示といった、番組の基準（目安）も決まっている。また放送が免許制で、当該放送局には選ばれし者としての代表性があるという点からも、より高い公共性が求められよう。

こうした放送のなかで、とりわけ高い公共性が求められているのが、四つめの〈ＮＨＫ〉ということになる。みなさまのＮＨＫというキャッチフレーズ通り、一段と高い透明性、公正性が求められている。その具体的な証しとして、予算の国会承認や経営委員会の設置などによって、市民の代表者によるチェックが可能な法制度を取り入れている。

【議事録公開を拒む】

にもかかわらず、日本郵政かんぽ報道をめぐるＮＨＫの態度は、こうした公共性を否定し続けるものだ。郵政から報道内容に関する外部圧力を、経営委員会がストレートに放送現場を預かる会長に伝えていたことが明らかになったからだ。しかも、そうした重大な決定を行った議事録の公開を、市民の代表であるべき委員会自身が拒み続けている。

毎日新聞に紙面化された内容が事実とすれば、放送法三二条で経営委員会の権限として明示的に禁止されている、個別番組をめぐる論評及び関連して会長に対する厳重注意がなされている。この報道後も、一貫して経営委員会は自身の対応について問題があることを認めておらず、しかも当時の主犯格ともいえる委員が、現在の経営委員会の責任ある地位にいること自体、委員会の存在自体を揺るがしかねない状況だ。

旧来、経営委員会議事録は非公開であった。しかし独立法人情報公開法の対象に含めるかどうかの議論の中で、言論報道機関の独立性を担保するためには、法の枠に服することが好ましくないとして、自主的な公開制度のもとで運用することとなり、二〇〇八年法改正で現在の仕組みができあがった経緯がある。

今回の隠蔽とも受け取れるような非公開の姿勢は、こうした法制定の経緯を無視し、自らが法枠組みの崩壊を引き起こしかねない行為であって、深く憂慮する。もし、どうしても非公開にすべき事由があるのであれば、そのこと自体に関し説明を尽くす必要があるが、今回はそうした説明も全くないままだ。

【重い公開責任】

しかもＮＨＫ情報公開制度における情報公開・個人情報保護審議委員会の答申は、法制度上の救済制度を有しない中で「最終」的な意味合いを持つものだ。したがって、その答申に従わないことが、視聴者（受信料負担者）の不利益になるようなことはあってはならない。もし答申を無視するような事態が起きれば、当然、情報公開制度の枠に含め、司法の場で明らかにすべきという声が高まるであろう。それは、ＮＨＫにとってというよりも、報道の自由・独立性を揺るがすものとして、市民社会にとっての大きな痛手となる。

心配なのは、こうした事案が起こると、むしろ隠し方が巧妙になり、記録をとらない（議事録を残さない）とか、重要な意思決定を非公式会合で行うといった、より悪質な情報隠しが起きうることだ。そのようなことが決して起こらない、起こさないことを、これを機にオールＮＨＫで明言する必要もある。

ＮＨＫの透明性を確保するという点でも、第三者による審議という制度が持つ意義を維持するということからも、今回の事例は重要だ。とりわけ今回の議事録は、経営委員会と執行部といった、NHK運営の二元性の根幹にかかわる会合の内容である。また、視聴者の知る権利や番組編集の自立・編集権にかかわる話でもあって、社会全体が注目している中、公開するべき責任は一層重い。自らがメディアの公共性の意味を、態度で証明しなくてはいけない。

［参照：10年12月／17年4月・7月・9月・12月／19年10月］

ネット規制の悪用歯止め* *07.21/20*

【プロ責法活用で誹謗中傷防止】

ヘイトスピーチ被害やSNS上での書き込みが原因とみられる自殺を受け、ネット上の誹謗中傷・名誉毀損に対し、政府（総務省、法務省）・自民党・民間団体、さらに世間の声もこぞって規制強化を求める構図が生まれている。総務大臣は八月中に省令改正による開示対象の拡大（電話番号等の追加）を実施する意向だ。さらにパブコメを経て早ければ年内にも、プロバイダー責任制限法で定められている発信者情報の開示手続きの「円滑化」として、特別な司法制度を新設して名前の割り出しを簡素化しようとしている。

しかし政府が表現の自由規制に積極的な時は要注意だ。例えば二〇〇二年の人権擁護法案では、人権侵害の事例に政治家へのつきまとい取材や批判報道を加えたことで、メディアを中心に強い反対のなかで廃案となっている。それに前後して実現した報道被害に対する損害賠償額引き上げにおいては、裁判所の相場表のトップに政治家が据えられることで、日本は他国に比しても政治家からの対メディア訴訟が多い国になってしまった。

総務省研究会では、委員の半数が議論不足と指摘する中で、政府意向に沿った結論が示された。政治家への批判や不正の内部告発といった表現までもが誹謗中傷規制の対象となりうるだけに、最近の法律の常套句になっている「表現の自由に配慮」といった文言を付加するだけで、問題が解決するとは思えない。

ビラやデモといった誰もが手軽に発信できるプリミティブ表現は、行政の恣意的な判断で規制されやすいメディアだ。電子版のビラ・デモともいえるSNSが同じ道を歩むことは避けるべきだろう。だからこそ、開示請求者から公人を除外するなどの「悪用の歯止め」を組み入れるなど、恣意的な運用を抑える仕組みが求められている。表現活動が大きく制約されているコロナ禍だからこそ、より自由に敏感でありたい。

●ネット規制をめぐる最近のトピック●

5・26　4月に設立したSNS事業者でつくるソーシャルメディア利用環境整備機構（代表理事・曽我部真裕ほか）が緊急声明発表
6・1　法務省が「インターネット上の誹謗中傷等に対する法務省プロジェクトチーム」を設置
6・11　5月に初会合を開催した自民党「インターネット上の誹謗中傷・人権侵害等の対策プロジェクトチーム」（座長・三原じゅん子）が提言発表
6・23　5月に設置した公明党「インターネット上の誹謗中傷・人権侵害等の対策検討プロジェ

クトチーム」が提言発表

6・29 ＩＴ企業でつくるセーファーインターネット協会が誹謗中傷ホットラインを開設

7・10 総務省「発信者情報開示の在り方に関する研究会」（座長・曽我部真裕）が中間とりまとめ発表、パブコメ実施

［参照：08年6月／10年6月／11年3月／12年10月］

広告の読み方　*08.08/20*

ようにもよってこんな時に、こんな話ではある。しかし、今だからこそともいえよう。六月三十日にBPO（放送倫理・番組向上機構）の放送倫理検証委員会が、琉球朝日放送と北日本放送に対し、「番組で取り上げている事業の紹介が広告放送であると誤解されかねない」として放送倫理違反があったとの決定を下した。

昨今の放送離れ、新聞離れといわれる中で、視聴者・読者が離れれば当然、広告主もその媒体への広告出稿に二の足を踏むことになる。さらにコロナ禍が拍車をかけ、今期のマスメディアの営業収入は大変厳しいとの決算報告が相次ぐ状況だ。そうであれば、どうしても「悪魔のささやき」が聞こえることになる。これまでなら、あるいはいつもなら我慢する「禁じ手」を使いたくなるとの誘惑だ。

その一つが、番組・紙面と広告の境界線を緩めることである。具体的には「溶け込まし広告」と称されるような、見た目は通常の番組や新聞記事に見えるものの、その中に商品広告を組み込んで、番組や記事の信頼性を利用して、商品・サービスの信頼性を高め購読意欲に結び付けるといった手法がある。たとえばネットの場合は、むしろいかに上手に（ユーザーにわからないように）、自然な形で商品広告を行うかを競っている側面すらある。しかも、正当な手法として了解されてもきている。

【出稿側の選別危険性】

しかし新聞や放送の場合は、以前から記事や番組と広告は完全に峻別することを必要としてきた。それは、とりわけ「報道」の独立性を守り信頼性を維持するための最低限の倫理と考えられてきたからである。それはまた同時に「広告」それ自体の正確性・信頼性を守るためのものである。

それゆえ、日本新聞協会の新聞広告掲載基準（一九七六年制定）は、掲載してはいけない広告として「誤解されるおそれがあるもの」とし、「編集記事とまぎらわしい体裁・表現で、広告であることが不明確なもの」を明示している。同様に日本民間放送連盟の放送基準（一九七〇年制定）では、「広告放送はコマーシャルによって、広告放送であることを明らかにしなければならない」に始まり、八九項から一五二項まで六十を超える詳細な取り決めを定めている。それでも「プロダクトプレイスメント」（ドラマにおいて小道具や背景などに具体的な商品・サービスを表示させる手法）が甘すぎるのではないかなど、まだまだ解決すべき広告課題はある。

念のために確認しておくならば、広告も表現の自由の一形態であり、最大限自由な表現が保障されなければならない。しかし一方で、自社の商品・サービスを売らんがために、どうしてもギリギリを狙った表現が多くなる性質を有する。媒体側も、収入を得たいがためについ大目に見がちな側面を持つ。

したがって法制度全体としても、一般的な表現活動に上乗せするかたちで、広告表現独自の法規制を実施している。しかも、公正競争や消費者保護を法目的とした包括的な法規制（消費者保護法や景表法、独禁法など）に加え、業法と呼ばれる業界ごとの法・規則でより具体的な禁止事項を定めてもいる。これらの大原則は「虚偽と誇大」の禁止である。こうした表現そのものの制約にプラスして、だめ押しで先に触れた自主的な媒体規制をかけている。

【広告規制の意味】

新聞社では従来より、アドバトリアル（記事体広告）と称されるような、広告主の意向を組んだ記事の場合は明確に、紙面上でその旨を表示することを実施してきている。一見、特集紙面のように見えるページの紙面欄外にある「企画広告」などの表示がそれをあらわす場合が多かろう。しかし最初に触れたように、言うは易く行うは難しの側面を否定できない。

だからこそ「新聞人の良心宣言」（日本新聞労働組合連合、一九九七年制定）ではわざわざ「報道と営業の分離」の章を設け、記事と広告の区分のほか、「記者は営業活動を強いられることなく、取材・報道に専念する」との項目が入っているわけだ。記事にすることを条件に自紙への広告出稿を求めるような行為を厳に戒めるものである。

しかしよりやっかいなのは、こうした民間事業との関係よりも「国策」広告の場合である。電力会社の広告は国としての原発推進の紙面作りに影響を与えていたことが明らかになっている。少し前の裁判員裁判導入時の広告も、報道界を巻き込んでの推進キャンペーンであった。現在進行形で言えば、在京のメディアを中心に溢れるマイナンバー普及の広告もその類いであろう。そしてなによりも、東京オリパラもそうだ。

新聞にとって行政発の広告は無視できない大きな割合を占めるものだ。一方で、読者（市民）にとって、当該地域に広く普及する新聞を通じて得る行政広報の一つとして、公的な広告は欠かせない「情報」でもある。だからこそ、出稿する側される側の双方に緊張感が必要だ。掲載する側にとっては独立性をきちんと担保することであって、いわゆる「経営と編集の分離」と呼ばれてきたものである。形式的には編集責任者が経営者を兼ねないことで、見た目の独立性を示してきた。偶然、いま沖縄地元紙は両紙とも編集責任者が役員であるだけに、より分かりやすい、新しい透明性を担保する仕組みを読者に示すことが必要であろう。

しかしより重要なのは、出稿側（政府・自治体）の公正性である。具体的には、先に挙げたような大型キャンペーン広告（当然広告料も大きなものになる）を、分け隔てなく公平に出稿するという姿勢と、それを裏付ける数字の公表だ。いわゆる、政府からみて言うことを聞きそうな媒体、あるいは日ごろ盾突くことが少ない新聞社にのみ出稿するということが起きかねないからだ。以前は良い悪いは別としての「横並び」出稿だったものの、最近はその意味での勝ち組負け組がはっきりしてきている様相をみせている。近い将来あるかもしれない憲法改正国民投票時においても、こうした出稿側の「選別」が行われるとすれば、極めて由々しき問題だ。そうならないためには、載せる側だけではなくむしろ出す側も含め、いまから厳しい目を向け続けていくことが必要だ。

［参照：12年2月／15年12月／18年6月］

安倍政権と沖縄　*09.05/20*

安倍政権を象徴する事象として、アベノミクス、集団的自衛権の容認、教育改革（道徳の教科化）、天皇代替わり（改元）などが挙げられるだろう。そして沖縄にとっては、辺野古新基地建設をめぐって、官邸 vs. 沖縄県政（翁長&デニー）のガチンコ対決があった。それぞれが大きな政治課題であり、一つずつ改めて検証されるべきであるが、これを通じて一貫して浮かび上がってくるのが、「情報コントロール」というキーワードだ。

時の為政者は批判されることを避けたがるものだし、メディアを煙たがるものではある。しかし安倍政権はとりわけ、政権との距離によってメディアを峻別し、批判的なメディアに対してはことさらに厳しい攻撃を仕掛けることに大きな特徴があった。国会で首相自らが特定新聞を口を極めて攻撃したり、党の勉強会で首相と意を同じくする議員や取り巻き文化人が、これまた題号を挙げて当該新聞を潰すべきと言及することは、決して普通のことではない。

いまや某国大統領が事あるごとに口にし、日本国内でもすっかり市民権を得た「フェイクニュース」なる言葉がある。そしてまた、政権トップが自らへの批判を嘘（フェイク）と断ずることで、社会の中に対立を呼び起こし一方の差別を助長する構造は、先に挙げたようにむしろ日本の方が早くあらわれていたともいえる。しかもこのことは、沖縄の地においてより顕在化するかたちで表出し、県民を苦しめた八年間であった。

【沖縄差別】

安倍政権絡みで沖縄（県民）にとっての最初の試練は、集団自決（強制集団死）を否定する教科書検定意見であっただろう。意見撤回をめぐる県民大会は第一次安倍政権が終わった直後の九月であったが、その発端は前年〇六年末の教育基本法改正と、愛国心教育の復活・道徳の教科化、そして教科書検定基準変更に伴う南京虐殺、従軍慰安婦と並ぶターゲットとなった沖縄戦集団自決の日本軍関与をめぐる記述の削除であった。

第一次安倍政権の退陣後も、〇九年二月には、沖縄県立博物館・美術館で写真展の一部展示が拒否される事件があったり、一二年一月には沖縄防衛局長が市長選で特定候補に投票を促す講話を行うなどがあったほか、相変わらず在沖米軍による犯罪・不祥事が続いてはいたものの、次の大きな「事件」は安倍再登場後の一三年一月、オスプレイ配備撤回の建白書提出であった（鳩山政権時代の辺野古移設をめぐる様々な動きは続いたし、一一年には琉球新報の沖縄防衛局長オフレコ懇談報道で議論が巻き起こったりはした）。

東京・銀座で行われたオスプレイの配備撤回などを求めた行進に際し、県内全首長に対し誹謗中傷の野次が飛んだわけだが、これはその後さらにエスカレートしていくことになる「沖縄ヘイト（差別）」が可視化された瞬間であった。そして軌を一にして三月には、政府が辺野古の公有水面埋め立てを申請、政府と沖縄県の全面対決が始まることになる（この年末に、仲井眞知事が埋め立て申請を承認）。

ちょうどこの時なされた発言が、小池百合子議員（現・東京都知事）の「闘っている相手は沖縄メディア」である（同議員は同じ年、沖縄選出議員に「日本語読めるの」とも発言）。もともと保守系政治家の一部には、沖縄に対する意識・無意識の差別感情が潜んでいるように思われる。それはたとえば、高江抗議活動に参加する県民に向けて「土人」発言をした機動隊員を、擁護するかの会見をした松井一郎知事（現・大阪市長、日本維新の会代表）にも共通する。

【偏向批判】

翌一四年、実際に辺野古での埋め立てが始まると、記者を一時的に拘束するような取材妨害が発生するほか、同様なことは一六年の高江ヘリパッド工事再開現場においても起こった。また直近では、ドローン規制法を改正し、米軍基地周辺の飛行を実質禁止（事前許可制）にすることで、直接的な基地取材に限らない、広範な県内取材の制約が生じる状況になっている。

また、この一四年に起きた象徴的な事件が、二月の琉球新報記事に対する政府の抗議である。石垣自衛隊配備報道に際し、防衛省が新聞協会に抗議をしたものであるが、当該者であるならまだしも、報道団体に政府が文書で抗議を行うことは極めて異例で、強い報道圧力であり嫌がらせ行為であった。また教科書の採択についても、政府は直接的な権限行使に出、三月には竹富町教育委員会の採択した教科書に対し是正を要求するなどした。

このあと起きたことは、これら出来事の延長線上でのエスカレート事案である。一五年六月には自民党文化芸術懇談会で参加議員や百田尚樹が、地元二紙をターゲットにした言論封殺発言をし、さらには沖縄に対する「神話」とも言うべき、普天間には人は住んでいなかった等の明らかな虚偽情報を、いまに至るまで流し続けている。それはとりわけネット上で、沖縄県政や沖縄県民に対して差別感を大きく増長させたと言えるし、沖縄メディアは「偏向している」との誤ったイメージを植え付けてきた。

【変わる眼差し】

その結果、何が残ったか。そもそも一貫して安倍晋三首相には、沖縄に対する関心や親しみが全く感じられなかったが、この八年間で沖縄に対するマイナスイメージを大きく増長させたといえるだろう。確かにこの間、本土でも新聞・テレビそしてネット上も含めて報道量・情報量は格段に増えた。しかし、必ずしも理解が深まったわけではなく、沖縄に対する強い反発心を芽生えさせもした。

しかも政府自身が、米軍基地問題について議論する余地すら与えず、沖縄への差別感が増大することに対し、時に積極的に、少なくとも消極的加担を続けたのは非常に不幸だった。「辺野古が唯一の選択肢」といったワンワードを強調することで、それ以外の選択肢は国の安全保障に反するものだとして、議論を封殺し、他の選択肢を与えないように情報をコントロールした。もちろんそれに呼応して、一部の地上波メディア（MXテレビ）や全国紙（産経新聞）までもが、まさに沖縄ヘイトといえる積極的な煽動を行うに至った事実は重い。そこでまた、差別が「一般化」したともいえるからだ。

ただし一方では希望もある。それは間違いなく沖縄への関心は社会全体として高まった。絶対数としての理解者も、相対的なメディア全体での理解も進んだことは間違いない。政権誕生のころには、辺野古新基地建設に関し国家安全保障上やむなしが多数であったメディア姿勢は、「民意の尊重」に大きく転換した。県民の我慢・県の責任としていたメディアも「国の責任」に言及するようになった。そうした中で、唯一の選択肢ではなく「他の現実的可能性」に触れるメディアも少なくなくなった。さらには、埋め立てはもう後戻りできないから、少しずつ「即時中止」を訴える本土の主要メディアも増えてきている。

圧倒的な情報量と巧妙なメディア戦略に翻弄された日々ではあったが、それでも沖縄県民そして沖縄ジャーナリズムが意地を示し、社会を変えてきた八年間でもあったといえるだろう。

〔参照：13年1月／18年1月／19年1月〕

アベノメディアの八年　*09.12/20*

自らの地位を守るため、政権批判を封じ込めるのは普遍的な手法だ。古典的には検閲によって、為政者が気に食わない言動を徹底して取り締まり、世の中に流通しないようにしたものだ。現代では、硬軟を使い分けた強力な情報コントロールによって、よりスマートに同じ効果を生み出す工夫がなされるが、その術《すべ》にとりわけ長《た》けていたのが安倍政権であった。

熱狂度からすると小泉劇場のワンフレーズ・ポリティクスだが、盤石度は安倍政権に軍配があがろう。その要因はまさにいま、政権に批判的な識者や有名人の首相辞任を受けての発言に対し、失礼だとか礼節を欠くとの批判が集中している今日的現象から、読み解くことができそうだ。

【親メディアと社会の分断】

第一段階は、「親」メディア作りだ。日本の戦後は大きく、保守と革新にメディア地図が分かれていたが、政府の個別の政策については是々非々で対応する傾向が強かった。しかし現在は、すっかり親政権と反政権に色分けされるようになった。そしてメディア間においてすら、政府方針に反する論調を「国益毀損」と断ずる状況になっている。当然、政権も親メディアに肩入れする。

安倍政権は森友・加計問題以降、政権の私物化という批判を浴びたが、それ以前からメディアの私物化ともいうべき、硬軟を使い分けた強力な情報コントロールが大きな特徴であった。政治とメディアの親密化は、両者の距離の問題にとどまらず、マスメディアとりわけ新聞やテレビ全体に対する、一般市民からの強い不信感が一般化することになった。

次に起きるのは、社会の「分断」だ。リアルでもネットでも、政権に反対する勢力の言動を偏向、フェイク、さらには「非国民」として全否定するといったかたちでの、社会の二項対立が激化したのは、まさに第二次政権以降と重なる。為政者が率先して対立を煽ることで、分断や差別が正当化され、ヘイトスピーチの閾値は下がり続けている。ネットに限らず一般生活圏においてすら、気軽に他人あるいは特定集団を誹謗中傷する状況が広がるとともに、事実に基づかないヘイト言説が広く定着し、「歴史の上書き」が進行する事態を生んでいる。

【忖度社会の完成】

首相が国会の場で度重ねて特定新聞を「捏造」と断定し、国会議員が「潰せ」ということに、社会が喝采を送るといった構図を生むことになった。あるいは首相自らが、こうした対立を生む攻撃的言動を言論の自由と称することで、ますます自由の意味が歪められることとなっている。自由な言論が必ずしも言論の自由の発揮ではないことに、為政者があえて目を瞑ることは、社会全体の言論表現の自由の価値を大きく低下させた。

そうすると、次の段階が自然に訪れる。メディアと市民の距離はますます広がり、政権監視をする社会的役割は否定されることになるからだ。表現の自由の担い手であるジャーナリズム活動が弱体化することは、社会全体の自由の可動域を狭めることにも直結する。

同時並行して、社会全体に強い者、声の大きい者に「忖度」する動きも顕在化するようになる。具体的には、政府方針と異なる可能性があるものは、デモ行進であれ、市民集会であれ、さらには美術館や博物館の展示においてすら、やめておこうという力がどんどん大きくなるということだ。

ここまでくると、負のスパイラルは加速度的に回り始め、止めようにも止まらなくなる。この八年、表現規制の動きに市民やメディアが反対するほどに、反対する側の「怪しい感」が広がったり、政府批判に対して「偏向」批判が強まるということが起こった。

かつて為政者が自ら手を下したのと同じような効果が、市民社会の中で生まれる構図ができあがったということだ。分断や批判が、より政権を支える力として作用するという循環を生んできた。

【相次いだ表現規制立法】

こうした状況を下支えしたのが、新たな法制度の導入や運用の変更だ。特定秘密保護法、「共謀罪」法、「盗聴法」改正、ドローン規制法と、恣意的な運用によって取材の自由を骨抜きにしかねない表現規制立法が次々と成立した。憲法改正手続法や国家安全保障関連法制にも、報道の自由を脅かす仕組みが含まれている。さらにいえば、マイナンバー法や個人情報保護法の改正によって、市民の権利はむしろ縮減されたという見方も可能だ。そもそも、直接的に言論の自由を規制する条文を含む法律が、これほど短期間に集中して制定されたのは戦後初めてである。

同時に、既存の法律を解釈変更して別の運用を可能にするのもこの政権の大きな特徴であった。とりわけ放送分野においては、放送界の自主規制機関であるＢＰＯ見解を誤りと断じ、法解釈を

2020

変更し閣議決定で固定化、さらには個別具体的な抗議や要請を繰り返し、放送局を雁字《がんじ》搦《がら》めに縛っていった。ちなみにこれを主導したのが、総務大臣および官房長官としての菅義偉であることは記憶にとどめておく必要がある。

そしてもう一つの負の遺産として、公文書の改竄・隠蔽・廃棄がある。二十一世紀は情報公開の時代になるはずだったが、モリ・カケ・サクラに代表される通り、政府の「見える化」は一気に空洞化した。さらにいえば、大事な会議ほど記録しない・させないという悪しき慣習が作り上げられ、国だけでなく地方自治体レベルにも確実に広まっている。

こうした知る権利の大前提が崩れることは、政策の検証を不可能とし、民主主義社会にとって不可欠の権力監視の力を削ぎ落とすことに直結する。残念ながら、政権交代後も政府自らがその姿勢を変える可能性は限りなくゼロの予感だ。そうであるならば、変化の鍵は、市民とジャーナリストが握っているということになる。

〔参照：13年1月／18年1月／19年1月〕

安倍政権と言論表現の自由＊　*09.15/20*

【政権の四つの特徴】

第一次を含めた安倍政権の特徴として、言論の自由を大きく減退させたことが挙げられる。海外からの目としても、国境なき記者団などの指標から明確に、日本の言論の自由の危機的状況が示されている。同じことは国連の対日調査報告書でも警告されているところだ。

その第一は、相次ぐ表現規制立法である。とりわけ取材過程を厳しく制約する傾向が強いのが特徴だ。特定秘密保護法、安全保障関連法、「盗聴法」改正、「共謀罪」法、憲法改正手続き法、さらにはドローン規制法と、いずれも記者の公的情報へのアクセスを制約したり、政府権限での取り締まりを可能にする仕組みを組み込んでいる。

新型インフル特措法や教育基本法も、表現を制約する仕組みを内包する。こうした直接的に言論活動を規制する条文を含む立法化に対し、批判をかわす狙いであえて、報道の自由に「配慮」などの文言を入れたが、これ自体が悪用の危険性を示すものだ。

第二は、忖度社会の完成によって、博物館・美術館における展示の中止や差し替え、市民集会の中止や自治体の後援取り消しが頻発した。その最たるものが「あいちトリエンナーレ」ではあったが、その前もその後も、同様の事例が続いている。これに関連し、文化庁等の助成が、外形的客観性があるとは言いがたい判断で、採択取り消しが起きるなどの問題が起き続けている。

政権発足当初から一貫して、安倍・菅のコンビによって放送局に対してかけ続けてきた圧力は、残念ながら現場にまで浸透し「政治的公平」という言葉による呪縛にかかっている。

第三は、情報公開の空洞化であり、知る権利の大きな後退だ。森友・加計問題に始まり、自衛隊南スーダンPKO日報、そして桜を見る会と、公文書の隠蔽・改竄・破棄は底なし沼の状況だ。さらには、コロナ禍でも明らかになったように、法やガイドラインを意図的に曲解し、必要な記録を残さないことが常態化している。むしろ、皇室会議や閣議も含め、重要会議ほど正確な記録を残さないという悪習もほぼ完成されてしまった。

そして第四は、メディアコントロールの徹底だ。前述した制度や運用の数ある問題を、本来はチェックすべきジャーナリズム活動もまた大きく後退してしまった。それもまた政権の巧妙な異論封じ、メディア峻別の結果だ。言論の自由が弱いところから侵食され、本丸である権力監視のための批判の自由を奪いかねない段階まできてしまった八年半であった。

●言論表現の自由をめぐるトピック●

06・12　改正教育基本法成立、道徳の教科化
07・5　憲法改正手続き法（国民投票法、改正国会法）成立
6　イラク復興支援特措法改正
13・5　マイナンバー法成立
12　特定秘密保護法成立
15・9　安全保障関連法、改正個人情報保護法、改正マイナンバー法成立
16・5　改正「盗聴法」成立
17・6　「共謀罪」法成立
19・5　改正ドローン規制法成立
20・3　新型インフルエンザ等対策特別措置法を改正
4　新型コロナで緊急事態宣言を発令

〔参照：13年1月／18年1月／19年1月〕

関連年表

言論表現の自由をめぐる動き

戦後日本の言論表現活動と、それらを支える法社会制度は、大きく4つの時代区分が可能と思われます。約20年ごとに、①構築の時代（1945年～）、②躍動の時代（1965年～）、③挟撃の時代（1985年～）、そして④忖度の時代（2005年～）です。

以下の年表では、1945年から2004年までの60年間は、言論の自由に関係する立法を中心に記載しています。その後の約15年間は、公権力と言論表現活動の関係に焦点を当て、事項を集めています。なお、一般事項を細ゴチック斜体、沖縄関連項目については先頭に※印を付しています。

構築の時代（1945年〜）

1945.08.14　ポツダム宣言受諾　敗戦　連合国軍最高司令官総司令部による占領政策
09.19　プレスコード（日本に与うる新聞遵則）発令
09.22　ラジオコード（日本放送遵則）発令
1946.07.23　新聞倫理綱領制定　2000.06.21に改訂
11.03　日本国憲法公布　47.05.03施行
1947.03.29　学校教育法
04.14　独占禁止法
04.17　地方自治法
04.30　国会法
05.02　旧皇室典範・登極令の廃止に伴い元号の法的根拠なくなる
10.26　刑法改正により名誉毀損罪の免責規定が新設　ほかに不敬罪や大逆罪の削除など
12.12　郵便法　第3種郵便制度
12.23　議院証言法
1948.05.01　軽犯罪法
07.12　検察審査会法
07.15　少年法
07.15　教育委員会法　1956.09.30地方教育行政の組織及び運営に関する法律により廃止
07.29　政治資金規正法
1949.05.31　人権擁護委員法
06.03　屋外広告物法
06.10　公民館について定める社会教育法
1950.04.30　図書館法
05.02　放送法・電波法・電波監理委員会設置法の電波3法

1950.04.15　公職選挙法
06.01　電波監理委員会設置　1952.07.31 郵政省設置法改正に伴い廃止
都道府県で初の青少年保護条例が岡山県で制定　2016 長野県で制定され全都道府県に存在
1951.05.15　暴力団対策法
06.08　日刊新聞紙の発行を目的とする株式会社の譲渡の制限等に関する法律
09.08　※サンフランシスコ講和条約調印　1952.04.28 発効（奄美・沖縄を除く主権の回復）
12.01　博物館法
1952.05.07　刑事特別法
06.02　気象業務法で予報・警報の周知規定で報道機関への協力要請
07.21　破壊活動防止法　取材業務従事者は傍聴を特別許可
07.31　法廷秩序維持法
08.06　取材源秘匿が争われた朝日新聞記者証言拒否事件最高裁判決
1953.02.01　テレビ放送開始（NHK）08.28 日本テレビも
1954.03.01　ビキニ環礁での米水爆実験で被爆した第５福竜丸帰港
04.02　関税法
05.26　日本図書館協会で「図書館の自由に関する宣言」採択
06.09　MSA 秘密保護法
06.09　自衛隊法
1956.05.24　売春防止法
1957.03.13　猥褻表現が争われたチャタレイ事件最高裁判決
03.31　租税特別措置法施行令で取材経費の経費算入を規定
10.27　書協と雑協共同で「出版倫理綱領」制定　1963.10 雑協は「雑誌編集倫理綱領」制定
1958.02.17　北海タイムス事件最高裁判決　表現の自由に取材活動も入ることに言及
1959.03.30　砂川事件で米軍駐留を違憲とする伊達判決　12.16 跳躍上告を受け統治行為論で一審差戻

1959～1960　60年安保闘争　1960.06.15 デモ参加学生の樺美智子死亡
06.19 条約は自然成立

1960.01.19　日米安保条約調印
06.23　日米地位協定公布　日米合同委員会の設置
06.25　道路交通法

1961.02.01　『中央公論』60年12月号掲載の深沢七郎「風流夢譚」をめぐり中央公論社長・嶋中邸を右翼が襲撃　『思想の科学』の天皇制特集号が廃棄処分に
11.15　災害対策法で指定公共機関制度

1962.03.01　テレビ受信契約者数が1000万突破（普及率49%）
05.15　不当景品及び不当景品表示防止法
11.25　放映予定のRKB毎日「ひとりっ子」放送中止

1963.05.22　学問の自由が争われた東大ポポロ事件で最高裁判決

1964.09.28　日本で最初にプライバシー権が認められた宴のあと事件東京地裁判決　この日にちなんで9.28はプライバシーデー
10.01　東海道新幹線開通
10.10　東京オリンピック開幕

躍動の時代（1965年～）

1965.04　大手各社が日曜夕刊を廃止
07.04　吉展ちゃん事件　誘拐報道協定のきっかけに

1966.03.31　総人口が1億人突破

1967.07.25　住民基本台帳法

1968.05.30　消費者基本法
12.10　3億円事件発生

1969.06.23　名誉毀損訴訟で最高裁は真実相当性を認容（夕刊和歌山時事事件）
10.15　猥褻表現が争われた悪徳の栄え事件最高裁判決
11.26　博多駅テレビフィルム提出事件最高裁決定　取材の自由も

尊重に値いする、知る権利に言及

1970.03.15　大阪で日本万国博覧会が開幕

70 年安保闘争

05.06　著作権法

1972.02.03　札幌オリンピック開幕

04.04　外務省沖縄密約事件で西山太吉毎日新聞記者ら逮捕

05.15　※沖縄返還

09.29　日中国交正常化　10.28 にパンダ来日

12.18　米軍が北爆再開（ベトナム戦争）

1973.04 ～　刑法改正に対し報道界から反対の声

1976.02.16　ロッキード事件の証人喚問開始　小佐野賢治国際興業社主が「記憶にございません」

04.01　アップル設立

04.05　天安門事件

1977.07.13　政教分離が争われた津地鎮祭訴訟で最高裁判決

1978.05.31　外務省沖縄密約事件最高裁判決で正当な業務行為を限定

1979.04.27　渋谷直蔵自治相の参院答弁「（元号使用は）慣行によって行われ……強制するというものではない」

06.12　元号法

12.25　電柱への看板設置が軽犯罪法違反として有罪判決（大田立て看板事件）控訴審ではり札に該当しないとして逆転無罪

1980.03.06　北海道新聞記者証言拒否事件最高裁判決　職業の秘密に当たるとして拒否を容認

1980.11.28　猥褻表現が争われた四畳半襖の下張り事件最高裁判決

1980 ～ 1990　包括指定、緊急指定、通報制度など指定の簡略化や警察権限強化が進行

1981.04.14　前科照会事件で最高裁が事実上「自己情報コントロール権」を容認

04.16　月刊ペン事件で池田大作創価学会会長の公人性を最高裁が認容

10.30　新潮社『フォーカス』創刊

11.18～　ロス疑惑事件の始まり　1985.09.11 三浦和義逮捕
1982.06.08　猥褻なぜ悪いと訴えた愛のコリーダ事件で東京高裁が無罪判決（確定）
1983.04.15　東京ディズニーランド開園
09　週刊新潮の報道をきっかけに桐山襲「パルチザン伝説」を掲載した『文藝』版元の河出書房新社が右翼攻撃で単行本化中止　1984.6.10 作品社より出版
1984.03～　グリコ森永事件　1985.08.12 終結宣言
08.10　たばこ事業法
12.12　検閲性が争われた税関検査最高裁判決
12.25　電気通信事業法

挟撃の時代（1985 年～）

1985.03.21　日本初のエイズ患者認定
04.01　放送大学開学
05.17　男女雇用機会均等法
06.19　報道陣の面前で永野一男豊田商事会長刺殺事件
07.25　女性差別禁止条約批准
08.12　日航機御巣鷹山墜落事故　フジが現場生中継
09.02　NTT が初期携帯電話「ショルダーフォン」発売
09.28　TBS「8 時だヨ！全員集合」が終了　16 年間 803 回
10.07　テレビ朝日・久米宏「ニュースステーション」放送開始
1986.04.26　チェルノブイリ事故
06.11　名誉毀損理由の事前差し止めを最高裁が認容（北方ジャーナル事件）
06～　富山県近美・天皇コラージュ事件　大浦信行「遠近を抱えて」への県議からの抗議を受け、富山県立近代美術館が同作の非公開と売却、展示図録を焼却処分
1987.03.03　最高裁判決の補足意見で「ビラやポスターを添付するに適

当な場所は……パブリック・フォーラムたる性格を有る」と指摘（大分立て看板事件）

04.10　質問主意書に対し中曽根康弘首相名の答弁書「国・地方公共団体等の公的機関が元号を使用すべき憲法上の義務はない。一般に元号の使用を強制する法令は存在しない」

04.24　反論権を否定する最高裁判決（サンケイ新聞対日本共産党事件）

05.03　朝日新聞阪神支局襲撃事件　赤報隊が記者２人を死傷

06.02　刑事確定訴訟記録法

12.15　公文書館法

1988　サルマン・ラシュディ『悪魔の詩』発表　インド政府は発行禁止　1989.02.14 イラン最高指導者ホメイニが死刑宣告　1991.07.11 日本語版翻訳者が大学構内で殺害

11.16　行政機関の保有する電子計算機処理に係る個人情報の保護に関する法律（旧・個人情報保護法）　名称に「保護」とはあるものの利用方法について規定

12.08　国会議事堂等周辺地域及び外国公館等周辺地域の静穏の保持に関する法律

1989.01.07　昭和天皇死去　自粛報道

03.08　法廷メモ訴訟最高裁判決

04.01　消費税導入　1988 消費税法　89 年・3%→97 年・５％→14 年・8%→19 年・10% に増税

09.05　プライバシーが争われたノンフィクション逆転事件で高裁判決

09.19　「有害」図書規制が争われた岐阜県青少年条例訴訟で最高裁判決

09.19　広告表現が争われた日本コーポ事件で最高裁判決

10　TBS がオウム真理教に対し坂本弁護士取材テープを見せ、その事実を隠蔽

11.04　坂本弁護士一家殺害事件　オウム真理教事件の１つ

11.09　ベルリンの壁崩壊

1990.01.18　昭和天皇の戦争責任をめぐる発言で長崎市長本島等が右翼から銃撃

02.11　南アでネルソン・マンデラ解放

07.09　最高裁は、TBSビデオテープ差押え事件で警察のマザーテープ差押えを適法と判断

1991.01　湾岸戦争（米軍中心の多国籍軍がイラク攻撃）

1992.02.07　人種差別撤廃条約を留保つきで批准

12.16　資産公開法

1993.03.16　教科書検定の違憲性が争われた第1次家永教科書訴訟で最高裁判決

05.19　不正競争防止法

10～　テレビ朝日の衆院選の報道を巡り問題化（通称・椿事件）

1994.06.27　松本サリン事件　オウム真理教事件の1つ　第1発見者の冤罪・報道被害事件を引き起こした

1995.03.07　公共施設利用不許可をめぐる泉佐野市民会館事件最高裁判決

03.20　地下鉄サリン事件　オウム真理教事件の1つ

1996　山下菊二回顧展で「反天皇制シリーズ」展示自粛・図録不掲載

04　映画「ナヌムの家」初日に右翼がスクリーンに消火器噴霧

06.23　国立公文書館法制定

08.01～東京ビッグサイト「アトピックサイト」展で、東京都や事業運営する電通から沖縄や性を題材とした作品展示禁止や変更

08.28　ダイアナ妃事故死

10.20　総選挙で小選挙区制（小選挙区比例代表並立制）導入

1997.02.10～神戸連続児童殺傷事件（酒鬼薔薇事件）2015.06.11少年A『絶歌』を出版

03.19　電力会社女性社員殺害事件　プライバシー無視の報道合戦

04.22　ペルー日本大使公邸占領事件

05.14　アイヌ新法

1998.06　映画「南京1937」でスクリーン切り裂き

1999.04.01　改正風営法施行

05.14　行政機関の保有する情報の公開に関する法律（情報公開法）制定　2001に独立行政法人等情報公開法

05.26　子どもポルノ禁止法

08.13　国旗及び国歌に関する法律

08.13　不正アクセス禁止法

08.18　盗聴法

1999〜　メディア規制三法と称された人権擁護法案・個人情報保護法案・青少年有害社会環境対策基本法が社会問題化

11　森達也「放送禁止歌」フジテレビで放送

12.17　原子力災害対策特別措置法　災対法に基づく指定公共機関との連絡調整等を規定（同様の法に、石油コンビナート等災害防止法、大規模地震対策特措法、南海トラフ特措法、日本海溝・千島海溝周辺地震特措法、原子力規制委員会設置法）

2000.05.19　犯罪被害者保護法

05.24　ストーカー規制法　報道機関の取材行為除外が国会審議で確認され「適用上の注意」規程挿入

05.31　電子署名法

12.06　IT基本法制定

2001.01.30　NHK/ETV特集シリーズ「戦争をどう裁くか」の「問われる戦時性暴力」で、日本軍性奴隷制を裁く女性国際戦犯法廷の扱いをめぐり政治介入により改変され放映

06.08　通信・放送融合技術の開発促進に関する法律

08　船橋西図書館で司書が無断で保守系知識人の著作541冊を廃棄

09.11　米国で同時多発テロ　テロとの闘い　国家安全が表現の自由より常に優越　放送禁止曲多数

2001〜　最高裁が裁判官合同会議で名誉毀損訴訟の損害賠償額算定基準の見直し指示（5〜50万から100〜500万円へ）

2002.01.17　日本新聞協会編集委員会が記者クラブ見解

04.17　迷惑メール防止法

05.25　被収容者処遇法

2002.05.31 〜 06.30　両国の共同開催で日韓ワールドカップ開催

08.05　住民基本台帳ネットワークシステム稼働　2003.08.25 本格稼働・住基カード発行

09.24　『石に泳ぐ魚』事件最高裁判決でプライバシー侵害理由の出版差し止めを認容

11.30　プロ責法（特定電気通信薬務提供者の損害賠償責任の制限及び発信者情報の開示に関する法律）制定でプロバイダの責任範囲を限定

12.13　デジタル手続法ほか行政手続オンライン化関係三法

2003.03.19　米英軍によるイラク空爆開始、戦争状態に

03 〜 04 年　「冬のソナタ」日本で放映　韓流ブーム

04.17　杉並区の公衆トイレに「反戦」落書きし建造物損壊で逮捕

05.03　個人情報保護法　報道機関を適用除外

05.30　行政機関個人情報保護法

05.30　情報公開・個人情報保護審査会設置法

06.13　武力攻撃事態対処法（2015.09 平和安全法制整備法により改称）ほか有事関連三法

06.13　出会い系サイト規制法

11　自民党がテレビ朝日に衆院選で民主党に好意的であると抗議所属議員の出演を拒否

2004.03.16　田中真紀子議員に関連する記事を掲載した『週刊文春』3 月 25 日号出版差止め

04.18　国民保護法

05.28　裁判員法

06.18　公益通報者保護法

07　日本フランチャイズチェーン協会作成「『成人誌』取扱いガイドライン」で大人向け雑誌などのシール留め販売方法ほか 6 項目を規定

07.16　横浜美術館「ノンセクト・ラディカル　現代の写真Ⅲ」で、出展が決まっていた映像作品が猥褻物陳列罪に触れる恐れがあるとして上映中止

07　自民党が参院選の報道が不公平であると抗議
10　集英社『週刊ヤングジャンプ』連載の本宮ひろ志の漫画「国が燃える」（9月22日発売号・第88話）の南京虐殺シーンに対し右翼から抗議（09.29～）を受け一時休載　大幅削除・修正（11月11日号で21ページ分の削除・修正を発表）
12.08　犯罪被害者等基本法

忖度の時代（2005年～）

2005　政治と放送の関係問われる

05年　スラップ（恫喝）訴訟が問題化　2016.07.28最高裁は経産省前テントひろば裁判で座り込み市民に対する高額賠償を認容
01.03　朝日新聞がNHK番組（2001.1）への安倍晋三官房副長官らの政治介入を報道
01.24　子どもポルノ禁止条約批准
04.01　個人情報保護法
04.25　JR宝塚線脱線事故　被害者匿名発表が議論に
07.26　『マンガ嫌韓流』刊行、続編もミリオンセラーに
07.29　文字・活字文化振興法
09.11　衆議院総選挙　自民党歴史的大勝利
10.01　平成の大合併50市町誕生
10.14　郵政民営化法
12.08　AKB48誕生
12.15　YouTube公式サービス開始　2006.11.1グーグルが買収
12.27　犯罪被害者等基本計画を閣議決定　匿名発表が原則に　事件事故被害者の取材自粛要請が相次ぐ

2006　放送に政府圧力

01.23　ホリエモン逮捕・ライブドアショック

02　トリノ冬季五輪　荒川静香

04.01　ワンセグ放送開始

04.13　ゆるきゃらブーム　ひこにゃん誕生

05.25　秋田小学生殺害事件

06　サッカーW杯ドイツ大会開催

06.02　公取委が特殊指定廃止の当分見合わせを発表

06.06　竹中平蔵総務相が設置の総務省「通信・放送の在り方に関する懇談会」最終報告書まとまる　NHK-FMは「公共放送の役割を終えた」

06.08　探偵業法　報道機関を適用除外

06.15　自民党議員が国会でNHKの国旗国歌放送を強要

07.03　首相への取材を原則1日2回から1回に

08.11　TBS「イブニング・ファイブ」で報道とは関係ない人物（安倍晋三官房長官）が映り込んでいたとして総務省が厳重注意の行政指導

09　山口の同級生殺害事件で自殺した加害少年を実名・顔写真報道

09.2　小泉純一郎退任、安倍晋三内閣誕生

09.26　Facebook　一般向けサービス開始　日本版は08年

10.03　取材源秘匿を認める最高裁判決（NHK記者証言拒否事件最高裁判決）

10.13　倉敷市民会館での金剛山歌劇団（朝鮮総連系）の公演に際し会館使用許可を取消　10.24 岡山地裁が使用不許可処分を取消

11.10　菅義偉総務相、NHK短波ラジオ国際放送で拉致放送を命令

12.12　ニコニコ動画　サービス開始

12.22　改正教育基本法　愛国心教育　「心のノート」配布　道徳の教科化　教育関連改革三法も

2007 教育現場でも国家介入色濃く

01	ウィキリークスの存在明らかに　2010.12.07 編集長を逮捕
01.09	*防衛「省」に昇格*
01.20	関西テレビ「発掘！あるある大事典Ⅱ」やらせ事件発覚　外部調査委員会設置　民放連除名　総務省は再発防止義務を課す法改正を検討
01.22	琉球大学（2006.06.23）ほかで展示された岡本光博「赤い絨毯」が、抗議を受けネットから削除
02	産経新聞（大阪・和歌山）や千葉日報（千葉）が最高裁と共催のフォーラム（裁判員制度全国フォーラム）で参加者に謝礼　同様の事例がほかでも発覚
02.27	君が代伴奏拒否事件で職務命令肯定の最高裁判決
02	毎日新聞が取材での無断録音を第3者へ提供
05.11	BPO 強化し放送倫理検証委員会発足
05.18	憲法改正手続法（国民投票法）
05.25	グーグル・ストリートビューのサービス開始　08 年日本でも
06 ～	光市母子殺害事件弁護団への懲戒処分請求が殺到
06.27	イラク復興支援特措法改正　従軍取材協定締結
07.06	安倍首相　ぶら下がり取材を廃止
07.12	総務省　慎重な当落報道を各局に要請
07.16	新潟中越沖地震　取材トラブル
08	日本ビデオ倫理協会に猥褻罪で家宅捜査
08.10	日米秘密軍事情報保護協定締結
09.12	*安倍首相辞任し、福田内閣発足*
09.25	ビルマ・ラングーンで APF 通信所属のカメラマン・長井健司が銃撃され死亡
09.29	※教科書検定意見撤回めぐる県民大会
11.01	改正少年法施行　少年厳罰化
	コミック誌売り上げ減を受けて休刊相次ぐ
	団塊世代の大量定年退職始まる

2008 異論認めずの空気強まる

01.17 裁判員裁判めぐり新聞協会ほか「報道指針」発表 12.24にNHKも
01.20 つくばみらい市DV講演会中止
01.27 橋下徹 大阪市長に その後、維新旋風
01 岩手県奥州市が作成した蘇民祭のポスターがJR東日本より「不快感を与える」として掲出拒否
02 プリンスホテルが日教組へのグランドプリンスホテル新高輪・教研集会会場貸出拒否裁判で損害賠償認容
02.19 ロバート・メイプルソープ写真集の輸入禁止措置に対し最高裁が税関没収処分の取消
03.06 住基ネット訴訟最高裁が合憲判決 15年に全自治体が住基ネットに接続
03.11 ＮＨＫ経営委員長 国益主張せよの発言
03.25 高校「美術3」(日本文教出版)の07年度教科書検定で横尾忠則ポスターが「健全な情操の育成に必要な配慮を欠いている」と意見がつき差し替え
03.26 防衛省が読売記者への防衛秘密漏洩容疑で自衛官を書類送検
04.08 モバイルコンテンツ審査・運用監視機構ＥＭＡ設立
04.11 郵便ポストへのビラ投函に最高裁は、管理権を侵害し私生活の平穏を侵害すると判決(立川反戦ビラ配布事件) 2004.12.16一審無罪判決から逆転有罪
04.12～ 映画「靖国YASUKUNI」「天皇伝説」上映延期騒ぎ 政治家介入
04.23 ツイッター 日本でサービス開始 米では06年から
04 世田谷区が世田谷美術館で開催中の横尾忠則企画展「冒険王・横尾忠則」の鑑賞教室を、下見した教員から刺激が強すぎるとの意見が出て作家に無断で中止決定
06.06 公務員制度改革基本法
06.11 青少年インターネット環境整備法 09～青少年インターネット環境整備基本計画策定
07.11 新型携帯電話アップルiPhone発売 米国では07年

07.14　東京スカイツリー起工式
07.18　※沖縄県議会が辺野古移設反対決議
07.30　アジアトップギャラリーホテルアートフェア（ニューオータニホテル）に出品予定だった李鍾祥（イ・ジョンサン）の独島の絵画10点が主催者意向で展示取りやめ
08　北京五輪　北島康介　ボルト
08.21　国立国会図書館が政府圧力で日米協定資料の閲覧を禁止措置で提訴
09.15　米証券4位リーマンブラザーズ破綻　リーマンショック
09.24　福田首相、突然の退陣、麻生内閣発足
10　広島市現代美術館での展覧会「Chim↑Pomひろしま展」の準備で、Chim↑Pomが映像作品「ヒロシマの空をピカッとさせる」制作中に飛行機を使い「ピカッ」と読める文字を広島市上空に描き出したところ、中国新聞社によって取り上げられ展覧会中止　その後、個展「広島！」を巡回
12　在特会等のヘイトスピーチが顕在化　2009.12京都朝鮮学校襲撃
12.01　NHKオンデマンド開始
12.12　国籍法改正
12.18　録画映像を検察が無断で証拠申請
月刊総合誌・論壇誌の休廃刊相次ぐ（現代、論座、主婦の友、広告批評）
WHOが「自殺予防　メディア関係者のための手引き」公表
拡声器による暴騒音規制条例が各地で制定

2009 束の間の光差し込む

02　※沖縄県立博物館・美術館の「石川文洋写真展～戦争と人間」展で作品の一部の展示を牧野浩隆館長（元・沖縄県副知事）判断（倫理上の観点）で拒否
03　放送局に対する総務相の行政指導が頻発　04～09年の21件は70年間の3分の1

03.26　週刊文春の記事に4290万円の賠償命令の判決
04　※沖縄県立博物館・美術館の「アトミックサンシャインの中へin沖縄〜日本国平和憲法第九条下における戦後美術」展で大浦信行「遠近を抱えて」が牧野館長や金武正八郎県教育長の判断で展示不許可
05.12　ロシアのビザで択捉取材したテレビ局に外務省抗議
05.21　裁判員制度スタート　裁判員会見でトラブル相次ぐ
07.01　三鷹市で「中学生のための『慰安婦』パネル展」の施設利用が在特会の抗議で一時保留に
07.01　公文書管理法
08.27　グーグルブック検索訴訟が表面化　日本ペンクラブが異議申立て
08.30　衆院選で民主党勝利
09.16　政権交代し鳩山由紀夫内閣誕生
09.16　事務次官による閣僚懇を原則禁止
09　東京都の現代舞台芸術の祭典「フェスティバル／トーキョー（F/T）」出品のツアー・パフォーマンスの高山明「個室都市　東京」に対し、豊島区から修正要求
10　東京都の現代舞台芸術の祭典「フェスティバル／トーキョー（F/T）」2009年秋シーズンで上演されたリミニ・プロトコル作品「Cargo Tokyo-Yokohama」で、行政の中立性に反するとして修正要求
11.30　ポストへのビラ投函に最高裁は、他人の財産権侵害は許されないと判決（葛飾政党ビラ配布事件）　2006.08.28一審無罪判決から逆転有罪
12.01　※沖縄密約文書公開訴訟で密約の存在を元高官が証言　09.02に提訴　2014.07.14最高裁判決

2010　忍び寄る表現規制の影

03.12　総務省が在京5社の個別の報道内容を照会
04　中学校歴史教科書の日本軍慰安婦問題を取り扱った記述が12年

から消える見通しとの報道　東京都内で最大シェアだった日本書籍は慰安婦記述などでの批判を受け採択数が激減し 05 年に倒産

04.10　バンコクでロイター通信所属のカメラマン・村本博之が銃撃され死亡

04.25　※普天間県外移設求める県民集会

05.20　東京地検が篠山紀信ヌード写真集を礼拝所不敬などの罪で略式起訴（2008.08.16 ～ 10.15 に撮影）

06.08　鳩山退陣し菅直人内閣誕生

06 ～　映画「ザ・コーヴ」一部で上映取りやめ

06.09　首相のぶら下がり取材と官房長官会見の回数減　記者会見をフリーに開放

06　南アフリカでサッカーW杯（日本ベスト 16）

06.14　非実在青少年でもめた東京都青少年保護条例改正案が否決

07.11　参院選で自民党勝利し、ねじれ国会

08.27　死刑執行場が報道機関に公開

08.31　共産党、「ＮＨＫ日曜討論」からの排除に抗議

09.07　※尖閣列島沖で中国魚船と海保が衝突　11.04YouTube に動画流出

10.29　警視庁によるムスリム監視が情報漏洩により発覚　16 年に最高裁決定

11.26　放送法大改正

12.04　東北新幹線全線開通

12.15　東京都青少年条例改正 「不健全」図書の範囲を拡大しアニメ規制

2011　震災・原発とマスコミ・ＳＮＳ

02.02　西武百貨店渋谷店・美術画廊での現代美術・サブカルチャー展「SHIBU Culture ～デパート de サブカル～」が苦情を受け会期途中で中止

02.25　大学入試問題が試験中にネット掲示板に投稿

03.11　東日本大震災
03.11　東京電力福島第一原発で国内初の炉心溶融　テレビ等で災害場面の自粛続く
03　目黒区美術館「原爆を視る 1945-1970」展が原発事故に配慮して中止
05.08　福岡で開催された脱原発サウンドデモで県警がDJらに荷台からの下車命ず
05.30　君が代訴訟で最高裁判決（06.06も）
06.13　大阪府が国旗掲揚国歌斉唱起立条例
06.24　スポーツ基本法
06.27　LINEがサービス開始　翌年ブームに
07　自民党「メディアチェック」担当議員新設
07.01　CATV・ネット向けの経産省主催の九電原発説明番組でやらせメール
07.17　サッカー女子W杯でなでしこ世界一
07.24　アナログ放送終了
08～　韓流ドラマを放映するフジテレビに抗議デモ
09.02　3代目の民主党政権として野田佳彦内閣発足
10　横尾忠則デザインの加古川線ラッピング電車案「ターザンの雄叫び」ほか2点を、JR西日本が災害被害者に配慮等との理由で採用拒否
11.28　※琉球新報がオフレコ懇談報道　報道界の中でも評価分かれる
世界の総人口70億人超える　日本総人口1億2535万人に初減少

2012 ヘイトスピーチ跋扈

01.23～24 ※沖縄防衛局長が宜野湾市長選で投票を促す講話
02　大阪市、職員の組合活動・思想信条を調査
04.27　自民党憲法改正推進本部が「日本国憲法改正草案」発表
05.05　全原発停止
05.11　新型インフルエンザ等特別措置法　感染防止のための施設利用・

催事制限や停止を規定

05.22　新宿ニコンサロンの慰安婦写真展が主催者判断で中止

08　東京都美術館「第18回JAALA国際交流展」で慰安婦をテーマにしたキム・ソギョン&キム・ウンソン「平和の少女像」、パク・ヨンビン「Comfort Women!」が展示撤去　11メディア・アーティスト大榎淳らが東京都美術館の壁に作品映像を投影する抗議行動

10.01　※普天間にオスプレイ配備

11　自民党が選挙公約で緊急事態条項新設を含む憲法改正明示

12.17　松江市教委が「はだしのゲン」を小中の学校図書館へ閲覧制限を要請

12.16　衆院選挙で自民党圧勝

12.26　第2次安倍内閣始動

EUデータ保護規則として、データ主体の忘れられる権利・消去する権利を追加提案　2018.05施行

2013　特定秘密保護法成立

01　アルジェリア人質事件で実名報道が課題に

01　埼玉県平和資料館が改装に合わせて、県議会の自虐批判に応えて加害展示を削除

01　森美術館の「会田誠展：天才でごめんなさい」の「犬シリーズ」について女性の裸体、障碍者差別表現をめぐり物議

01.28　※沖縄県全自治体首長によるオスプレイ配備撤回の建白書提出　銀座デモで沖縄ヘイト発生

02.01　テレビ放送開始60年

03.18　情報漏洩の犯人探しのため東山梨消防本部が全職員使用携帯電話の通話記録の提出を要請

03.26　※小池百合子議員「戦っている相手は沖縄メディア」発言

04.29　福井市文化施設AOSSAの「ピースアート展　憲法と平和」で県の注意に応じ会場管理会社が河合良信の憲法9条主題作を一時撤去

04.19　公職選挙法改正でネット解禁
05.24　共通番号（マイナンバー）法　2016.01施行、マイナンバーカード交付開始
06.03　自民党、教科書出版会社社長から意見聴取
06.26～　自民党が参院選に関する「NEWS23」放映内容に抗議、TBSの取材・出演拒否
07.02　映画「選挙」上映を千代田区立図書館から中止要請　区が共催を外れることで上映会は実施
07.21　参院選で自民圧勝　一強体制
08　長野市・松代大本営跡の説明板にあった朝鮮人の強制連行の説明がテープで隠された
08　松江市教育委員会が市立小学校に対し「はだしのゲン」を閉架にするよう要請
08.20　シリア北部アレッポで写真家・山本美香が銃撃され死亡
08.22　東京都教委が「国旗国歌法をめぐる記述が不適切」とした実教出版日本史教科書が東京都で採用ゼロ
09.07　東京五輪決定　首相がIOC総会で「(原発事故は) 完全にコントロールされている」と演説
09.29　橋下徹大阪市長、朝日新聞が選挙用政党広告掲載を拒否したため取材拒否
10　千葉県立中央博物館の「音の風景」展で永幡幸司「福島サウンドスケープ」の説明文が作家の同意なしに一部が削除
10.07　京都朝鮮学校襲撃事件で地裁判決
11.26　北海道猿払村に設置予定だった韓国・朝鮮人の強制動員犠牲者追悼碑が抗議を受け無期限延期
11.26　※小池百合子議員、沖縄選出議員に「日本語読めるの」発言
12.06　特定秘密保護法成立　取材の自由に配慮したうえ「不当な方法」処罰規定
12.27　※仲井眞知事、辺野古埋立て申請を承認

2014　国益毀損でメディアバッシング

01　内閣府に特定個人情報保護委員会設置

01.25　籾井勝人ＮＨＫ会長が就任会見で「政府が右と言うのを左とは」発言　経営委員の百田尚樹・長谷川三千子の発言も問題に

02.07～　ソチ冬季五輪　羽生結弦

02.16　東京都美術館「現代日本彫刻作家展」で中垣克久「時代の肖像―絶滅危惧種 idiot JAPONICA 円墳―」が政治的として展示期間中に撤去要請、作品の一部を削除

02.23　琉球新報の石垣自衛隊配備報道で防衛省が新聞協会に抗議

03　憲法テーマの市民集会で千曲市が政治的中立性を理由に後援拒否

03　憲法テーマの市民集会で神戸市が後援拒否

03.12　山梨市が新聞コラム内容を理由に講演会を中止

03.14　※文科省が竹富町教育委選定の教科書に対し是正要求　05.21 県教委が竹富町を八重山地区からの独立を決定

03.19　泉佐野市教委が「はだしのゲン」を市立小学校図書室から回収

03　テレビ朝日の放射線健康被害番組に環境省総合環境政策局環境保健部が本省サイトで反論

03.31　「笑っていいとも！」放送終了　03.21 先立ち首相が生出演

04.01　消費税 8%

04.01　閣議・閣僚懇談会の議事録公開開始

04.17　高知市の土佐電鉄が護憲メッセージ掲載の車両「憲法９条号」運行を中止

04.18　奈良県天理市にある旧海軍航空隊大和基地（柳本基地）の市の説明板を慰安婦記述に関連し撤去

04.28　『ビックコミックスピリッツ』連載の「美味しんぼ」の放射線被害を扱った「福島の真実」の表現が問題に　一時休載

04.30　ＮＨＫ会長が理事会で個別番組では公平性を保持すべきと発言

05　広島大学の授業「映画と演劇」での上映に対し、産経新聞が慰安婦の扱いについて批判

05　京都大学医学部資料館で、731 部隊の関与開設パネルを撤去

05.12	東京都が新基準に基づき「不健全図書」を指定
05.14	著作権法改正で電子出版権誕生
05.30	内閣人事局を設置　官僚人事の一元化　国家公務員法改正（14.04.11）を受けて
06～07	*サッカーW杯ブラジル大会*
06.02	4K 試験放送開始
06.13	国民投票法を改正し選挙権を 18 歳に引き下げ
06.18	子どもポルノ禁止法改正し単純所持罪追加
06.20	国会法改正し秘密保護法監視機関「情報監視審査会」を衆参に常設
06.25	さいたま市三橋公民館だよりで 9 条俳句掲載拒否
07.01	集団的自衛権行使容認、閣議決定
07	県立公園群馬の森に 04 年に設置許可された朝鮮人強制連行犠牲者追悼碑「記憶　反省　そして友好」の設置更新許可申請を、群馬県が不許可とし撤去要求
07.12	ろくでなし子が女性器の 3D プリンター用データを配布したとして猥褻物頒布罪で逮捕
08～	※辺野古取材の妨害続く
08.05	朝日新聞が慰安婦報道を取消し　社長謝罪会見ののち辞任
08.12	愛知県立美術館「これからの写真展」で鷹野隆大「おれと」が猥褻理由で警察による作品撤去指導があり、一部を布で覆って展示継続
08.13	平和遺族会の講座を国立市教委が後援拒否
09.03	朝日新聞が東電原発報道を取消し
09.31	ピーターバラカン音楽番組（InterFM『バラカン・モーニング』）打ち切り
10.31～	過去の慰安婦記事理由に植村隆への脅迫続く　エスカレートし家族への脅迫も
10.31	安倍首相、国会で朝日報道を「捏造」と非難
11.06	*※沖縄県知事に翁長雄志*
11.20	自民党が選挙報道巡り放送各局に「選挙期間における報道の公平中立並びに公正の確保についてのお願い」で出演者の発言回数や

街頭インタビューに至るまで文書要請
11～　数研出版の高校公民科教科書から「慰安婦」「強制連行」記述削除申請　12 文科省承認
12.14　※衆院選で自民圧勝　沖縄では全敗
12　福岡県那珂川町の人権啓発イベント「第 21 回人権フェスタなかがわ」で町立中学校が上演予定の朗読劇が、戦時中の写真の衝撃が大きいとの町長の判断で中止

2015　進む報道二極固定化

01　東京・江古田の画廊で「表現の不自由展～消されたものたち」開催
01.21　外務省が新聞協会にシリア渡航自粛要請
01.30　IS（イスラム国）によるジャーナリスト後藤健二拘束・殺害
02.06　戦地取材予定の杉本祐一に旅券返納命令
02.22　※山城博治が、米軍キャンプ・シュワブの敷地内に正当な理由なく侵入したとして日米地位協定に伴う刑事特別法違反の疑いで逮捕
02.27　キャンプ・シュワブ前テントの撤去要請
02　国立新美術館での 2014 年度五美大卒業制作展で作品撤去要請
02　新座市教委が中学生のための慰安婦パネル展への施設貸出を拒否
03.04　※沖縄・北部県道の情報公開決定取り消し
03.14　北陸新幹線開業
04　テレビ朝日「報道ステーション」のアベノミクス報道（2014.11）に対し、自民党から公正中立報道の要請が明らかに
04　大阪国際平和センター（ピースおおさか）運営の戦争博物館で、府議らの抗議で日本軍の加害行為を示す写真パネル撤去し廃棄
04.17　自民党情報通信戦略調査会がＮＨＫとテレビ朝日の幹部を呼び出し事情聴取
04.30　デジアナ変換サービス終了
05.17　※辺野古新基地建設反対の県民大会

05.19	ドワンゴが在特会の公式動画チャンネルを閉鎖
06.17	ダンス規制を含む改正風営法
06.17	*18歳選挙権成立　2016.06.19施行*
06.25	アイドルグループ「制服向上委員会」の歌が自民党批判だとして大和市が市民団体のイベント後援を取消
06.25	自民党・文化芸術懇話会で参加議員や講師の百田尚樹から言論弾圧発言
06	福岡市が「平和のための戦争展」の後援を「特定の政治的立場に立脚していない」との基準に合致していないとして不承諾
07	自民党がTBSのアンケートに回答しないよう所属議員に指示
07	自民党が社会科教科書採択用パンフレット作成
07.16	女性自衛官の慰安婦関連のブログを在ベルギー日本大使館サイトで公開、政府は表現の撤回を求め、防衛省が一部削除
07.24	姫路市が政権批判ビラ掲示等を理由に労組主催「駅前文化祭」を中止
07.24	長野市の要請を受け、権堂商店街七夕祭りで「戦争原発バラマキの愚策」等の垂れ幕7本を撤去
07.25	東京都現代美術館「おとなもこどもも考える　ここはだれの場所？」の出品作品、会田家「檄」と会田誠「国際会議で演説をする日本の総理大臣と名乗る男のビデオ」の撤去要請
07.27	長崎市内商店街で安保批判の七夕飾りを撤去
08.02	JR御徒町駅構内トイレの安倍首相批判落書きを器物損壊容疑で捜査
08.05	松本市が政治性が濃いことを理由に、松本駅自由通路に平和のための信州・戦争展中信地区実行委員会が設置したパネル展示に使用許可を取消、撤去
08.06	岩手大学が教職員組合に安保法案反対の看板撤去を要請
08.06	三重県・県教育委員会が辺野古新基地建設等の現場写真を含む「フォトジャーナリズム展　三重2015」の後援を取消
08.07	Chim↑Pomが「堪え難きを耐え↑忍び難きを忍ぶ」展開催
08.09	鹿児島県が川内原発再稼働反対集会に久見崎海岸の使用を不許可

08.17　全国高校野球選手権大会本部はＴＢＳが著しい取材要項違反があったとして大会取材用ＩＤ没収
08.28　高知県立坂本竜馬記念館職員の新聞寄稿を県から注意
09.02　インターネット動画配信サービス大手ネットフリック上陸
09～10　MARUZEN ＆ジュンク堂書店渋谷店で民主主義本ブックフェア 11.13 に内容を変更し再開
09.03　改正個人情報保護法　匿名加工情報のビッグデータ利用に道
09.03　改正マイナンバー（共通番号）法
09.04　安保法案国会審議中に安倍首相テレビ出演
09.18　自民党ポスターの首相顔写真への落書きで、警視庁が器物損壊容疑で逮捕
09.19　安保関連法成立　09.30 公布
10　文科省は高校生の政治活動全面禁止を変更
10　ラグビーワールドカップで日本活躍　五郎丸
10　警視庁が春画を扱った週刊誌 4 誌に口頭指導
10.09　SEALDs と学者の会共催の安保法案反対集会に対し立教大学が教室使用不許可
10.14　労組作成の政権批判クリアファイルが職員室にあったことから北海道教育委が職員調査実施
10　放送大学の単位認定試験問題で、「現政権への批判がかかれていて不適切」として試験後に該当部分を削除して公開
10　山口県周南市がツタヤ図書館建設をめぐる市民団体のシンポジウムを政治活動と判断しホール使用許可を取消
10　京都造形芸術大学の展覧会「パレ・ド・キョート」展に主演予定の鳥肌実の出演を抗議を受け撤回
10　北海道立北海道博物館の自衛隊基地問題に関する常設展に「自衛隊バッシングだ」との抗議があり資料の一部を撤去・差替　4 月開館以来、抗議のほか自民党県議からも内容が偏っているとして展示変更要求
10.26　民放キー局が無料インターネット番組配信サイト TVer（ティーバー）開始

11　東電が新潟限定で原発ＣＭを再開
11　宮城県柴田農林高校社会科学部が実施の安保関連法制に関するアンケート調査が、「不適切」との抗議を受け発表中止
11.06　BPO 倫理委が意見書で政府の放送介入に苦言　12.11 には人権委も
11.09　菅官房長官が会見で BPO の放送法解釈は「誤解」と発言
11.14 ～　市民団体「放送法遵守を求める視聴者の会」が TBS を偏向報道として糾弾する新聞意見広告　2016.02 にも
11.17　※政府が知事の承認取消は違法として辺野古代執行訴訟
12.01　特定秘密保護法完全施行
12.22　法務省は在特会のヘイトスピーチに人権侵害の勧告

2016 問われる沖縄・試される日本

01　法務省がヘイト掲載のプロバイダに削除要請し、一部応じる
01　京都市立芸術大学@ KCUA での丹羽良徳のワークショップに対し、人権感覚欠如等の批判
01.18　氏名の公表などを含む大阪市ヘイトスピーチ抑止条例公布
02　八重良子「Value」が 2015 年度文化庁メディア芸術アート部門の審査委員会推薦作品に選出されたも性的との理由で国立新美術館での受賞作品展の展示拒否
02.02　自衛隊情報保全隊による住民監視で司法判断
02.06　安倍晋三首相が自身の疑惑に対し「ないことをないと証明するのは悪魔の証明だ。あるという側に立証責任がある」と反論　2017.03.28 の国会でも
02.08　高市早苗総務相が国会で放送法違反理由とした電波停止命令に言及
02.12　政治的公平の解釈で政府統一見解を発表
03.05 ～　東京都現代美術館「MOT Annual 2016 キセイノセイキ」展で、小泉明郎作品へ改変要請　近隣の画廊で自主展示
03.16　堺市が「有害図書類を青少年に見せない環境づくりに関する協定」に基づき、ファミリーマートの成人誌販売規制を強化

2017.02 千葉市も同様方針発表
03.18 ドローン規制法（重要施設の周辺地域の上空における小型無人機等の飛行の禁止に関する法律）
03.28 海老名市駅前でのマネキン・フラッシュモブに参加した海老名市議に禁止命令　06 提訴　2017.03.08 横浜地裁が命令取り消し・確定
03 広島市現代美術館「ふぞろいなハーモニー」展で、リュー・ディン「2013 年のカール・マルクス」が中国政府の輸出不許可によりブルースクリーンで展示
03 テレビ朝日 / 報道ステーション、TBS/NEWS23、NHK/ クローズアップ現代のメインキャスター（国谷裕子、岸井成格、古舘伊知郎）がそろって交代
03 鹿児島市主催のヨガ講座講師が、反核Ｔシャツ着用を理由に翌年度の契約更新拒否
04.01 愛媛県ほかで高校生の校外政治活動参加を事前届け出制に　宮城では取材を受けることは不適切と通知
04.20 報道の自由度ランキングで日本は過去最低の 72 位　2010 年の 11 位以降下降
05 山梨県北杜市中央図書館が、市が推進する中部横断自動車道建設反対の市民団体機関紙（隔月刊ニュース）の掲示を拒否
05.02 登別市図書館で憲法イベントのチラシ撤去
05.09 NHK 会長「公式発表をベースに」発言
05.24 盗聴法改正
05.24 ヘイトスピーチ解消法
05.30 川崎市で、公園内行為許可申請に対し不許可処分
06.10 富山市議が取材記者に暴行し取材メモを奪取　その後のチューリップテレビ・政務調査費汚職調査報道に続く　2020.08 映画「はりぼて」上映
06.17 フジロック・フェスティバルの出演に政治色入れるなのツイッター
06.23 英国、国民投票で「ＥＵ離脱」
06.25 〜 自民党　教員の政治的中立性を調査

07.01　大阪市ヘイトスピーチ対処条例　施行
07.03　リオ五輪壮行会で森元首相が「国歌を歌え」発言
07.04　美術評論家連盟が声明「表現の自由について」発表
07.11　参院選で改憲勢力３分の２確保
07.19　※元米海兵隊員殺人強姦事件巡り県民大会
07.22　※高江ヘリパット工事強行再開　取材妨害相次ぐ
07.26　相模原障碍者施設殺人事件
08.01　法務省人権擁護局がヘイトスピーチ行為に警告
08.14　SMAP 解散発表
08.21　経済産業省前の「脱原発テント」が強制撤去
08.23　福岡市が「平和のための戦争展」の後援を政治的主張が含まれるとして取消　その後も後援せず
09.27　大阪地裁がインターネット上のヘイト書き込みに賠償命令　2017 最高裁で確定
10.05　アクティブ・ミュージアム「女たちの戦争と平和資料館」に爆破予告のハガキ
10.17　※沖縄・辺野古新基地建設抗議運動の中心である沖縄平和センター議長の山城博治が、米軍北部訓練場内の有刺鉄線を切断したとして器物破損で準現行犯逮捕
10.18　大阪府警の機動隊員が沖縄・高江で基地反対運動参加者に対し「土人」発言　松井一郎大阪府知事が「どっちもどっち」趣旨の発言
10.22　欅坂 46 の衣装がナチス親衛隊と酷似しているとして問題化
11　東京都の豊洲新市場移転に関する意思決定過程文書の不存在が明らかに
12.01　DeNA まとめサイト「WELQ」を批判を受け閉鎖
12.13　※沖縄・名護市安部にオスプレイが墜落　政府発表は不時着

2017 公文書の改竄・隠蔽・廃棄相次ぐ

01.06 ※東京 MX テレビ「ニュース女子」(DHC 提供)の沖縄特集で沖縄ヘイト 2017.12 BPO 放送倫理委が重大な放送倫理違反と意見 2018.03 BPO 人権委が人権侵害ありと勧告

01.16 マイナポータル稼働 11.13 本格稼働

02 ドキュメンタリー「"記憶"と生きる」の上映会で、慰安婦の扱いで抗議を受けさいたま市教委が後援取り下げ

02 〜 森友学園で安倍晋三首相の昭恵夫妻の関与疑われるも情報開示せず

02.06 自衛隊南スーダン PKO 派遣部隊の日報隠蔽が発覚

02.24 森友学園国有地売却に関する交渉記録を、近畿財務局が破棄していたことが判明

02.27 経産省が記者の入室を禁止措置

03.24 18 年度使用開始の道徳教科書で、パン屋を和菓子屋、アスレチック公園を和楽器店に変えるよう検討意見

03.31 教育勅語を「教材として用いることまで否定されることではない」と閣議決定

04.04 今村雅弘復興相が記者会見で追及する記者に対し「出ていきなさい、もう 2 度とこないでください」

04.22 群馬県立近代美術館「群馬の美術 2017」で、朝鮮人強制連行犠牲者追悼碑を模した白川昌生「群馬県庁朝鮮人強制連行追悼碑」を開催直前に撤去

04.26 二階俊博自民党幹事長が「1 行でも悪いところがあれば、これはけしからん、首をとれと。なんちゅうことか」

04.27 千葉市が、日韓合意を批判する展示をしたとして千葉朝鮮学園主催の美術展と芸術発表会への補助金 50 万円の交付取消

05.01 外務省が報道機関に対し北朝鮮への渡航自粛を要請

05.03 首相が憲法改正の具体案表明

05.08 安倍晋三首相が国会で憲法改正について聞かれ「読売新聞に書いてある。じっくり熟読してほしい」

05～　加計学園新学部創設で首相関与疑われるも情報開示せず
05.12　医療ビッグデータ法（次世代医療基盤法）
05.17　菅義偉官房長官が記者会見で加計学園文書について「怪文書みたいな文書じゃないか、出どころも明確になっていない」
05.25　全国美術館会議が「美術館の原則と美術館関係者の行動指針」を採択
05.30　改正個人情報保護法でデータ利活用を大幅拡充
06.05　安倍晋三首相が国会で、野党批判を「印象操作」とし、テレビの扱いを「普通常識があったらしていない」
06.12　メディアの独立性を厳しく警告する内容の国連対日調査報告書を国連人権理事会に提出
06.15　共謀罪法（改正組織的犯罪処罰法）「(捜査の）適性の確保に十分な配慮」規程を入れたものの当初予定の思想の自由の文言は削除
06.21　江東区社会福祉協議会主催の香山リカ講演会が妨害予告を受け中止
06.23　前川喜平元文科事務次官が、NHKから加計学園問題でインタビューされたが放送されずと指摘
06.30　二階俊博自民党幹事長が「我々はお金を払って買っている。そのことを忘れてはだめだ。落とすなら落としてみろ、マスコミが選挙を左右すると思ったら大間違いだ」
07.01　安倍晋三自民党総裁が街頭演説でヤジに対し「こんな人たちにみなさん、負けるわけにはいかない」
07.01　麻生太郎副総理財務相が「報道内容は管理間違っている。こんなものにお金まで払って読むか」
07.01　東京都が公文書管理条例施行
07.19　広島朝鮮学校が国に対し高校無償化の適用対象外は違法として訴えた訴訟で国の裁量権を認める判決
07.20　※沖縄防衛局は県政記者クラブ加盟社あてに、大浦湾海中珊瑚と米軍北部演習場内のオスプレイ写真を掲載した沖縄2紙に対し、立ち入り制限区域内での不法撮影として文書抗議
07　学び舎・中学歴史教科書「ともに学ぶ人間の歴史」採択校に対し

圧力まがいの抗議が判明

08　※沖縄・那覇地区で採択された小学校道徳教科書が愛国主義的で、決定に至る過程も不透明として問題化

08.08　京都市美術館の富樫実・野外彫刻「空にかける階段、88- Ⅱ」が無断切断・撤去　2019.02.09 復元再展示

11.01　第 4 次安倍内閣発足

11.09　川崎市がヘイトスピーチ・ガイドライン制定

11.18 ～　※沖縄・うるま市で開催されたイチハナリ・アート・プロジェクト＋3で、岡本光博「落米のおそれあり」が開催直前に展示中止

11　イオングループのミニストップが成人誌扱い中止を表明 2018.01 から全店舗実施

12.06　NHK 受信料で最高裁が合憲の大法廷判決

12　政府は皇室会議の議事録を作成しない方針発表　閣議や国家安全保障会議など重要な意思決定がなされる会議ほど、詳細記録は残さない方針が明らかに

2018　政権の私物化さらに

02　国立新美術館で開催の 2018 年度「東京五美術大学連合卒業・修了制作展」で作品搬入段階で館側要請により一部作品撤去

02　厚労省作成の残業時間調査のデータに隠蔽・捏造が発覚　厚労相が謝罪

02.13　安倍晋三首相が国会答弁の中で朝日新聞批判を展開　02.12 Facebook で「哀れですね、朝日らしい惨めな言い訳」と書き込み

02.16　前川喜平前文科事務次官の公立中学校の授業（講演）内容に関し、文科省が名古屋市教委に内容確認を要求　自民党議員が文科省に照会し記録取り寄せ

02　「通信・放送の改革ロードマップ」と称する、放送法を全面改正し、ネットと放送の統合を図り、民放をなくすことや、放送に関する規律（放送法 4 条ほか）を撤廃するとの下案が発覚

03.02	財務省の森友学園交渉記録改竄が発覚
03.16	古賀俊昭東京都議会議員（自民党）が都議文教委員会で足立区立中学校の性教育を批判　議員の問い合わせに従い、内容が指導要領になく適正さに欠けるとして、東京都教委が区教委を通して授業内容を調査し指導、中学校長会でもその旨伝達
03.29	東京都迷惑防止条例改正で、ビラ撒きやデモに制限の恐れ　07.01施行
03.30 〜	福岡市のアートイベント「福岡城まるごとミュージアム」で岡本光博「ドザえもん」の題名を布などで覆って展示
04.10	加計学園問題で「首相案件」であるとの文書の存在が報じられ、国会答弁との齟齬が指摘される
04.13	政府が漫画を多数集める海賊版サイトに緊急避難策としてプロバイダにブロッキングをかけることを要請することを決定
05	京都大学が、京都市屋外広告物条例に基づく指導を受け、大学周縁の石垣に設置されていたタテカンを撤去
05.18	著作権法改正の「柔軟な権利制限規定」で著者に無断で全量スキャンする行為を容認
05.25	防衛省が情報公開関連の取材に応じた職員を特定する調査を庁内に指示
06 〜	NTT インターコミュニケーション・センターに出展した吉開菜央の映像作品「Grand Bouquet ／いま　いちばん美しいあなたたちへ」が一部黒塗りで公開
06.08	東京弁護士会が、ヘイトスピーチ規制のモデル条例案を発表
06.14	鎌倉市が、市民団体からの「鎌倉ピースパレード」集合場所として市庁舎前庭の使用を、庁舎管理規則に基づく「庁舎内行為許可に係る審査基準」に照らし「特定の思想、信条、宗教の普及を目的とする行為」に当たるとして不許可に
07	杉田水脈自民党議員が『新潮 45』8 月号で LGBT は生産性がないと主張　10 月号での特集「そんなにおかしいか『杉田水脈』論文」にさらに批判が集まり同誌廃刊
07.29	稲田朋美自民党議員・元防衛相が、放送界の護憲派を念頭に

「憲法教という新興宗教」と Twitter に投稿

08.28　自民党が総裁選にあたって報道機関あてに「総裁選に関する取材・記事掲載について」を発出し「必ず各候補者を平等・公平」に扱うことを要請　2020.09 の総裁選でも同様の文書発出

09.10　北海道や滋賀県で研究書が有害図書指定を受けたことで（03.23、03.30）、図書館問題研究会全国委員会等が有害図書指定を問題視する声明を発表

09.16　※安室奈美恵引退

09.30　※沖縄県知事に玉城デニー・前衆議院議員が当選

10.02　第 4 次安倍第 1 次改造内閣

10.05　東京都が公共施設利用制限などヘイトスピーチ規制を含む人権尊重条例を制定

10　福島ビエンナーレ 2008 で、ヤノベケンジ、開発好明、木下史青、若木くるみらの 4 作品が出品見送り

10.16　茅ヶ崎市で開催予定の「沈黙～立ち上がる慰安婦」上映会を市・市教委が後援していることに対し抗議　市は今後、運用を見直すことを発表

10.26～　大田区で開催予定の豊田直巳写真展「叫びと囁き　福島の七年間～尊厳の記録と記憶」で、区が作品の一部を政治的として撤去を一時要請

11.19　カルロス・ゴーン日産前社長逮捕

12.01　4K8K 実用放送開始

12.26　国際捕鯨委員会 IWC から脱退

12　横須賀市で開催予定の「沈黙～立ち上がる慰安婦」上映会を市・市教委は「政治的中立性を損ないかねない」「市民に混乱をもたらす恐れがある」として後援申請を不承諾

12　川崎区検が、在日コリアンへの中傷のブログへの書き込みに侮辱罪で略式起訴　2019.01 川崎簡裁で科料の略式命令、石垣でも

12.28　官邸が東京新聞編集局長あてに望月衣塑子記者の官房長官記者会見の質問内容に関し抗議文

12.28　官邸が内閣記者会に対し文書で、特定しないものの望月衣塑子・

東京新聞記者の質問制限を要請
12.30　TPP11協定発効にあわせ（EUとのEPAでも）、著作権保護期間が死後50年から70年に延長　非親告罪化も

2019　新元号祝賀のうらで強権の綻び見え隠れ

01.17～　茅ヶ崎市文化会館で開催の第35回湘南教職員美術展に出展の版画作品に対し水島誠司市議（自民党茅ヶ崎）が政治的主張を持つと抗議し、市教委が共催から降り、作家の作品取り下げを受けて復帰
02.02　ジャーナリスト常岡浩介の旅券を出国時の空港で没収
03.21　イージスアショア問題に触れた秋田公立美大謝辞の一部を取消　後日、大学が謝罪
04　相模原市議会選挙で、立候補者が選挙演説の中で在日コリアンに対するヘイトスピーチを繰り返し実行したとして議論に
04.01　新元号「令和」発表（新元号への改元手続きと元号の読み方を定めた政令などを閣議決定）　新札発行を発表
05.01　皇太子徳仁親王が天皇に即位
05.15　改正健康保険法　医療機関・薬局にカードリーダーを順次設置（2021.03マイナンバーカードを健康保険証として利用予定）
06.04　「マイナンバーカードの普及とマイナンバーの利活用の促進に関する方針」を決定
06　燕市の国上寺で木村了子「イケメン官能絵巻」が公開され市議会で問題化
06　防衛省が秋田魁新報に対し記者会見出席を拒否　2019.06.05秋田魁新報「イージス配備断念」のスクープ記事掲載
06.13　※改正ドローン規制法従来の国施設や原発に加え、防衛関係施設、東京五輪使用会場等・空港300メートル以内が追加　あわせて航空法も同日から新ルールが適用　06.01ドローンメーカー最大手DJIが、沖縄県内の米軍基地周辺を飛行制限エリアに

設定し同社に事前に届ないと飛行ができない設定に

06.26　メディアの独立性に懸念が残るとする報告書が国連人権理事会に提出

06.27　日米合同委員会議事録開示請求訴訟で外務省が認諾（敗訴）を選択し、裁判所のメール提出命令を拒否

07　出演者の有罪判決を受け、映画「宮本から君へ」の文化芸術振興費補助金内定（3月）取り消し

07　「遊☆戯☆王」の作家・高橋和季がInstagram上で「独裁政権」批判を投稿し政治的と炎上

07.05　東京地裁が、駅前を含む朝鮮学校付近における特定団体の街宣・ビラ配布禁止の仮処分

07.15　札幌市での安倍晋三首相の街頭演説で、ヤジを飛ばしたり無言でプラカードを掲げた市民が北海道警によって排除　12国家賠償請求を提訴　2020.02道警は法的根拠を警察官職務執行法4条（避難）5条（制止）と表明　職務質問や歩行制止は同法2条及び警察法2条に該当とも

07.18　京都アニメーション放火事件　実名発表で論議

07.21　参議院選挙で自民大勝

08　日本オリンピック委員会JOCは理事会の会議を一切非公開とし、議事公開も概要にとどめることに変更

08.01　和田政宗参議院議員があいちトリエンナーレについて「しっかりと情報確認を行い、適切な対応とる」とTwitter　小坪しんや行橋市議会議員が自身のウェブで電凸を煽るコメントを繰り返し掲載

08.02　河村たかし名古屋市長があいちトリエンナーレ不自由展中止を求める　以後、松井一郎大阪市長「税金を投入してやるべき展示ではなかった」、吉村洋文大阪府知事「辞職が相当」、黒岩祐治神奈川県知事「表現の自由から逸脱している」と同様の発言　菅義偉官房長官、柴山昌彦文科大臣が会見で、補助金交付決定に関し「事実関係を確認した上で適切に対応」と発言

08.03　あいちトリエンナーレ2019で展示「表現の不自由展・その後」が脅迫により展示中止　出展作家が展示変更や中止　2019.09

限定再開
08.09　愛知県が「あいちトリエンナーレのあり方検証委員会」を設置
09.11　第4次安倍第2次改造内閣
09.17　沖縄県石垣市長と石垣市議会が08.26放映のNHK「あさイチ」内の自衛隊基地建設に関する報道が誤報として抗議
09.20～　ラグビーワールドカップ2019日本開催
09.26　文化庁があいトレにおける国際現代美術展開催事業について文化資源活用推進事業の補助金審査で、補助金適正化法第6条等に基づきあいトレ補助金の全額不交付を決定
09.27　文化庁所管の独立行政法人・日本芸術文化振興会が交付要綱8条を変更し「その他公益性の観点から助成金の交付（内定）が不適当と認められる場合」を取消条件に追加
10　ひろしまトリエンナーレ2020inBINGOのプレイベントで展示作品に苦情があり、県が外部委員会を作り展示内容を事前に確認する方針を表明
10.01　消費税10%引上げ実施　軽減税率を導入
10.27　川崎市で開催の「KAWASAKIしんゆり映画祭」で、市からの「懸念」伝達をきっかけに映画「主戦場」の上映取り下げ　会期の最終日に無料上映
10.29　三重県伊勢市・市美術展覧会（市展）で、主催者である市の意向で「安全な運営のため」作品の展示が不許可に
10.30　9月からウィーンで開催中の日本とオーストリアの国交樹立150年を記念する芸術展の公認を、事業要件を満たしていないとして外務省が取消　展示作品に政治的なものが含まれているためとみられる
10.31　※首里城全焼
11.06　衆議院予算委員会で加計学園問題に関する文科省文書に係る質問に対し、安倍晋三首相が「あなたが作ったんじゃないの」と発言し審議が中断　報道によると19年中だけで首相の閣僚席からの「不規則発言」は20回を超えるとされる
11.14　疑惑追及の渦中、桜を見る会の中止発表　参加者名簿も不自然

に廃棄
12.16　川崎市がヘイトスピーチ条例（川崎市差別のない人権尊重のまちづくり条例）を施行

2020　コロナ禍のなか安倍辞任

01.09　旅券発給拒否は違憲として安田純平が国を提訴
01.22　菅官房長官の記者会見で、東京新聞記者が「非常に不当な扱いを受けている」と抗議
01.31　出入国管理及び難民認定法（入管法）に規定する上陸拒否事由に該当するとして、中国滞在歴がある一部の外国人、中国旅券を有る者の一部を、症状の有無にかかわらず入国拒否の通知　03.09 政府が中国・韓国からの入国を制限　その後順次、対象国を拡大　同時に出国も自粛要請
01.31　自衛隊法 83 条 2 項但書きに規定する災害派遣（自主派遣）の実施を下令
01.31　黒川弘務東京高検検事長の定年延長を閣議決定　ツイッターデモ　一部有名人の発言が政治的炎上
02.04　「桜を見る会」疑惑の追及に対し、安倍晋三首相は「嘘つき」と反論
02.25　安倍晋三首相が、過去に政治系サイトへの政権支持投稿依頼を出し話題になった、ランサーズ社長ほか大手 IT 企業と会食
02.26　政府がイベントの自粛、博物館・美術館の閉鎖、公演等の中止・延期を要請
02.27　首相が記者会見で新型コロナでの一斉休校を呼びかけ
02.28　麻生太郎副総理財務相が毎日新聞記者の質問に対し正面から答えることなく、「つまんないこと聞くねぇ。上から言われてるわけ、かわいそうだねぇ」などと発言
02.29　安倍晋三首相の記者会見で質問制限（5 問、15 分で質疑打ち切り）が問題化、同時に記者の質問にも批判（その後計 7 回実施）

03　このころから図書館の閲覧室閉鎖が一般化
03.01　劇作家の野田秀樹が「劇場閉鎖は演劇の死」との意見書発表
03.02　NHK経営委員会での番組介入が発覚　議事録の情報公開に応じず
03.13　新型インフルエンザ等対策特別措置法を改正
03.14　原発事故で休止していた常磐線が全線開通
03.20　政府が三密となる行動の制約を要請　大阪府が兵庫との往来等の自粛を要請
03.25　東京都が不要不急の外出自粛を要請
03.25　5Gサービス開始
03.26　特措法に基づく政府対策本部を設置
03.28　特措法に基づく基本的対処方針を発表　医療関係者・エッセンシャルワーカー等に対するヘイトスピーチや「自粛警察」「帰省狩り」が社会問題化
03.28　文化庁が長官声明「文化芸術に関わる全ての皆さまへ」を発表　助成金交付を求める芸術関係者の署名運動「#SaveOurSpace」活発化
03.31　内閣官房ＩＴ室が取りまとめ総務省・厚労省・経産省連携でプラットフォーム事業者や携帯事業者に統計データ等の提供を要請
03.31　ひろしまトリエンナーレ2020inBINGOの総合ディレクターが作品の事前チェックに反対し辞任　04.10ひろしまトリエンナーレ2020 in BINGO中止
04.01　NHK同時再送信開始
04.03　Yahoo!が、厚労省新型コロナウイルス感染症クラスター対策に資する情報提供に関する協定を締結と公表
04.07　新型コロナで緊急事態宣言を発令　記者会見で出席できる記者の数を制限
05　NTTやYahoo!が政府要請に従い人流分析データを提供
06.05　改正著作権法施行　違法ダウンロード等の対象拡大
06.29　IT企業でつくるセーファーインターネット協会が誹謗中傷ホットラインを開設
07.10　総務省「発信者情報開示の在り方に関する研究会」が中間とり

まとめ発表

07　*東京オリンピック・パラリンピック延期*

08.06　法制審議会の少年法改正骨子で 18.19 歳厳罰化、実名報道も可

06.19　厚労省が新型コロナウイルス接触確認アプリ（COCOA）をリリース　3カ月で登録者数約 1000 万

08.20　*藤井聡太ブーム　棋聖戦と王位戦を制し二冠*

08.24　*安倍首相の連続在職日数が歴代最長*

08　大阪なおみの黒人差別批判の Twitter が評判に

08.28　安倍首相が辞任を発表　辞任会見での記者に礼節がないとの批判

09.06　※ドローン規制法の管理基準強化として規制対象として在沖縄米軍基地などが追加

09.16　*菅義偉が新総理に選出*

09.20　福島・双葉町に開館した県立の東日本大震災・原子力災害伝承館（公益財団法人・福島イノベーション・コースト構想推進機構の管理・運営）で、語り部に国や東京電力を含む「特定の団体」の批判はしないよう求める

10.01　日本学術会議の新会員任命を首相が一部拒否

10.01　NHK 受信料値下げ（2018.11 発表）

【初出】
琉球新報
2016 年 9 月 10 日〜 2020 年 9 月 12 日
（毎月 1 回連載）

東京新聞（＊の項）
2017 年 4 月 11 日〜 2020 年 9 月 15 日
（毎月 1 回連載、2020 年 7 月からは隔月で掲載）

＊本書は、2019 年度専修大学研究助成（第一種）「フルデジタル時代の放送概念の再構築」の研究成果の一部である。

山田健太（やまだ　けんた）
1959年、京都生まれ。専修大学ジャーナリズム学科教授。専門は言論法、ジャーナリズム研究。日本ペンクラブ専務理事、放送批評懇談会、自由人権協会、情報公開クリアリングハウスなどの各理事、世田谷区情報公開・個人情報保護審議会委員長などを務める。日本新聞協会職員（英国エセックス大学人権法研究所訪問研究員、新聞研究所研究員、日本新聞博物館学芸員）を経て、2006年より専修大学。
主な著書に『沖縄報道――日本のジャーナリズムの現在』（ちくま新書）、『法とジャーナリズム　第3版』（学陽書房）、『放送法と権力』（田畑書店）、『言論の自由――拡大するメディアと縮むジャーナリズム』（ミネルヴァ書房）、『ジャーナリズムの行方』（三省堂）、『3・11とメディア――徹底検証　新聞・テレビ・WEBは何をどう伝えたか』（トランスビュー）、『現代ジャーナリズム事典』（三省堂、監修）、『よくわかるメディア法　第2版』（ミネルヴァ書房、共編）、『放送制度概論――新・放送法を読みとく』（商事法務）、『政治のしくみと議員のしごと』（トランスビュー、共編著）、『3・11の記録』（日外アソシエーツ、共編）、『ジャーナリスト人名事典』（日外アソシエーツ、編）、『新版　マス・コミュニケーション概論』（学陽書房、共編）などがある。

田畑書店

愚かな風

忖度時代の政権とメディア

2020年11月10日　印刷
2020年11月15日　発行

著 者　山田健太《やまだけんた》

発行人　大槻慎二

発行所　株式会社 田畑書店

〒102-0074　東京都千代田区九段南3-2-2　森ビル5階

tel 03-6272-5718　fax 03-3261-2263

本文組版　田畑書店デザイン室

印刷・製本　シナノ書籍印刷株式会社

Printed in Japan

ISBN978-4-8038-0378-5 C0030

定価はカバーに表示してあります

落丁・乱丁本はお取り替えいたします